Workbook to Accompany

Contrastes

Grammaire du français courant

Denise Rochat

Smith College

Catherine Bloom

Mount Holyoke College

PEARSON

Prentice Hall

Upper Saddle River, NJ 07458

Acquisitions Editor: Rachel McCoy
Publishing Coordinator: Claudia Fernandes
Sr. Director of Market Development: Kristine Suárez
Director of Editorial Development: Julia Caballero
Sr. Production Editor: Nancy Stevenson
Asst. Director of Production: Mary Rottino
Supplements Editor: Meriel Martínez Moctezuma
Media Editor: Samantha Alducin
Media Production Manager: Roberto Fernandez
Prepress and Manufacturing Buyer: Christina Helder
Prepress and Manufacturing Asst. Manager: Mary Ann Gloriande
Marketing Assistant: William J. Bliss
Publisher: Phil Miller

This book was set in 10.5/13 Minion typeface by Preparé Inc. and was printed and
bound by Book Mart. The cover was printed by Book Mart.

 © 2005 by Pearson Education, Inc.
Upper Saddle River, NJ 07458

Printed in the United States of America

10 9 8 7 6 5 4

ISBN 0-13-110124-2

Pearson Education LTD., *London*
Pearson Education Australia PTY, Limited, *Sydney*
Pearson Education Singapore, Pte. Ltd.
Pearson Education North Asia Ltd., *Hong Kong*
Pearson Education Canada, Ltd., *Toronto*
Pearson Educación de Mexico, S.A. de C.V.
Pearson Education—Japan, *Tokyo*
Pearson Education Malaysia, Pte. Ltd.
Pearson Education, *Upper Saddle River*, New Jersey

Table des matières

1

Chapitre Un
Le présent de l'indicatif
L'impératif

1-1 **Présent de l'indicatif.** Mettez les verbes entre parenthèses au présent de l'indicatif.

1. C'est moi qui (a) _____ (payer) ou c'est vous qui (b) _____ (payer)?

2. Je (a) _____ (s'appeler) Jacques; j' (b) _____ (avoir) vingt ans et j' (c) _____ (habiter) à Toulouse depuis cinq ans.

3. En octobre, nous (a) _____ (changer) d'horaire et nous (b) _____ (commencer) à travailler une heure plus tard.

4. Elle n' _____ (acheter) ses vêtements qu'en période de soldes (*during sales*).

5. Venez avec moi: je vous _____ (emmener) en voiture.

6. Tu (a) _____ (aller) à la fac demain? Non, demain, je (b) _____ (ne pas pouvoir): je (c) _____ (devoir) aller chez le dentiste.

7. Vous (a) _____ (se tutoyer)? —Mais oui, bien sûr, nous (b) _____ (être) amis depuis si longtemps!

8. Papa est très matinal, il (a) _____ (se lever) vers six heures, mais nous, nous (b) _____ (se lever) plus tard, en tout cas pas avant huit heures.

9. Quand nous (a) _____ (aller) au cinéma, nous (b) _____ (se placer) en général au milieu de la salle.

10. Tu (a) _____ (répéter) ce soir? —Mais oui, tu sais bien que nous (b) _____ (répéter) cette pièce tous les soirs cette semaine!

11. En France, les adultes qui (a) _____ (ne pas se connaître) (b) _____ (se vouvoyer) (*to address someone formally*).

12. Depuis qu'elle (a) _____ (vivre) au bord de la mer, elle (b) _____ (être) en bien meilleure santé.

1-2 **Présent de l'indicatif.** Mettez les verbes entre parenthèses au présent de l'indicatif.

1. Qu'est-ce que vous (a) _____ (boire)? Un petit porto, un whisky, un verre de vin? —Non, merci, je (b) _____ (ne pas boire) d'alcool.

2. Vous (a) _____ (croire) ce que les journalistes (b) _____ (dire) à ce sujet?

3. D'habitude, je (a) _____ (recevoir) mon courrier le matin, sauf le jeudi, où le facteur ne (b) _____ (venir) que l'après-midi.

4. Ce cycliste est extraordinaire: il _____ (battre) tous les records depuis trois ans.

5. Vous _____ (faire) bien de me le dire.

6. Ce film est bien? —Ah oui, c'est vraiment un bon film; ça _____ (valoir) la peine de le voir!

7. Quand il (a) _____ (sortir), mon grand-père (b) _____ (mettre) toujours son béret.

8. Les roses de Noël se _____ (cueillir) en décembre.

9. En principe, mes parents (a) _____ (devoir) rentrer la semaine prochaine; ils (b) _____ (vouloir) absolument être de retour pour fêter l'anniversaire de ma grand-mère: elle aura quatre-vingt-dix ans.

10. En général, mes petites amies (a) _____ (ne pas plaire) à mes parents: ils (b) _____ (croire) toujours qu'elles (c) _____ (avoir) une mauvaise influence sur moi.

11. Dans les grandes villes comme Paris ou New York, les gens _____ (prendre) le métro plutôt que la voiture: c'est plus pratique et surtout plus rapide.

12. Vous (a) _____ (voir) bien, ce n'est pas grave! Il (b) _____ (ne pas falloir) vous inquiéter! Tout va s'arranger.

13. Nous _____ (craindre) une tempête de neige pour ce week-end.

14. Qu'est-ce que vous _____ (lire) en ce moment?

1-3 Devinette. Complétez le texte suivant à partir des verbes de la liste ci-dessous, que vous mettrez au **présent de l'indicatif**. N'utilisez ces verbes qu'**une seule fois**.

> aller / s'appeler / avoir / se battre / boire / craindre / être / habiter
> haïr (to hate) / manger / mesurer / opposer / porter / rapporter / perdre

Je (1) _____ gaulois. J' (2) _____ dans un petit village perdu de la Bretagne. J' (3) _____ les cheveux blonds et je (4) _____ de grosses moustaches. Certes, je ne (5) _____ qu'un mètre cinquante, mais on me (6) _____. De temps en temps, je (7) _____ de la potion magique car je (8) _____ souvent contre de nombreux ennemis. Mon meilleur ami, qui (9) _____ Obélix, est tailleur et livreur de menhirs. Ensemble, nous (10) _____ souvent à la chasse et nous en (11) _____ de succulents sangliers que nous (12) _____ à la broche. Les Romains nous (13) _____ car nous leur (14) _____ une résistance sans faille et surtout, nous ne (15) _____ jamais aucune bataille. Qui suis-je?

1-4 **Être en train de + infinitif.** Traduisez les phrases suivantes en employant l'expression **être en train de + infinitif**. Employez les indications entre crochets.

  1. *He's taking a shower.* [prendre une douche]

  _____

  2. *Unfortunately, our team is losing.* [Malheureusement… / équipe (f.)]

  _____

  3. *We are busy planning a party for her birthday.* [organiser une soirée]

  _____

  4. *I am in the middle of baking a cake.* [confectionner un gâteau]

  _____

1-5 **Si + verbe au présent.** Complétez les phrases suivantes en employant **si** + un verbe au **présent**.

  1. Je t'appellerai ce soir si je _____

  2. Prends ma voiture si tu _____

  3. Nous allons toujours nous promener le dimanche s'il _____

  4. Si tu _____, fais-toi un sandwich.

  5. Si nous _____, nous irons passer nos vacances à Paris.

1-6 **Cela (Ça) fait/Il y a** *ou* **depuis.** Traduisez les phrases suivantes de toutes les manières possibles en utilisant **Cela (Ça) fait/Il y a** *ou* **depuis**. Ajoutez **que** si nécessaire. Employez les indications entre crochets.

  1. *Since I've been on campus, I've had a busy social life.* [avoir une vie sociale bien remplie]

  _____

  2. *I've been studying French for four years.*

  _____

  3. *It's been snowing for two days.* [neiger]

  _____

  4. *I've been waiting for you for one hour!* [t'attendre]

  _____

1-7 **Recette.** Mettez les verbes entre parenthèses à la deuxième personne du **pluriel** de l'**impératif**.

> **Pruneaux au vin et au cassis** (4 personnes)
> 250 g de gros pruneaux dénoyautés (*pitted prunes*)
> $\frac{1}{2}$ litre de sorbet au cassis (*black currant sorbet*)
> le zeste d'une orange
> $\frac{1}{2}$ bouteille de vin rouge
> 100 g de sucre en poudre (*granulated sugar*)
> 1 bâton de cannelle (*cinnamon stick*)
> 4 feuilles de menthe (*mint leaves*)

  1. Dans une casserole, (a) _____ (mettre) le sucre, le zeste d'orange, la cannelle et le vin et

  (b) _____ (faire) bouillir le tout.

2. _____ (laisser) macérer les pruneaux pendant environ un quart d'heure.

3. (a) _____-les (enlever) et (b) _____-en (garnir) (*fill*) des coupes.

4. (a) _____ (réduire) le vin de cuisson jusqu'à ce qu'il devienne sirupeux, puis

   (b) _____-le (verser) sur les pruneaux.

5. (a) _____ (attendre) que les fruits soient complètement refroidis. (b) _____ (accompagner) chaque coupe d'une boule de sorbet au cassis.

D'après la recette des «Pruneaux au vin et au cassis», *Guide Cuisine*, novembre 2002, n° 137, page 58

1-8 **Recette.** Mettez les verbes entre parenthèses à la deuxième personne du **pluriel** de l'**impératif**.

> **Tarte Tatin** (6 personnes)
> 1 kg de pommes
> 100 g de sucre en poudre
> 200 g de beurre
> 1 œuf
> 250 g de farine
> 1 pincée de sel

1. _____ (préchauffer) (*preheat*) le four à 210 degrés centigrades.

2. (a) _____ (beurrer) un moule à tarte en fonte (*cast iron*) de 22 cm de diamètre avec 25 g de beurre. (b) _____ (ajouter) 50 g de sucre.

3. (a) _____ (peler) les pommes, (b) _____-les (couper) en quatre et

   (c) _____-en (tapisser) (*cover*) le fond du moule.

4. (a) _____ (saupoudrer) (*sprinkle*) du reste de sucre et (b) _____ (parsemer) le tout de 25 g de beurre en noisettes (*butter in small chunks*).

5. (a) _____ (laisser) le sucre se caraméliser pendant un quart d'heure environ, puis

   (b) _____ (faire) tiédir (*cool down*) le tout hors du feu.

6. Pendant ce temps, _____ (mélanger) la farine, le sel, l'œuf et les 150 g de beurre restants dans un grand bol.

7. (a) _____ (pétrir) (*knead*) du bout des doigts pour obtenir une pâte régulière:

   (b) _____ (humecter) (*moisten*) avec un peu d'eau si nécessaire.

8. (a) _____ (rouler) la pâte en boule puis, avec un rouleau à pâtisserie,

   (b) _____-la (étaler) en un cercle légèrement supérieur à celui du moule.

9. Pour transférer la pâte plus facilement, (a) _____-la (enrouler) sur le rouleau à pâtisserie,

   puis (b) _____-la (dérouler) au-dessus des pommes dans le moule.

10. (a) _____ (enfourner) et (b) _____ (prévoir) environ 30 minutes de cuisson: la croûte doit être dorée mais pas brûlée.

11. (a) _____ (enlever) la tarte du four mais (b) _____ (ne pas la démouler) tout de suite.

12. Après 5 minutes, (a) _____ (poser) un grand plat sur le moule; (b) _____ (retourner) le tout d'un geste rapide.

13. _____ (ôter) (*remove*) le moule avec précaution.

14. Pour une dégustation raffinée, (a) _____ (présenter) les parts de tarte avec de la crème Chantilly, ou, mieux encore, (b) _____-les (flamber) avec du calvados. Bon appétit!

D'après la recette de la «Tarte Tatin», Cuisine Actuelle, octobre–novembre 2002, n° hors-série, page 65

1-9 **Instructions.** Mettez les verbes entre parenthèses à la deuxième personne du **singulier** de l'**impératif**.

Marielle ne rentrera que très tard du travail. Elle a donc laissé à son mari Michel une liste d'instructions très précises.

Mon chéri,

Juste un petit mot pour te rappeler que je ne serai pas de retour avant onze heures ce soir: j'ai une réunion suivie d'un dîner avec des clients importants. (1) _____ (se souvenir) que Janine et Pierre viennent manger demain soir; j'aimerais donc que tu me fasses quelques courses si ça ne t'ennuie pas trop. D'abord, (2) _____ (être) un amour et (3) _____ (aller) me chercher ma robe noire chez le teinturier; j'ai laissé le ticket sur la table dans l'entrée. Surtout, (4) _____ (ne pas l'oublier), sinon ils ne te donneront pas la robe. Et tant que tu y es (*while you are at it*), (5) _____-en (profiter) pour y déposer tes chemises et ton costume d'été. Ensuite, (6) _____ (passer) chez le boucher et (7) _____-leur (commander) un beau rôti de porc. (8) _____-leur (dire) que je passerai le prendre en fin de matinée demain. S'ils ont de belles côtelettes d'agneau, (9) _____-en (prendre) deux. Nous les mangerons après-demain. En revenant, (10) _____ (s'arrêter) au marché et (11) _____ (choisir) quelques belles endives, des radis, de la salade et des courgettes (*zucchini*). (12) _____ (voir) aussi si tu peux me trouver une jolie barquette de framboises, mais (13) _____ (faire) attention, (14) _____ (ne pas se laisser) avoir: la dernière fois, le fruitier t'a vendu des abricots qui étaient immangeables. (15) _____ (acheter) aussi de la crème fraîche et un bon camembert, pas trop fait (*not too ripe*). Avant de rentrer, (16) _____ (passer) à la pâtisserie pour commander un Paris-Brest (*a ring-shaped cake with praline*). Janine et Pierre adorent ça. Et puis quand tu seras revenu à la maison, si tu en as encore la force et le courage, (17) _____ (nettoyer) le frigidaire et (18) _____ (ranger) un peu l'appartement. Je suis débordée et je ne vais pas avoir le temps de le faire avant demain soir. Tu es un ange! Je t'adore! À ce soir. (19) _____ (ne pas s'endormir) pas trop tôt… J'ai une grande nouvelle à t'annoncer! (20) _____ (deviner) ce que c'est…

Bisous,
Marielle

1-10 Impératif affirmatif et négatif. Répondez aux questions suivantes en mettant le verbe à l'impératif affirmatif et négatif. Employez les indications entre crochets. Faites tous les changements nécessaires.

MODÈLE: *On l'attend? [Oui… / Non…] → Oui, attendons-le. *ou* Non, ne l'attendons pas.

1. J'en achète un? [Oui… / Non… (2ᵉ personne du singulier)]

_____

2. Nous t'accompagnons? [Oui… / Non… (2ᵉ personne du pluriel)]

_____

3. On leur parle? [Oui… / Non…]

_____

4. Alors, j'y vais, oui ou non? [Oui… / Non… (2ᵉ personne du singulier)]

_____

5. Et les billets, je les réserve? [Oui… / Non… (2ᵉ personne du pluriel)]

_____

6. Alors, cette exposition, on y va? [Oui… / Non…]

_____

1-11 L'impératif (présent et passé). Traduisez les phrases suivantes en mettant les verbes à l'**impératif présent** ou **passé**, suivant le cas. Employez les indications entre crochets.

1. *Please wait in the waiting room.* [vouloir patienter (2ᵉ personne du pluriel) / salle d'attente]

_____

2. *Let's be realistic!*

_____

3. *Sit down and eat!* [2ᵉ personne du singulier]

_____

4. *Let's go!*

_____

5. *Don't be rude!* [2ᵉ personne du singulier / impoli(e)]

_____

6. *Make sure you have finished your homework before dinner.* [2ᵉ personne du pluriel]

_____

7. *Give some to your brother.* [2ᵉ personne du singulier]

_____

8. *Don't think about it!* [2ᵉ personne du pluriel]

_____

9. *Have a little more patience!* [2ᵉ personne du singulier]

_____

10. *Know this poem by tomorrow.* [2ᵉ personne du pluriel / ce poème / d'ici demain]

_____

2

Chapitre Deux

Les articles
Quantités, préparations et substances
Omission de l'article

2-1 Articles définis *vs* indéfinis. Complétez les phrases suivantes par des articles définis ou indéfinis, suivant le sens et le contexte.

Qui est ce garçon?

1. C'est _____ ami.

2. C'est _____ ami de ma sœur.

Qu'est-ce que c'est que ça?

3. C'est _____ tableau de Picasso.

4. C'est _____ plus célèbre tableau de Picasso.

Qu'est-ce qu'il y a dans cette boîte?

5. Il y a _____ brochures.

6. Il y a _____ nouvelles brochures du programme d'études à Paris.

Qu'est-ce que vous avez fait hier soir?

7. Nous avons vu _____ exposition (*art show*).

8. Nous avons vu _____ exposition Cézanne au Grand Palais.

Qu'est-ce qu'il y a ce week-end?

9. Il y a (a) _____ compétition de natation; je crois que c'est celle qui a lieu tous

   (b) _____ ans.

2-2 Articles définis *vs* indéfinis. Complétez les phrases suivantes par des articles définis ou indéfinis, suivant le sens et le contexte.

1. Ils ont _____ fille charmante.

2. Ne réveille pas _____ enfants: ils se sont couchés très tard hier soir; ils ont encore besoin de dormir.

3. J'ai acheté _____ baffles (*loudspeakers*) pour ma voiture.

4. J'ai cassé par inadvertance _____ lecteur CD (*CD player*) de mon père.

5. Va me chercher _____ vase pour que j'y mette ces fleurs.

6. Il ne raconte que _____ mensonges!

7. On ne peut pas toujours dire _____ vérité.

8. Ils sont allés voir _____ pièce (f.) de Claudel qui se joue au théâtre des Champs-Elysées.

9. Hier, j'ai vu _____ excellent film; tu devrais aller le voir toi aussi.

10. C'était sans aucun doute (a) _____ élève (b) _____ plus intelligent de la classe.

11. Normalement, _____ mercredi matin de 9 heures à 10 heures, j'ai mon cours de physique.

12. _____ hirondelles (*swallows*) des pays tempérés reviennent tous les ans au début du printemps.

2-3 Articles définis *vs* indéfinis. Complétez les phrases suivantes par des articles définis ou indéfinis, suivant le sens et le contexte.

(1) _____ hôtel où nous descendons d'habitude à Nice se trouve dans (2) _____ quartier très agréable. Il donne sur (3) _____ Promenade des Anglais d'où l'on a (4) _____ vue imprenable (*unrestricted view*) sur (5) _____ mer. Toute (6) _____ année, on y voit (7) _____ touristes attirés par (8) _____ soleil et (9) _____ beautés de (10) _____ Côte d'Azur (*the French Riviera*).

2-4 *Articles définis *vs* indéfinis. Complétez les phrases suivantes par des articles définis ou indéfinis, suivant le sens et le contexte.

1. Cette famille vit dans _____ pauvreté.

2. Cette famille vit dans _____ pauvreté indescriptible.

3. Ils comptent sur _____ aide financière de l'État, mais je ne sais pas laquelle.

4. Tu sais bien que c'est grâce à _____ aide financière de ses parents qu'il a réussi dans la vie!

5. Son dernier film s'est heurté à _____ hostilité du grand public.

6. Son dernier film a rencontré _____ hostilité inexplicable.

7. C'est _____ paysage que je préfère.

8. C'est _____ paysage que j'adore.

9. _____ malheur n'arrive jamais seul.

10. _____ malheur, c'est qu'il n'arrive pas à se concentrer.

2-5 Articles définis *vs* indéfinis. Traduisez les phrases suivantes. Employez les indications entre crochets.

1. *Breakfast is served at 7 A.M.* [On sert...]

_____

2. *He broke his ankle.* [se casser / cheville (f.)]

_____

3. *What kind of wine do you prefer? White or red?* [Quelle sorte... / préférez-vous]

_____

4. *Meetings usually take place on Mondays.* [réunions (f. pl.) / avoir lieu généralement]

_____

5. *We go out a lot at night; last night, for example, we saw a great movie.* [sortir beaucoup / excellent film (m.)]

   _____

6. *Halloween is on October 31.* [On fête Halloween…]

   _____

7. *French people appreciate good food.* [apprécier / bonne chère]

   _____

8. *I'll always remember the best meal I had in Paris.* [se souvenir de / repas (m.) / que j'ai fait]

   _____

9. *He's always had problems.* [avoir (passé composé)]

   _____

10. *We've just received catastrophic news.* [recevoir / nouvelles catastrophiques]

   _____

2-6 **Articles indéfinis** *vs* **partitifs.** Complétez les phrases suivantes par des articles indéfinis ou partitifs, suivant le sens et le contexte.

   1. J'ai eu _____ chance.

   2. J'ai eu _____ chance inouïe.

   3. Il faut _____ argent pour vivre dans un quartier aussi chic!

   4. Ils dépensent _____ argent fou.

   5. En revenant, peux-tu acheter _____ vin? Je n'en ai plus.

   6. En revenant, peux-tu acheter _____ vin qui irait bien avec les fruits de mer (*seafood*)?

   7. Ajoutez _____ huile dans l'eau de cuisson des pâtes pour éviter qu'elles n'attachent (*so they won't stick*).

   8. Pour assaisonner vos tomates, choisissez _____ bonne huile d'olive.

   9. Mets _____ manteau, il fait froid.

   10. Mets _____ sucre sur ton pamplemousse (*grapefruit*) si tu le trouves trop acide.

2-7 **De/d'** *vs* **des.** Complétez les phrases suivantes par la forme de l'article qui convient (**de/d'** ou **des**).

   1. Elle a _____ bonnes idées.

   2. Elle a toujours _____ idées originales.

   3. À Noël, j'ai reçu _____ délicieux chocolats.

   4. Si vous voulez vraiment lui faire plaisir, offrez-lui _____ chocolats noirs pour son anniversaire.

   5. Aux États-Unis, il y a (a) _____ immenses centres commerciaux où l'on trouve

      (b) _____ grands magasins comme Saks et Bloomingdale's.

   6. Tu veux _____ petits pois avec ton steak?

   7. Autour du bassin du Luxembourg, on apercevait (a) _____ jeunes gens qui faisaient

      (b) _____ grands sourires à (c) _____ jeunes Américaines.

   8. Donne-lui quelque chose _____ autre à faire puisqu'elle veut se rendre utile!

2-8 **Articles définis** *vs* **partitifs.** Complétez les phrases suivantes par des articles définis ou partitifs, suivant le sens et le contexte.

1. Elle parle très vite, j'ai _____ peine à la comprendre.

2. Cela vaut _____ peine de visiter la Provence.

3. Pierre? C'est _____ grand amour de sa vie!

4. Ce serait dommage qu'ils divorcent: il est évident qu'il y a encore _____ amour entre eux.

5. Avez-vous _____ temps d'aller prendre un café?

6. Il faut _____ temps pour vraiment connaître les gens.

7. Nous buvons _____ eau minérale à chaque repas.

8. Il n'aime pas _____ eau gazeuse.

9. Elle a vraiment _____ énergie, ta grand-mère! Je l'admire.

10. Bien qu'elle ait travaillé avec _____ énergie du désespoir, elle n'est pas arrivée à tout terminer à temps.

2-9 **Articles définis** *vs* **indéfinis** *vs* **partitifs.** Complétez les phrases suivantes par l'article qui convient.

1. Mon enfant a _____ fièvre (f.) depuis hier soir.

2. Mon enfant a (a) _____ forte fièvre: il vaut mieux qu'il n'aille pas à (b) _____ école aujourd'hui.

3. Il voudrait vivre à (a) _____ campagne car il aime (b) _____ calme.

4. «Mettre (a) _____ beurre dans (b) _____ épinards» est (c) _____ expression qui signifie améliorer sa situation matérielle.

5. C'est (a) _____ ancien combattant de (b) _____ guerre du Vietnam.

6. (a) _____ héros de ce film est (b) _____ gangster.

7. Marc joue (a) _____ violoncelle et (b) _____ flûte (f.) depuis qu'il est tout petit.

8. Mon grand-père commande toujours _____ choucroute (f.; *sauerkraut*) quand il va à Strasbourg.

2-10 **Articles définis** *vs* **indéfinis** *vs* **partitifs.** Complétez les phrases suivantes par l'article qui convient. Faites la contraction avec **à** ou **de** si nécessaire.

1. Jean-Michel est sorti avec _____ amis, je ne sais pas lesquels: il en a beaucoup.

2. Je préfère (a) _____ brie (b) à _____ camembert.

3. Nous faisons _____ photo quand nous sommes en vacances.

4. C'est elle qui fait (a) _____ costumes de Halloween de ses enfants. Vraiment, je ne sais pas où elle trouve (b) _____ temps!

5. Vous croyez à _____ revenants (*ghosts*)?

6. Elle boit rarement (a) _____ bière, elle préfère (b) _____ champagne, surtout avec (c) _____ huîtres.

7. Je crois que je vais acheter (a) _____ poisson pour demain soir, par exemple (b) _____ darnes de saumon (*salmon steaks*).

8. Nous allons bientôt arriver à _____ village où je suis né(e).

9. Cet été, nous avons passé nos vacances dans (a) _____ village (b) de _____ Pyrénées.

10. Ils ont eu (a) _____ ennuis en arrivant à (b) _____ frontière parce qu'ils ne savaient pas qu'il leur fallait (c) _____ visa.

2-11 Articles définis *vs* indéfinis *vs* partitifs. Complétez les phrases suivantes par l'article qui convient. Faites la contraction avec **à** ou **de** si nécessaire.

1. Est-ce que tu connaîtrais par hasard _____ petit restaurant pas trop cher où l'on mange bien?

2. J'ai parlé à _____ fille très sympathique hier soir.

3. Pourriez-vous me prêter _____ argent?

4. Lorsqu'ils étaient jeunes, mes grands-parents habitaient à _____ Le Caire.

5. Je connais bien (a) _____ guitariste de ce groupe; c'est (b) _____ musicien extraordinaire.

6. Mettez _____ sel si vous trouvez que c'est trop fade (*bland*).

7. Combien de sucres prenez-vous dans votre café? _____ morceau ou deux?

8. Passe-moi _____ sucre en poudre (*granulated sugar*), s'il te plaît.

9. Elle prit soudain (a) _____ air méprisant et sortit en claquant (b) _____ porte.

10. Hier, (a) _____ monsieur nous a abordé(e)s dans (b) _____ rue pour nous poser (c) _____ questions pour (d) _____ sondage d'opinion (*opinion poll*).

11. J'aime beaucoup (a) _____ raisin: j'en mange souvent (b) à _____ dessert.

12. Dans la vinaigrette, on peut ajouter (a) _____ moutarde et même (b) _____ thym (m.) ou (c) _____ estragon (m.).

2-12 Récapitulation: articles définis, indéfinis et partitifs. Traduisez les phrases suivantes. Employez les indications entre crochets.

1. *I love pâté.* [adorer / pâté (m.)]

_____

2. *Do you want some pâté?* [Tu veux…]

_____

3. *This semester, I'm studying chemistry, French, math, and astronomy.*

_____

4. *Winters are very harsh in Quebec.* [être très dur / le Québec]

_____

5. *I was lucky.* [avoir (passé composé) / chance (f.)]

_____

6. *It's my brother's fault.*

_____

7. *I bought some red peppers.* [poivron (m.)]

_____

8. *If you want good baguettes, go to the bakery around the corner.* [Si tu veux / baguettes (f. pl.) / aller / boulangerie (f.) du coin]

_____

9. *Gasoline went up a lot lately.* [essence (f.) / beaucoup augmenter dernièrement]

_____

10. *She still needs her parents' affection.* [avoir encore besoin de / affection (f.)]

_____

2-13 *Du, de l', de la, des. Indiquez si les articles **en gras** sont des articles partitifs, indéfinis ou définis combinés ou contractés avec la préposition **de**.

1. As-tu besoin **de la** voiture ce soir?
2. Nous avons eu **de la** chance de trouver des places pour le concert de demain.
3. J'ai plusieurs amis qui font **de l'**aviron (*crew*) tous les matins.
4. Je me suis aperçue **de l'**erreur en relisant mon travail.
5. Servez-vous **des** indications que je vous ai données.
6. Pour le dessert, j'ai servi **des** éclairs.
7. Elle fait **du** karaté depuis l'âge de douze ans; je crois même qu'elle est ceinture noire.
8. Mon chat a une affection particulière pour le chien **du** voisin.

2-14 La négation des articles. Mettez les phrases suivantes à la forme **négative**.

1. J'ai la grippe.

_____

2. Il y avait du chauffage ce matin.

_____

3. J'ai besoin du dictionnaire pour faire mes mots croisés.

_____

4. Vous avez trouvé un travail?

_____

5. Il s'est aperçu des erreurs de son collègue.

_____

6. Nous faisons de la varappe (*rock climbing*).

_____

7. Il a répondu au téléphone.

_____

8. Ma petite sœur fait du judo et de la danse classique.

_____

9. Elle a de l'amour-propre. (*self-esteem*)

_____

10. J'ai entendu parler des Caubère.

_____

2-15 **La négation des articles.** Mettez les phrases suivantes à la forme **affirmative**.

1. Il ne reste plus d'espoir.

_____

2. Il n'y a pas de fautes dans votre dictée.

_____

3. Vous n'auriez pas une suggestion par hasard?

_____

4. En général, je ne bois pas de Coca.

_____

5. Mon frère ne suit pas de cours de chimie.

_____

6. Ils ne se rendent pas compte des dangers de la situation.

_____

7. Cette résidence n'accepte ni les enfants, ni les animaux.

_____

8. Je ne prends ni sucre ni crème dans mon café.

_____

9. Ils n'ont pas d'enfants.

_____

10. Elle n'a pas peur des araignées (*spiders*).

_____

2-16 ***La négation des articles.** Complétez les phrases suivantes. Ajoutez la préposition **de** si nécessaire. Faites la contraction ou l'élision lorsqu'elles s'imposent.

1. Elle n'aime pas _____ compliments.

2. Mes parents ont toujours eu des chats mais jamais _____ chiens.

3. Je n'ai pas _____ opinion sur la question.

4. Tu n'aurais pas _____ petite pièce (*change*) pour ce malheureux clochard (*poor homeless man*)?

5. Il ne mange ni (a) _____ viande ni (b) _____ poisson.

6. Elle n'a pas _____ patience avec les enfants.

7. Mes voisins ont le téléphone mais pas _____ câble, du moins pas encore.

8. Je n'ai pas commandé _____ chardonnay, j'ai commandé du merlot.

9. Je crois que je n'ai plus (a) _____ farine (*flour*) ni (b) _____ œufs.

Les articles • Quantités, préparations et substances • Omission de l'article

10. Ce médicament ne donne pas _____ résultats attendus.

11. Elle a fait une chute terrible dans l'escalier et s'est cassé _____ colonne vertébrale (*spine*)!

12. Le jour de l'enterrement, elle n'a pas versé _____ larme!

13. Elle ne conduit pas (a) _____ Toyota mais (b) _____ Honda.

14. Ne lui donne pas (a) _____ chocolat, voyons! Tu sais bien que cet enfant est allergique
    à (b) _____ chocolat! Offre-lui plutôt (c) _____ bonbons aux fruits.

15. Non, tu te trompes, ce n'est pas de ce côté, c'est _____ autre côté.

2-17 *****Négation totale** *vs* **négation partielle.** Traduisez les phrases suivantes. Employez les mots indiqués entre crochets.

1. *I didn't buy a computer, I bought software.* [ordinateur (m.) / logiciel (m.)]

   _____

2. *I didn't buy the latest model.* [modèle (m.)]

   _____

3. *I didn't buy a computer for her but for me.*

   _____

4. *I don't need a recent model; I can use an older one.* [avoir besoin de qqch / récent / se servir de qqch /
   plus ancien]

   _____

5. *She doesn't need help.*

   _____

6. *We don't like frogs' legs.* [cuisses de grenouille]

   _____

7. *These are not mussels, these are clams.* [Ce ne sont… / moules (m. pl.) / palourdes (f. pl.)]

   _____

8. *He doesn't have a minute to himself.* [minute (f.) à lui]

   _____

9. *We don't have any other idea.*

   _____

10. *Don't call me in the afternoon; I'm never home.* [Ne m'appelez pas…]

    _____

2-18 **Quantité (déterminée** *vs* **indéterminée).** Complétez les phrases suivantes par l'article et/ou la préposition *de* si nécessaire. Faites la contraction ou l'élision lorsqu'elles s'imposent.

1. Mon père n'aime pas _____ thé (m.).

2. Prenez une tasse _____ thé, cela vous réchauffera.

3. Tu veux (a) _____ crème et (b) _____ sucre dans ton café? —Merci, mais je ne prends
   jamais ni (c) _____ crème ni (d) _____ sucre dans mon café.

4. On dit qu'il faut boire un litre _____ eau par jour.

5. Ne bois pas _____ eau du robinet, elle n'est pas potable (*drinkable*).

6. Il faudrait mettre _____ eau dans ce vase, sinon tes fleurs vont se faner.

7. Il y a moins _____ touristes cet été.

8. Nombre _____ touristes préfèrent voyager en automne.

9. La plupart _____ gens se servent maintenant d'un portable (*cell phone*).

10. Donnez-moi une part (a) _____ quiche (f.) et une carafe (b) _____ vin du pays.

11. N'oublie pas d'acheter (a) _____ jambon (m.), (b) _____ mortadelle (f.) et

    (c) _____ saucisses (f. pl.) pour ce soir.

12. Pour faire le pesto, il faut (a) _____ basilic (m.), (b) _____ pignons (*pine nuts*),

    (c) _____ ail (m.) et (d) _____ huile d'olive.

13. Pour le pot-au-feu, utilisez (a) _____ beau morceau (b) _____ bœuf (m.),

    (c) _____ bel os à moelle, (d) _____ oignons (m. pl.) dans lesquels vous aurez piqué

    (e) _____ clous de girofle (*cloves*), une livre (f) _____ carottes, (g) _____ beaux

    poireaux, deux ou trois navets et un petit kilo (h) _____ tomates, sans oublier (i) _____

    joli bouquet garni (*a bunch of fresh thyme, parsley, and bay leaves*).

14. Je vais vous faire visiter mon jardin: sous ma cuisine, en plein soleil, j'ai un carré (a) _____

    herbes aromatiques et quelques plants (b) _____ tomates; plus loin, c'est le jardin

    (c) _____ agrément: j'y ai planté (d) _____ rosiers qui fleurissent jusqu'à Noël.

2-19 Quantités et préparations. Complétez les phrases suivantes par l'article et/ou les prépositions **à** ou **de** si nécessaire. Faites la contraction ou l'élision lorsqu'elles s'imposent.

1. Vous aimez (a) _____ canard (m.) (b) _____ orange (f.)? —Oui, j'aime beaucoup ça,

   mais ça ne me tente pas beaucoup aujourd'hui. Je crois que je vais prendre (c) _____ steak avec

   (d) _____ frites et (e) _____ salade verte: tiens! (f) _____ petite salade

   (g) _____ roquette (f.; *arugula*) et de romaine.

2. Mes deux frères ont bon appétit. Ils ont commandé (a) _____ escargots et ensuite

   (b) _____ bon cassoulet (m.) toulousain. Pour le dessert, ils ont choisi (c) _____

   mousse (f.) (d) _____ chocolat (m.) et un morceau (e) _____ tarte (f) _____

   pommes.

3. Il faut que j'achète deux bouteilles (a) _____ eau minérale, deux kilos (b) _____

   pommes de terre, (c) _____ salade, (d) _____ fromage: un morceau (e) _____

   gruyère et une petite tranche (f) _____ chèvre (*goat cheese*). Il me faut aussi 250 grammes

   (g) _____ jambon.

2-20 Quantités et préparations. Complétez les phrases suivantes par l'article et/ou les prépositions **à** ou **de** si nécessaire. Faites la contraction ou l'élision lorsqu'elles s'imposent.

1. Vous aimez _____ pizza?

2. Vous avez déjà mangé _____ ratatouille (f.)? C'est une spécialité provençale.

3. Ils avaient tellement soif qu'ils ont fini toute _____ bière que j'avais achetée.

4. Pourrais-tu redemander _____ pain, s'il te plaît?

5. Voulez-vous une autre tranche (a) _____ gigot? —Oui, volontiers, j'adore (b) _____ gigot et le vôtre est succulent.

6. En général, je commande _____ blanquette (f.) de veau quand je déjeune (*when I have lunch*) dans ce petit restaurant. C'est la spécialité de la maison.

7. Aujourd'hui, je crois que je vais prendre (a) _____ petite omelette (b) _____ jambon, avec (c) _____ verre (d) _____ vin, (e) _____ chablis par exemple.

8. Qu'est-ce que vous prenez comme entrée? (a) _____ huîtres ou (b) _____ saumon fumé?

9. J'adore (a) _____ pâté de campagne et (b) _____ terrine (f.) de lapin.

10. J'aime beaucoup (a) _____ escargots avec (b) _____ bonne petite sauce (c) _____ ail. Tenez, je vais demander s'ils en ont: j'en prendrais bien (d) _____ douzaine.

2-21 *Quantités, préparations et matières. Complétez les phrases suivantes avec l'article et/ou les prépositions **à, de** ou **en** si nécessaire. Faites la contraction ou l'élision lorsqu'elles s'imposent.

1. Qu'est-ce que je peux vous offrir? (a) _____ rosé, (b) _____ doigt (c) _____ xérès (m.), (d) _____ bon petit pastis bien tassé, (e) _____ eau minérale avec une rondelle (f) _____ citron, (g) _____ bière, (h) _____ petit porto, un jus (i) _____ fruit, ou tout simplement (j) _____ café?

2. Reprenez donc encore un peu (a) _____ poulet, quelques (b) _____ haricots blancs, (c) _____ pommes de terre avec (d) _____ sauce (f.)! Et puis reprenez aussi (e) _____ vin! Vous aimez (f) _____ vin, n'est-ce pas? Alors vous en boirez bien (g) _____ petite goutte pour m'accompagner?

3. Aujourd'hui, je ne prends pas (a) _____ dessert parce que je me suis mise au régime! Il faut dire que depuis Noël, j'ai mangé trop (b) _____ chocolats. Ah là là! C'est mon péché mignon, (c) _____ pralinés. Il faut que je fasse attention, sinon je vais grossir et je ne pourrai plus entrer dans ma robe du soir (d) _____ lycra.

4. Au restaurant, Jean-Claude a commandé (a) _____ assiette (b) _____ charcuterie qui comprenait une ou deux tranches de prosciutto, quelques rondelles (c) _____ saucisson, (d) _____ mousse de pâté de canard. Ce n'est pas très régime, mais c'est si bon, avec (e) _____ pain frais, un peu (f) _____ beurre et (g) _____ petit pichet de vin rouge.

5. Pardon monsieur, ces verres là-bas sont (a) _____ cristal? —Ah non madame, pas du tout: c'est (b) _____ plastique (m.)!

2-22 Quantités, préparations et matières. Traduisez les phrases suivantes. Employez les indications entre crochets.

1. *I bought myself a suede jacket.* [s'acheter / veste (f.) / daim (m.)]

_____

2. *I'd like a pound of gruyere.* [livre (f.) / gruyère (m.)]

_____

3. *For this dish, you need tomatoes and cheese.* [Pour ce plat, il faut…]

_____

4. *What is this? Cotton or wool?* [Qu'est-ce que c'est que ça?]

_____

5. *My grandmother baked me an almond cake.* [confectionner / gâteau (m.) / amandes (f. pl.)]

_____

6. *If you like cucumbers, I'll make you a cucumber salad.* [Si tu… / concombre (m.)]

_____

7. *I'll only take a bite of quiche!* [ne prendre que / bouchée (f.) / quiche (f.)]

_____

8. *In Provence, you can find lavender everywhere.* [En Provence… / on trouve / lavande (f.)]

_____

9. *This café is always full of people on Friday nights.* [plein / monde]

_____

10. *I don't have the time to go out tonight, and anyway, I have no money.* [et de toute façon]

_____

2-23 *Article *vs* pas d'article. Complétez les phrases suivantes de la façon qui convient. Faites les contractions ou les élisions lorsqu'elles s'imposent.

1. Il parle toujours de son enfance avec _____ nostalgie.

2. Il parle toujours de son enfance avec _____ nostalgie teintée d'amertume (*bitterness*).

3. Ils sont allés se promener par _____ belle soirée d'été.

4. Elle a fait cela par _____ jalousie.

5. Nous avons essayé de trouver des places pour le match de foot de la coupe du monde, mais sans _____ succès.

6. Son dernier roman s'est vendu, mais sans _____ succès attendu (*expected*).

7. J'irai l'accueillir en _____ personne à l'aéroport.

8. Elle est très intelligente: elle comprend tout en _____ clin d'œil (*in the blink of an eye*)!

9. Ils font le pont à Noël, comme _____ plupart des Français. (faire le pont: *to take the extra day [off]*)

10. Que prendrez-vous comme _____ dessert?

2-24 *Article* vs **pas d'article.** Complétez les phrases suivantes de la façon qui convient. Faites les contractions ou les élisions lorsqu'elles s'imposent.

1. Cette pauvre tante Élise n'a pas _____ humour: un rien la vexe!

2. Cette pauvre tante Élise n'a pas le moindre sens _____ humour.

3. C'est un bon professeur: elle enseigne avec _____ humour et ses étudiants apprennent en s'amusant.

4. La porte d'entrée de l'immeuble était ornée _____ grand écusson (*coat of arms*).

5. La porte d'entrée de l'immeuble était ornée _____ motifs mythologiques.

6. N'avons-nous pas tous besoin _____ amour?

7. Elle l'a fait par _____ amour pour lui.

8. Nous avons tous besoin _____ amour de nos proches.

9. Si tu ne te sers plus _____ aspirateur (*vacuum cleaner*), puis-je te l'emprunter? J'en ai besoin pour nettoyer la voiture.

10. Si tu n'as pas (a) _____ endives pour ta salade composée (*mixed salad*), choisis

    (b) _____ scarole (f.): c'est aussi une chicorée qui ira très bien avec des morceaux

    (c) _____ pommes, noix et gruyère.

2-25 *De (sans article)* vs **de + article** vs **article (seul).** Complétez les phrases suivantes de la façon qui convient. Faites les contractions ou les élisions lorsqu'elles s'imposent.

1. Les meubles étaient recouverts _____ poussière (*dust*).

2. Les meubles étaient recouverts _____ fine poussière.

3. Est-ce que tu te rappelles _____ date de l'examen final?

4. Est-ce que tu te souviens _____ date de l'examen final?

5. On utilise _____ poireaux (*leeks*) pour faire une vichyssoise (*leek and potato soup*).

6. On se sert _____ poireaux pour faire une vichyssoise.

7. Ce pauvre monsieur Dufour est perclus _____ rhumatismes (*crippled with rheumatism*).

8. Elle a pris en charge _____ enfants de sa sœur.

9. Elle s'est toujours occupée _____ enfants de sa sœur.

10. Elle s'est longtemps occupée _____ enfants traumatisés.

11. Abdelhak est ministre de la culture; c'est _____ Marocain qui est aussi français par sa mère.

12. Elle n'est jamais à court (a) _____ idées: non seulement elle a (b) _____ bonnes idées mais elle a (c) _____ idées larges.

2-26 *Récapitulation: article* vs **pas d'article.** Complétez les phrases suivantes de la façon qui convient. Ajoutez les prépositions **à** ou **de**, si nécessaire. Faites la contraction ou l'élision lorsqu'elles s'imposent.

1. Elle est (a) _____ professeur (b) _____ mathématiques.

2. Jean l'a rencontrée par _____ hasard, à un colloque international de mathématiciens.

3. Nous n'avons pas _____ minute à perdre.

4. Ils ont (a) _____ bateau (b) _____ moteur.

5. Mes grands-parents ont (a) _____ ennuis en ce moment, (b) _____ gros ennuis de santé (*health problems*).

6. Vous n'aimez pas _____ asperges (*asparagus*)?

7. Désolé(e)s, madame, nous n'avons pas _____ asperges aujourd'hui.

8. Elle fait beaucoup (a) _____ sport, notamment (b) _____ basket et (c) _____ équitation (*riding*).

9. Monsieur Desroches travaille comme (a) _____ jardinier chez (b) _____ gens aisés.

10. Le petit Paul s'est blessé avec (a) _____ couteau; je crois même que c'était (b) _____ couteau (c) _____ poche (*pocket knife*) que son grand-père lui avait donné pour son anniversaire.

11. Ils me l'ont dit avec (a) _____ gentillesse, par (b) _____ égard pour moi (*for my sake*).

12. Mon voisin est très indulgent avec (a) _____ enfants des autres mais en revanche, il est très sévère avec (b) _____ siens.

2-27 *Récapitulation générale.** Traduisez les phrases suivantes. Employez les indications entre crochets.

1. *I need a blue pencil.* [avoir besoin de / crayon (m.)]

   _____

2. *I feel like having lasagna tonight.* [avoir envie de / lasagnes (f. pl.)]

   _____

3. *I feel like having a nice cold beer.* [bière bien fraîche]

   _____

4. *Did you buy milk?* [Est-ce que tu…]

   _____

5. *He showed a great deal of courage that day.* [faire preuve de / grand courage (m.) ce jour-là]

   _____

6. *He showed courage that day.*

   _____

7. *She did it for ambition's sake.* [faire qqch par / l'ambition (f.)]

   _____

8. *For this dish, I need the freshest possible vegetables.*
   [Pour ce plat… / avoir besoin de / les légumes les plus frais possibles]

   _____

9. *For this dish, I generally use frozen shrimp.* [se servir de / crevettes surgelées]

   _____

10. *Are you still taking Chinese this semester?* [Tu fais toujours…]

    _____

2-28 *Récapitulation générale.* Traduisez les phrases suivantes. Employez les indications entre crochets.

1. *French people learn English in school.*

   _____

2. *I didn't order vanilla ice cream; I ordered cream puffs with chocolate.*
   [commander / glace (f.) / vanille (f.) / profiteroles (f. pl.) / chocolat (m.)]

   _____

3. *Red is my daughter's favorite color.* [couleur préférée]

   _____

4. *What do you do for sports?* [Que fais-tu comme…]

   _____

5. *I play tennis.* [jouer à]

   _____

6. *I'm without a car this morning.*

   _____

7. *He did it without anybody's help.* [personne]

   _____

8. *People are strange sometimes.* [étrange]

   _____

9. *You wouldn't have a computer to lend me by any chance?*
   [Vous… / ordinateur (m.) à me prêter par hasard]

   _____

10. *Sorry! We don't sell stamps.* [Désolé(e)s!…]

    _____

11. *She's French, she works in Paris; I think she's a lawyer.* [avocate (f.)]

    _____

12. *The fire raged through the forest all day long.* [L'incendie (m.)… / se propager]

    _____

3

Chapitre Trois

Les pronoms objets directs et indirects
Les pronoms y et en

3-1 Pronoms objets directs. Répondez aux questions suivantes en remplaçant les mots **en gras** par les pronoms qui conviennent. Faites l'accord du participe passé, si nécessaire.

1. Vous avez visité **le musée du Louvre**? [Oui, nous… / hier]

   _____

2. Jean-Paul a oublié **ses dossiers** (*files*)? [Non, il…]

   _____

3. Tu as perdu **tes boucles d'oreille** (*earrings*)? [Oui, malheureusement je…]

   _____

4. Est-ce que vous avez déjà réservé **votre place**? [Oui, je…]

   _____

5. Est-ce qu'ils ont vendu **la maison de leurs parents**? [Non, ils…]

   _____

6. Tu aimes **cette couleur**? [Non, je…]

   _____

7. Est-ce que je peux appeler **Monsieur Danin** chez lui? [Oui, vous…]

   _____

8. Vous voulez bien nous démontrer **le théorème de Pythagore**? [D'accord, je veux bien…]

   _____

9. Tu connais **la dame qui vient d'entrer**? [Oui, je…]

   _____

10. Est-ce que tu trouves **François** sympathique? [Oui, … / très]

    _____

3-2 *Pronoms objets directs* vs pronom neutre (le/l'). Répondez aux questions suivantes en remplaçant les mots **en gras** par les pronoms qui conviennent. Faites l'accord du participe passé, si nécessaire. Employez les indications entre crochets.

1. Est-ce que tu as remarqué **ces deux filles**? [Oui, je…]

   _____

2. Est-ce que tu as remarqué **que ces deux filles se moquent de nous**? [Non, je…]

   _____

3. Est-ce qu'il a vu **Véronique**? [Oui, il... / hier]

_____

4. Est-ce qu'elle admettra **qu'elle avait tort**? [Non, elle... / jamais]

_____

5. Est-ce que nous verrons **ta sœur**? [Oui, nous... / demain soir]

_____

6. Est-ce que tu penses qu'elle sera **à l'heure**? [Oui, je pense qu'elle...]

_____

7. Est-ce qu'ils savaient **qu'elle allait revenir**? [Oui, ils...]

_____

8. Il est **sympathique**? [Non, il... / pas du tout]

_____

9. Est-ce qu'ils ont retrouvé **sa voiture**? [Oui, ils...]

_____

10. Est-ce qu'elle a oublié **que nous devons partir très tôt demain matin**? [Oui, je te parie qu'elle... / déjà]

_____

3-3   ***Pronoms objets directs** _vs_ **pronom neutre (le/l').** Traduisez les questions suivantes, puis répondez-y en remplaçant les mots _en gras_ par les pronoms qui conviennent, si nécessaire. Faites l'accord du participe passé lorsqu'il s'impose. Employez les indications entre crochets.

   1. _When did you take **your vacation**?_ [vos vacances (f. pl.) / Nous... / mois de mai]

_____

   2. _Would you like **to go to France**?_ [Tu aimerais... / Oui, j'...]

_____

   3. _Do you hope **to visit your parents at Christmas**?_ [Vous... / rendre visite / Oui, je...]

_____

   4. _Did he sell **his car**?_ [Est-ce qu'il... / Non, ... / pas encore]

_____

   5. _Did they tell you **that she was divorced**?_ [Est-ce qu'ils t'... / Oui, ...]

_____

   6. _Is your sister always that **funny**?_ [Est-ce que ta soeur... / aussi drôle / Oui, ...]

_____

   7. _Do you like **these Anjou pears**?_ [Vous... / poires (f. pl.) d'Anjou / Oui, je... / beaucoup]

_____

_____

8. *Is she the one who cut **her little sister's hair**?* [C'est elle qui… / Oui, c'est elle qui…]

_____

_____

9. *Is she always **late**?* [Est-ce qu'elle… / Non, … / rarement]

_____

_____

10. *Did you listen **to my CDs**?* [Est-ce que tu… mes CD / Non… / pas encore]

_____

_____

3-4 Lui/leur. Récrivez les phrases suivantes en remplaçant les mots **en gras** par les pronoms qui conviennent.

1. Il ne parle plus **à sa voisine**.

_____

2. Cet hôtel ne convenait pas **à mes parents**.

_____

3. N'oublie pas d'écrire **à ta grand-mère**.

_____

4. Il ne faut pas en vouloir **à ton frère**.

_____

5. Cela fera plaisir **à nos amis**.

_____

3-5 Pronoms objets directs *vs* pronom neutre (le/l') *vs* pronoms indirects. Récrivez les phrases suivantes en remplaçant les mots **en gras** par les pronoms qui conviennent. Faites l'accord du participe passé, si nécessaire.

1. Elle a appelé **son amie**.

_____

2. Elle a téléphoné **à son amie**.

_____

3. Ce portable (*cell phone*) n'appartient pas **à Marielle**.

_____

4. J'ai acheté **le journal**.

_____

5. J'ai toujours su **qu'il deviendrait célèbre**.

_____

6. Il ressemble **à ses frères**.

_____

7. Ils ne sont pas souvent **aimables**.

_____

8. Le bébé a souri **à sa maman**.

_____

9. J'ai toujours préféré nos voisins du dessus **à ceux qui habitent à côté**.

_____

10. Va ouvrir **la fenêtre**.

_____

3-6   ***Pronoms objets directs** _vs_ **pronom neutre (le/l')** _vs_ **pronoms indirects.** Récrivez les phrases suivantes en remplaçant les mots <u>soulignés</u> par les pronoms qui conviennent. Faites l'accord du participe passé, si nécessaire.

1. J'ai prêté <u>ma voiture</u> <u>à Sonia</u>.

_____

2. Il avait oublié de dire <u>à ses parents</u> <u>qu'il rentrerait tard</u>.

_____

3. As-tu communiqué <u>notre nouvelle adresse</u> <u>aux Gervais</u>?

_____

4. Rapporte <u>ces bandes dessinées</u> (_cartoons_) <u>à tes copains</u>.

_____

5. Tu n'as pas dit <u>à Catherine</u> <u>où nous étions</u>?

_____

6. J'ai remis <u>ma démission</u> en mains propres <u>à mon patron</u>. (_I handed my resignation to my boss in person._)

_____

7. Il a recommandé <u>à ses invités</u> <u>d'arriver avant la nuit</u>.

_____

8. J'avais pourtant dit <u>à Luc</u> <u>de ne pas m'attendre</u>.

_____

9. Tu as envoyé <u>la carte d'anniversaire</u> <u>à ta mère</u>?

_____

10. Son médecin a déconseillé <u>à Jean-Paul</u> <u>de faire du ski cet hiver</u>.

_____

3-7   ***Pronoms objets directs** _vs_ **pronom neutre (le/l')** _vs_ **pronoms indirects.** Traduisez les questions suivantes, puis répondez-y en remplaçant les mots <u>soulignés</u> par les pronoms qui conviennent. Faites tous les changements nécessaires, y compris l'accord du participe passé s'il s'impose. Employez les indications entre crochets.

1. _Did they look <u>at the pictures</u>?_ [Ils… / photos (f. pl.) / Oui, …]

_____

_____

2. _Did you distribute <u>the brochures</u> <u>to the students</u>?_ [Tu… / brochure (f.) / Oui, …]

_____

_____

3. *Is he looking for his keys?* [Est-ce que… / Oui, …]

_____

_____

4. *Did she tell John that she disagreed?* [Est-ce qu'elle… / n'être pas d'accord / Non, …]

_____

_____

5. *Had he already made that down payment to the jeweler?* [Est-ce que… / verser / cet acompte (m.) / bijoutier (m.) / Oui, …]

_____

_____

6. *Did they listen to his advice?* [Est-ce qu'ils… / écouter / conseils (m. pl.) / Non, …]

_____

_____

7. *Did the student hand in her examination copy to her professor?* [Est-ce que… / remettre / copie (f.) d'examen / Oui, …]

_____

_____

8. *Did she wait for her friends?* [Est-ce qu'elle… / Oui, …]

_____

_____

9. *Did you explain to Nicole and Alain that my car broke down?* [Tu… / tomber en panne / Oui, …]

_____

_____

10. *Did you show the cathedral to your visitors?* [Vous… / cathédrale (f.) / visiteurs (m. pl.) / Oui, nous…]

_____

_____

3-8 ***Me, te, se, nous, vous, lui/leur.*** Traduisez les phrases suivantes. Faites l'accord du participe passé, si nécessaire. Employez les indications entre crochets.

1. *She got up.* _____

2. *My neighbor never spoke to me.* [adresser la parole à qqn]

_____

3. *They separated after two months of marriage.* [mariage (m.)]

_____

4. *They said good-bye to each other.* [Elles…]

_____

5. *We had promised [each other] to see each other again.* [plus-que-parfait]

_____

6. *Only later did I realize the seriousness of the situation.* [Ce n'est que plus tard que... / se rendre compte / gravité (f.) / situation (f.)]

   _____

7. *I gave them chocolates.*

   _____

8. *He advised them to leave a little later.* [conseiller qqch à qqn / un peu plus tard]

   _____

9. *Did it scare you?* [Est-ce que ça... / faire peur]

   _____

10. *They gave him the lead in* Othello. [On... / rôle principal]

    _____

3-9 Formes du pronom réfléchi. Complétez les phrases suivantes par les pronoms qui conviennent.

1. Tu veux que je (a) _____ serve du balai pour nettoyer l'entrée? —Non, ne (b) _____ sers pas du balai, sers- (c) _____ de l'aspirateur, ça ira plus vite!

2. Préférez-vous que nous (a) _____ installions dans la salle à manger? —Non, ne (b) _____ installez pas dans la salle à manger, venez plutôt (c) _____ asseoir à la cuisine: il y fait plus chaud.

3. Ne (a) _____ adresse pas au directeur, ça ne sert à rien, adresse- (b) _____ plutôt à sa secrétaire.

4. Et si je (a) _____ déguisais (*dressed up*) encore en vampire cette année? —Ah non, ne (b) _____ déguise pas en vampire, voyons! Déguise- (c) _____ en autre chose, en sorcière (*witch*) par exemple!

5. Alors, c'est en Grèce que tu veux partir en vacances ou en Égypte? Décide-_____ à la fin!

6. Si vous voulez changer de tête (*get a new look*), ne (a) _____ faites pas coiffer par Michèle, faites- (b) _____ coiffer plutôt par Jacques! C'est un excellent visagiste.

7. Et si nous (a) _____ donnions rendez-vous à 8 heures à La Rotonde? —Non, retrouvons- (b) _____ plutôt au Dôme.

8. D'après toi, à quelle heure est-ce que je devrais (a) _____ lever pour attraper l'avion de 8 heures? —Réveille- (b) _____ à 5 heures 30: comme ça tu es sûr(e) de ne pas le rater.

9. Ne (a) _____ occupez pas de mes affaires, occupez- (b) _____ de ce qui vous regarde!

10. Calme- (a) _____, tu ne (b) _____ rends pas compte de ce que tu dis!

3-10 Récapitulation: pronoms objets directs *vs* indirects. Récrivez les phrases suivantes en remplaçant les mots soulignés par les pronoms qui conviennent. Faites tous les changements nécessaires, y compris l'accord du participe passé lorsqu'il s'impose.

1. Vous avez envoyé à cette cliente la réponse qu'elle attendait?

   _____

2. Est-ce que tu nous louerais ta maison cet été?

   _____

3. Ma tante m'a donné <u>sa belle gourmette en or</u> (*chain bracelet*).

_____

4. Cet agriculteur nous a toujours vendu <u>les produits de sa ferme</u> à très bon prix.

_____

5. Est-ce que tu as souhaité <u>son anniversaire</u> <u>à ta sœur</u>?

_____

6. Ils ne nous ont pas expliqué <u>les vraies raisons de leur départ</u>.

_____

7. Dois-je prêter <u>à Jacques</u> <u>les cent euros dont il a besoin</u>?

_____

8. Réclame <u>à ces gens</u> <u>l'argent qu'ils te doivent</u>!

_____

9. Il a racheté <u>leurs parts d'héritage</u> (f. pl.) <u>à ses sœurs</u>. (*He purchased from his sisters their shares of the inheritance.*)

_____

10. On a accordé <u>à cet étudiant</u> <u>les délais qu'il demandait</u>?

_____

3-11 **Le pronom «y».** Remplacez les mots **en gras** par le pronom **y**, si nécessaire.

1. Je retourne toujours **en France** avec plaisir.

_____

2. Vous comprenez quelque chose **à la physique**?

_____

3. Quand irons-nous **à Disney World**? _____

4. N'attachez pas trop d'importance **à ce problème**!

_____

5. Il n'est jamais **à la maison** le week-end.

_____

6. Je ne me ferai jamais **à son avarice**. (*I'll never get used to his/her stinginess.*)

_____

7. Pensez **à ce que je vous ai dit**! _____

8. Elle ne s'intéresse pas **à ses études**. _____

9. Personne ne s'attendait **à ce qu'il gagne aux élections**.

_____

10. Je ne sais pas jouer **au poker**. _____

3-12 **Lui/leur** *vs* **y.** Répondez aux questions suivantes en remplaçant les noms **en gras** par les pronoms qui conviennent, si nécessaire. Employez les indications entre crochets.

1. Vous avez parlé **aux Ricard**? [Oui, nous...]

_____

2. Tu étais **en classe** ce matin? [Oui, …]

_____

3. Elle a menti **à son père**? [Non, …]

_____

4. La soirée a plu **à tes amis**? [Non, malheureusement, elle…]

_____

5. Est-ce que le médecin a conseillé un autre médicament **à Sophie**? [Oui, …]

_____

6. Est-ce que ce bus va **à la gare**? [Oui, il…]

_____

7. As-tu réfléchi **à ce que les gens diraient**? [Non, …]

_____

8. Tu as donné un coup de brosse **à tes chaussures**? [Oui, …]

_____

9. Si tu pouvais, tu irais **au Tibet**? [Oh oui, … / sans hésiter!]

_____

10. Tu as répondu **à leur invitation**? [Oui, …]

_____

3-13 *****Lui/leur** _vs_ **y.** Pour chacune des réponses suivantes, inventez une question logique dans laquelle vous remplacerez les mots **en gras** par un nom.

1. Non, pour finir, ils n'y sont pas allés.

_____

2. Il **leur** a répondu qu'il n'était pas libre.

_____

3. Non, elle ne **lui** appartient pas.

_____

4. Oui, j'y tiens beaucoup.

_____

5. Non, je n'ai pas encore osé le **lui** dire! Il serait furieux contre moi!

_____

3-14 **Y** _vs_ **en.** Répondez aux questions suivantes en remplaçant les noms **en gras** par y ou en. Employez les indications entre crochets.

1. Elle a acheté **des croissants**? [Oui, elle… / une demi-douzaine]

_____

2. Tu es sûr(e) **qu'il a compris**? [Non, je…]

_____

3. Est-ce que vous avez assisté **à la conférence**? [Oui, nous…]

_____

4. Est-ce qu'il reste **de la confiture** (*jam*)? [Non, il…]

_____

5. Vous avez renoncé **à faire une demande de bourse**? [Oui, j'…]

_____

6. Avez-vous besoin **du téléphone**? [Oui, j'…]

_____

7. Est-ce qu'il s'est habitué **à son travail de nuit**? [Oui, il…]

_____

8. Tu as trouvé **de la roquette** (*arugula*)? [Non, je…]

_____

9. Est-elle capable **de faire ce travail toute seule**? [Oui, elle…]

_____

10. Est-ce qu'il va souvent **au bord du lac**? [Oui, il… / presque tous les jours]

_____

3-15 Récapitulation. Récrivez les phrases suivantes en remplaçant les mots <u>soulignés</u> par les pronoms qui conviennent, si nécessaire. Faites tous les autres changements qui s'imposent.

1. Cette coupe de cheveux ne va pas du tout <u>à Vanessa</u>.

_____

2. Ne reprends plus <u>de mousse au chocolat</u>!

_____! Tu vas être malade!

3. Va vite <u>à la charcuterie</u> et achète-moi deux belles tranches <u>de jambon</u>.

_____

4. L'actrice souriait <u>aux nombreux photographes</u>.

_____

5. Réponds <u>à ton père</u> quand il t'appelle!

_____

6. J'ai trois <u>cousins</u> qui vivent <u>en France</u> depuis plusieurs années.

_____

7. J'ai envie de commander une douzaine <u>d'huîtres</u>.

_____

8. Ils profitent <u>de leurs vacances</u> pour lire quelques <u>romans policiers</u>.

_____

9. Vous pouvez rappeler <u>Monsieur Langlois</u> dans la soirée si vous tenez <u>à lui parler personnellement</u>.

_____

10. Ne dérange pas <u>ta sœur</u> pour cela, tu vois bien qu'elle n'a pas le temps <u>de jouer avec toi</u> en ce moment!

_____

3-16 ***Récapitulation.** Répondez aux questions suivantes en remplaçant les mots soulignés par les pronoms qui conviennent, si nécessaire. Faites tous les autres changements qui s'imposent. Employez les indications entre crochets.

1. Ils vous ont indiqué la route à suivre? [Oui, ils nous…]

2. Vous avez songé à cette alternative? [Oui, j'…]

3. Est-ce qu'elle t'a demandé de l'aider? [Non, …]

4. Vous avez parlé de cette possibilité à votre collègue? [Oui, je…]

5. Vous aimez vraiment le roquefort? [Ah oui, j'… / beaucoup]

6. Tu peux me prêter de l'argent? [Non, désolé(e), je… / cette fois-ci]

7. Elle t'a expliqué ce qu'elle voulait? [Non, elle… / pas bien]

8. Tu as remis les clés à la concierge? [Oui, je…]

9. On vous a proposé un autre appartement? [Non, on…]

10. Vous vous attendiez à une telle réaction? [Non, je…]

3-17 ***Récapitulation.** Répondez aux questions suivantes en remplaçant les mots soulignés par les pronoms qui conviennent, si nécessaire. Faites tous les autres changements qui s'imposent. Employez les indications entre crochets.

1. Est-ce que tu as acheté un tapis (*rug*) à ce marchand? [Oui, je…]

2. Vous vous retrouvez souvent dans ce petit café? [Oui, nous… / de temps en temps]

3. Tu as envie de faire cette excursion? [Non, je…]

4. Tu crois qu'elle se fera (*get used to*) à l'idée de vivre à l'étranger? [Oui, je crois qu'elle…]

5. Ont-ils envoyé cette circulaire (*newsletter*) à tous les propriétaires? [Oui, ils…]

6. C'est vrai que Jacques a interdit à son fils de sortir? [Oui, il…]

7. Nous irons un jour à New York? [Oui, je te promets que nous…]

8. Comment? Il n'a pas profité <u>du beau temps</u> pour inviter <u>Nadine</u> à déjeuner?

Si, si, _____ mais elle n'etait pas libre.

9. Vous avez expliqué <u>à vos collaborateurs</u> <u>que le projet ne serait pas terminé avant lundi</u>?
[Non, nous… / pas encore]

_____

10. Comment, tu n'as pas encouragé <u>ta fille</u> <u>à partir à l'étranger</u>?

Si, si, je _____ mais c'est elle qui ne veut pas y aller!

3-18 *Récapitulation.** Complétez les phrases suivantes par les pronoms qui conviennent, si nécessaire.

1. Il paraît que sa mère a été hospitalisée? —Je n' (a) _____ suis pas sûre mais je (b) _____ crains, hélas.

2. J'ai une longue composition, alors je dois m' (a) _____ mettre tout de suite, sinon je n'arriverai jamais à (b) _____ terminer à temps.

3. J'ai cherché ce document partout dans ma chambre, mais il n' (a) _____ est pas. Est-ce que quelqu'un (b) _____ a pris par mégarde (*by mistake*)?

4. Tu veux nous accompagner? —Oui, je _____ veux bien.

5. Vous pensez que vous retrouverez du travail à Lyon? —Oui, enfin je (a) _____ espère car toute ma famille (b) _____ habite et je n'ai pas envie d'aller (c) _____ établir (s'établir: *to settle*) ailleurs.

6. À Bordeaux, nous (a) _____ allons généralement le mercredi et nous (b) _____ revenons le dimanche dans la soirée.

7. La réunion a été annulée? Ça alors! Pourquoi est-ce qu'on ne me _____ a pas dit plus tôt?

8. Mon grand-père a de moins en moins de mémoire. Il (a) _____ répète de plus en plus, bien qu'il n' (b) _____ soit pas du tout conscient.

9. J'aime beaucoup ces gens: je (a) _____ admire et je (b) _____ fais entièrement confiance.

10. Pour faire plaisir à mes parents, nous (a) _____ avons offert un voyage en France: je crois qu'ils (b) _____ iront au mois de juin.

11. Ne t'_____ fais pas! Ça s'arrangera!

12. Tu sais combien j'aime les grandes sonates de Beethoven: fais- (a) _____ plaisir, assieds- (b) _____ au piano et joues- (c) _____ une!

3-19 *Récapitulation.** Complétez les phrases suivantes par les pronoms qui conviennent, si nécessaire.

1. Est-ce vraiment la meilleure solution? Je me (a) _____ demande. En fait, j' (b) _____ doute un peu mais je n'ose (c) _____ dire qu'à toi.

2. Son rendez-vous? Il ne s'_____ est souvenu qu'à la toute dernière minute.

3. Tu as dit à Martine qu'on se retrouverait à huit heures devant le cinéma? —Non pas encore, mais je (a) _____ téléphonerai pour (b) _____ (c) _____ dire.

4. Eleni est brillante: elle (a) _____ sait mais ne s' (b) _____ vante jamais.

5. Vous _____ croyez, vous, à cette histoire? —Non, c'est une histoire à dormir debout (*a cock-and-bull story*)!

6. Leur arrogance finira par (a) _____ nuire (*hurt*) mais ils ne semblent même pas s' (b) _____ rendre compte.

7. Tu n'es pas d'accord avec moi? —Si, si, je (a) _____ suis, mais ne m' (b) _____ veux pas trop si je ne (c) _____ dis pas tout haut (*if I don't say it out loud*): je ne veux pas avoir d'ennuis.

8. Son intuition féminine? À ta place, je ne m'_____ fierais pas trop… (*If I were you, I wouldn't trust it too much…*).

9. Excusez-moi, je _____ sauve (*I've got to run*): on m'attend.

10. Si vous avez des questions, posez- (a) _____ - moi par courrier électronique. J' (b) _____ répondrai ce soir, je vous (c) _____ promets.

3-20 *Récapitulation. Traduisez les questions suivantes, puis répondez-y en remplaçant les mots soulignés par les pronoms qui conviennent. Faites tous les autres changements nécessaires. Employez les indications entre crochets.

1. *Did he notice that his bike had disappeared?* [Est-ce qu'il… / s'apercevoir / bicyclette (f.) / disparaître (plus-que-parfait) / Non, il…]

   _____

   _____

2. *Did you buy a car?* [Est-ce que tu… / Non, mais j'… / louer (*to rent*)]

   _____

   _____

3. *Did you watch television last night?* [Tu… / regarder / Non, je…]

   _____

   _____

4. *Do you need money to go to the movies?* [Est-ce que vous… / avoir besoin de / Non, nous…]

   _____

   _____

5. *Did she tell Marc that she didn't really like champagne?* [Est-ce qu'elle… / champagne (m.) / Oui, elle…]

   _____

   _____

6. *Are they going to think about what you suggested?* [Vont-ils réfléchir à ce que vous… / suggérer / Oui, ils…]

   _____

   _____

7. *When did she leave the hotel?* [Quand est-elle… / sortir de / huit heures]

   _____

   _____

8. *Did she lend her evening dress to Adèle?* [Est-ce qu'elle… / prêter qqch à qqn / robe du soir (f) / Oui, elle…]

   _____

   _____

9. *Did you send the information to the neighbors?* [Est-ce que vous… / renseignements (m. pl.) / voisins (m. pl.) / Oui, nous…]

   _____

   _____

Chapitre Quatre

Les pronoms disjoints
Formes des pronoms dans certaines
constructions idiomatiques

4-1 Pronoms disjoints. Complétez les phrases suivantes par les pronoms disjoints qui conviennent.

1. Nous ne pouvons pas partir sans _____ puisqu'elle a nos billets.

2. Calme-_____: les choses finiront par s'arranger!

3. Puisque ce sont _____ qui ont cassé la vitre, ils devront la remplacer.

4. Qui veut du chocolat? —_____! J'adore ça, donne-m'en deux barres, s'il te plaît!

5. Ni lui ni _____ ne savons résoudre ce problème de maths.

6. La météo a prévu du beau temps pour le 1ᵉʳ novembre mais _____, je suis sûre qu'il fera mauvais.

7. «On a souvent besoin d'un plus petit que _____.» (La Fontaine)

8. C'est à _____ que je m'adresse, mademoiselle, pas à votre voisine.

9. Comment, c'est _____, le meurtrier? Il a l'air doux comme un agneau!

10. On ne peut pas compter sur _____ ! Ils sont toujours en retard!

4-2 Pronoms disjoints. Complétez les phrases suivantes par les pronoms disjoints qui conviennent.

1. Nous allons répartir les tâches du ménage: (a) _____, tu vas passer l'aspirateur

   et (b) _____, je vais faire la poussière (*I'll dust*).

2. C'est pour _____, ces fleurs? Comme vous êtes gentil de me les offrir!

3. «On n'est jamais mieux servi que par _____-même.» [proverbe]

4. Vous faites trop de bruit, taisez-_____ donc!

5. Nous sommes en retard: dépêchons-_____ ou nous allons rater le train!

6. Ton mari et _____ avez bien raison de prendre la vie du bon côté!

7. J'ai beau avoir moins de cours qu'Olivia et Melissa ce semestre, je travaille autant qu' _____.

8. Il a une voix de stentor (*loud voice*): on n'entend que _____ !

9. Aux championnats du monde, ils ont trouvé plus forts qu'_____!

10. C'est _____ qui s'est chargée du repas de réception, de l'entrée au dessert.

11. L'orage a fait des ravages chez nos voisins; nous avons eu plus de chance qu' _____ puisque notre

    propriété n'a pas souffert.

12. Il t'a laissé tomber? Tant pis, tu te débrouilleras aussi bien sans _____!

4-3 **Pronoms disjoints** et **mise en relief.** Complétez les phrases suivantes par les pronoms qui conviennent en tenant compte des formes verbales dans les subordonnées.

1. C'est _____ qui ai cassé le verre en cristal: je suis désolé(e).

2. Ce sont _____, les personnes âgées, qui ont le plus souffert de la chaleur cet été.

3. Ce sont _____, les parents des élèves, qui ont le plus contribué à la soirée à bénéfices du lycée.

4. C'est _____ qui nous sommes trompés en croyant bien faire.

5. C'est _____, le moins bien classé, qui a remporté la compétition de tennis!

6. C'est _____ qui avez alerté la police?

7. Dans tout cela, c'est donc _____, la plus jeune, qui a vu le plus juste.

8. Ce sont bien _____, les sœurs Tatin, qui ont inventé la fameuse tarte à l'envers, n'est-ce pas?

9. Ce n'est pas normal: c'est toujours _____, les plus jeunes, qui faisons la vaisselle!

10. C'est _____, la plus âgée, qui dois montrer l'exemple.

4-4 **En** *vs* **pronom disjoint** *vs* **de + pronom disjoint.** Récrivez ces phrases en remplaçant les mots **en gras** par les pronoms qui conviennent (**en** ou **de + pronom disjoint**).

1. Tu te souviens **de mon amie Laura**?

   _____

2. Tu te souviens **de ce film**?

   _____

3. Je suis fier (fière) **de mes résultats au dernier examen**!

   _____

4. Nous nous sommes approché(e)s **de cette dame** pour lui poser la question.

   _____

5. Nous allons immédiatement nous occuper **de votre dossier**.

   _____

6. Je n'ai jamais entendu parler **de ce monsieur**.

   _____

7. Pourriez-vous vous occuper **de ces gens**? Je n'ai pas le temps **de le faire**.

   _____

8. Je me méfie toujours un peu **de ce qu'ils disent**.

   _____

9. Le problème, c'est qu'ils n'ont pas tenu compte **du taux d'échange** (*exchange rate*) dans leurs prévisions budgétaires.

   _____

10. J'ai besoin **de Michel**: je dois absolument lui parler **de ce problème**.

   _____

4-5   Y *vs* **à + pronom disjoint.** Récrivez ces phrases en remplaçant les mots **en gras** par les pronoms qui conviennent (**y** ou **à + pronom disjoint**).

1. Je ne peux pas m'habituer **à cette idée**.

_____

2. Si vous voulez d'autres renseignements, adressez-vous **à madame Guérin**.

_____

3. Je ne veux plus jamais avoir affaire **à ce monsieur**! Il est d'un désagréable!

_____

4. Les actionnaires (*shareholders*) se sont formellement opposés **à ce projet**.

_____

5. La petite Viviane est très attachée **à ses deux grandes sœurs**.

_____

6. Je n'ai pas fait attention **à l'heure qu'il était**.

_____

7. Tu crois que papa consentira **à me laisser partir en voyage avec Michel**?

_____

8. Nous tenons beaucoup **à nos grands-parents**.

_____

9. Cet appareil photo n'est pas **à ma sœur**, il est à moi.

_____

10. Es-tu déjà allé(e) **à Tahiti**? _____

4-6   Lui/leur *vs* **à + pronom disjoint.** Récrivez ces phrases en remplaçant les mots **en gras** par les pronoms qui conviennent.

1. Je ne songeais pas **à ta sœur** en disant cela.

_____

2. Tu ressembles beaucoup **à ta sœur**.

_____

3. Tu as pensé **à tes parents**?

_____

4. Tu as parlé **à tes parents**?

_____

5. Que vas-tu donner **à tes tantes**?

_____

6. Donne un coup de chiffon **à ces tables**. (*Wipe these tables.*)

_____

7. Nous préférons Myriam **à Lucie**.

_____

8. Quand elle a un problème, elle se confie plutôt **à son amie Lucie.**

   _____

9. Quand elle a un problème, elle le confie toujours **à son amie Lucie.**

   _____

10. Cette maison appartenait **à notre oncle.**

    _____

4-7 *Le/l' (pronom neutre)* vs **en** vs **de + pronom disjoint.** Répondez aux questions suivantes en remplaçant les mots **en gras** par les pronoms qui conviennent. Faites tous les autres changements nécessaires. Employez les indications entre crochets.

1. Êtes-vous convaincu(e) **de l'innocence de cet homme?** [Oui, j'…]

   _____

2. Êtes-vous **d'accord avec nous?** [Oui, nous…]

   _____

3. C'est à cause **de ses parents** qu'il est devenu médecin? [Oui, c'est…]

   _____

4. Est-ce qu'il méritait **de se faire renvoyer de la sorte** (_to get fired in that way_)? [Non, …]

   _____

5. Tu n'as pas acheté **de cerises** (_cherries_)? [Non, … / ne pas trouver]

   _____

6. Tu l'as prévenue **de ta mutation** (_transfer_)? [Non, … / pas encore]

   _____

7. Est-ce qu'elle s'occupe parfois **de sa nièce?** [Oui, … / les mercredis après-midi]

   _____

8. Est-ce qu'ils t'ont demandé **de signer le reçu** (_receipt_)? [Oui, …]

   _____

9. Cette décision ne dépend-elle pas aussi **de Jean-Michel?** [Si, elle…]

   _____

10. Elle ne t'a pas proposé **de rester** chez elle? [Si, si… / mais j'ai préféré rentrer.]

    _____

4-8 *Y* vs **lui/leur** vs **à + pronom disjoint.** Répondez aux questions suivantes en remplaçant les mots **en gras** par les pronoms qui conviennent. Faites tous les autres changements nécessaires. Employez les indications entre crochets.

1. Est-ce qu'il s'est opposé **aux dernières volontés de son père?** [Oui, il paraît qu'il…]

   _____

2. Ont-ils l'intention de retourner un jour **à Montréal?** [Non, …]

   _____

3. Ont-ils songé **à retourner un jour à Montréal**? [Non, ...]

_____

4. Est-ce que ce livre appartient **à Céline**? [Oui, il...]

_____

5. Peut-elle se joindre **à vos amis** pour aller **à l'opéra**? [Mais oui, bien sûr qu'elle...]

_____

6. Est-ce que tu as fait attention **à ces deux personnes**? [Non, ...]

_____

7. Vous trouvez qu'il ressemble **à son père**? [Oui, je...]

_____

8. Tu n'as pas renoncé **à ton projet**? [Si, hélas...]

_____

9. Ces soldats ont désobéi **à leur officier**? [Oui, ils...]

_____

10. Les soldats ont désobéi **aux ordres de leur officier**? [Oui, ils...]

_____

4-9   *****Récapitulation.** Remplacez les mots **en gras** par les pronoms qui conviennent. Faites tous les autres changements nécessaires.

1. Nous sommes très contents **de notre nouvel appartement**.

_____

2. Tu as lu **ces deux articles**?

_____

3. C'est toi qui as emprunté **cette raquette de tennis**?

_____

4. Elle s'attendait vraiment **à recevoir une offre de travail**?

_____

5. Il faut **de la patience** pour comprendre tout cela!

_____

6. L'orange et le rouge vont très bien **à Janie**.

_____

7. Le directeur? Il ne faut pas avoir peur **du directeur**: vous vous habituerez vite a ses manières un peu brusques.

_____

8. Où as-tu acheté **cette adorable robe**?

_____

9. Ce petit garçon ressemble beaucoup **à ses frères**.

_____

10. Elle ne s'est jamais complètement remise **de son accident**.

_____

4-10 *****Pronoms multiples.** Remplacez les mots <u>soulignés</u> par les pronoms qui conviennent. Faites tous les autres changements nécessaires.

1. C'est grâce <u>à sa sœur</u> que j'ai pu parler <u>à Jacques</u> <u>de cette possibilité</u>.

   _____

2. Est-ce vraiment <u>le maire</u> qui a accordé <u>les crédits nécessaires</u> <u>à ces trois petites entreprises</u>?

   _____

3. C'est <u>madame Dupin</u> qui a suggéré <u>à votre mari et à son associé</u> de faire un autre emprunt à la banque (*to get a second loan from the bank*)?

   _____

4. As-tu offert <u>des chocolats</u> <u>à Nicole</u>?

   _____

5. Nous avons immédiatement pensé <u>à Marc et Catherine</u> en apprenant <u>cette nouvelle</u>.

   _____

6. Faut-il nécessairement recourir <u>à la force</u> pour se débarrasser <u>de ce genre de problème</u>?

   _____

7. Il n'y a que <u>leurs mères</u> qui puissent faire <u>des remontrances</u> <u>à ces enfants</u>.

   _____

8. Je ne m'attendais pas <u>à ce qu'il me claque la porte au nez</u>. J'ai dit <u>à Jean-Luc</u> <u>ce que je pensais de son attitude</u> mais il a refusé de faire quoi que ce soit.

   _____

   _____

9. Apportez une autre <u>bouteille de vin</u> <u>à ces gens</u>; nous trinquerons (*we'll have a drink*) avec <u>ces gens</u>.

   _____

10. Ne dites pas <u>à ses parents</u> <u>qu'Aline a encore raté son permis</u>; ils seraient furieux contre <u>Aline</u>.

    _____

4-11 *****Récapitulation.** Complétez les phrases suivantes par les pronoms qui conviennent, si nécessaire. Ajoutez les prépositions **à** ou **de** lorsqu'elles s'imposent.

1. Karim s'est beaucoup attaché aux Girard et ne se séparera _____ qu'à regret.

2. Ils étaient si fiers de l'exploit de leur fils qu'ils _____ parlaient à tout le monde.

3. Serge oublie toujours de prendre son portable, mais à force de (a) _____ (b) _____ rappeler, peut-être qu'un jour, il s' (c) _____ souviendra!

4. Jean-Jacques est beaucoup plus jeune que son frère André, et donc bien moins avancé que _____ à l'école.

5. Madame Lecoin est absente et (a) _____ sera jusqu'à lundi prochain. Si vous (b) _____ désirez, vous pouvez (c) _____ laisser un message ou alors (d) _____ rappeler lundi.

6. C'est bizarre! Le vendeur nous a regardé(e)s comme s'il ne nous reconnaissait pas, ni toi ni (a) _____! C'est pourtant bien (b) _____ que nous nous adressons chaque fois que nous achetons une nouvelle voiture!

7. Si tu veux aller quelques jours au bord de la mer, j' (a) _____ irai avec toi, mais allons-

(b) _____ en TGV, ça sera plus rapide.

8. À quelle heure avez-vous quitté le restaurant? —Nous (a) _____ sommes sorti(e)s vers

22 heures. —Comment pouvez-vous (b) _____ être si sûr(e)? —Je (c) _____ sais parce

que j'ai regardé ma montre juste à ce moment-là.

9. J'ai rencontré Jean-Pierre et Sophie et je _____ ai invités à dîner samedi soir.

10. Si vous (a) _____ tenez, je peux appeler mes parents tout de suite ou (b) _____ téléphoner

ce soir.

4-12 ***Récapitulation.** Complétez les phrases suivantes par les pronoms qui conviennent. Ajoutez la préposition **à** ou **de**, si nécessaire.

1. À qui est cette voiture bleue? À Muriel? —Oui, elle est (a) _____. C'est moi qui (b) _____

ai conseillé de (c) _____ acheter. Celle qu'elle avait avant, la rouge, ne (d) _____

appartenait pas; c'était celle de ses parents; elle (e) _____ (f) _____ avait simplement

empruntée pendant qu'ils étaient à l'étranger.

2. Je peux vous emprunter ce magazine? —Oui, bien sûr, mais rapportez (a) -_____

(b) -_____ quand vous (c) _____ aurez terminé.

3. Connaissez-vous la Dordogne? —Non, nous n' (a) _____ sommes encore jamais allé(e)s mais

nous (b) _____ irons certainement un jour. —Ah oui! Ça, je vous (c) _____ recommande:

c'est une visite qui (d) _____ vaut vraiment la peine.

4. Que faut-il faire pour obtenir un permis de séjour? —Je n' (a) _____ sais rien, mais monsieur

Guibert pourra certainement vous (b) _____ dire: adressez-vous (c) _____, je suis sûr(e)

qu'il pourra vous renseigner; (d) _____, vous savez, je n' (e) _____ connais rien!

5. Puisque le beaujolais nouveau est arrivé, nous pourrions peut-être nous (a) _____ acheter une

caisse ou deux et inviter nos amis à le déguster: cela (b) _____ ferait certainement plaisir.

6. Avec _____, on ne sait jamais à quoi s'attendre: elle est très imprévisible.

7. Tu veux toujours tout contrôler, mais la décision ne dépend pas que (a) _____ cette fois-ci;

il faudra bien que tu t' (b) _____ fasses (*you'll have to get used to it*).

8. Janine est très efficace: c'est grâce à _____ que nous avons pu trouver des places.

9. Vous avez de beaux abricots aujourd'hui? —Oui, madame. —Très bien, alors mettez- (a &

b) _____ un kilo (*give me a kilo*), s'il vous plaît.

10. J'ai reçu une augmentation! C'est fantastique! Je ne m' _____ attendais pas du tout!

11. Pourquoi insistes-tu toujours pour servir des épinards aux enfants? Tu sais bien qu'ils n'aiment pas

(a) _____! —Mais enfin, voyons! Je (b) _____ fais parce que ça (c) _____ fait le plus

grand bien: ils sont en pleine période de croissance et ils ont besoin de fer et de vitamines!

12. Ce marchand des quatre saisons m'a vendu des poireaux immangeables: je n' (a) _____ achèterai

plus chez (b) _____ désormais! Je ne (c) _____ fais plus confiance pour les produits frais!

4-13 *Récapitulation. Pour chacune des phrases suivantes, remplacez les mots <u>soulignés</u> par un nom ou une proposition. Faites tous les autres changements nécessaires.

1. Je <u>la</u> <u>lui</u> ai recommandée.

   _____

2. Je ne <u>le</u> <u>lui</u> ai jamais proposé.

   _____

3. Je m'<u>en</u> étais rendu compte.

   _____

4. Il finira par s'<u>y</u> faire.

   _____

5. Vous <u>les</u> <u>leur</u> avez expliquées?

   _____

6. Vous <u>le</u> <u>leur</u> avez expliqué?

   _____

7. Je n'<u>y</u> tiens pas du tout, je suis trop fatiguée.

   _____

8. Nous <u>en</u> avons profité pour <u>y</u> rester un jour de plus.

   _____

9. Tu <u>le</u> savais?

   _____

10. Elle a horreur de <u>ça</u>!

   _____

4-14 *Pronoms multiples. Traduisez les questions suivantes, puis répondez-y en remplaçant les mots <u>soulignés</u> par les pronoms qui conviennent. Faites tous les autres changements nécessaires. Employez les indications entre crochets.

1. *Did he buy <u>roses</u> <u>for her</u>?* [Il… / Oui, …]

   _____

   _____

2. *Did you hear <u>the question</u>?* [Est-ce que tu… / Non, …]

   _____

   _____

3. *Did she answer <u>the question</u>?* [Elle… / Non, …]

   _____

   _____

4. *Is your little sister interested in <u>that boy</u>?* [Est-ce que ta… / Oui, elle… / un peu trop…]

   _____

   _____

5. *Did he scare your little sister?* [Est-ce qu'il… / faire peur / Oui, …]

_____

_____

6. *Is she scared of this man?* [Est-ce qu'elle… / avoir peur / cet homme / Non, …]

_____

_____

7. *Were you scared of the storm?* [Tu…(passé composé) / tempête (f.) / Oui, …]

_____

_____

8. *Did you tell your parents the end of our story?* [Tu… / raconter / Oui, …]

_____

_____

9. *Did you order croissants?* [Tu… / commander / Oui, … / une douzaine]

_____

_____

10. *Will you call Nasreen to talk to her about the exam?* [Tu… / téléphoner (futur simple) / Oui, …]

_____

_____

4-15 Les pronoms dans certaines constructions idiomatiques. Traduisez les phrases suivantes. Employez les indications entre crochets.

1. *Oh! Did you see? That little boy stuck his tongue out to us!* [Oh! Tu as vu? Ce petit garçon… / tirer la langue]

_____

2. *He pulled her hair.* [tirer]

_____

3. *Does she miss her brother? —Yes, she misses him very much.* [Est-ce que… / manquer]

_____

4. *Did I miss the beginning of the movie again? —Yes, you missed it by a few minutes.* [Est-ce que… / encore manquer / début (m.) / tu / de quelques minutes]

_____

5. *I didn't like this movie.* [Ce film… / plaire]

_____

6. *They ran after us but luckily, we were able to escape.* [Ils… / courir après / pouvoir s'échapper]

_____

7. *I sent them a letter but they haven't responded to it yet.* [envoyer / répondre]

_____

8. *They had them* or *They made them take the exam over again.* [On… / faire repasser l'examen à qqn]

_____

9. *My father does a lot of skiing, so I bought ski gloves for him.* [faire beaucoup de ski, alors… / gants (m. pl.) de ski]

_____

10. *They were hit by a car.* [Une voiture… / rentrer dedans]

_____

11. *I wash my hair every morning.* [tous les matins]

_____

12. *Did he buy chocolates for Marie? —Yes, I think he bought her some.* [Est-ce qu'il… / croire]

_____

_____

13. *I'll recommend you to him.* [Je vous…]

_____

14. *He joined them for lunch.* [Il s'…]

_____

15. *I could never confide in her.* [Je ne pourrais jamais… / se confier à qqn]

_____

5

Chapitre Cinq

Les adjectifs et pronoms démonstratifs

5-1 Adjectifs démonstratifs: formes simples. Récrivez les phrases suivantes en remplaçant les mots en **gras** par le nom, précédé de l'adjectif démonstratif qui convient. Faites tous les changements nécessaires.

MODÈLE: *N'emploie pas **les ciseaux qui sont sur la table**, ils ne coupent pas. → N'emploie pas **ces ciseaux**, ils ne coupent pas.

1. Ne prends pas **le camembert qui est à moitié prix**: tu vois bien qu'il est trop fait (*too ripe*)!

   _____

2. Tu vois **le VTT** (vélo tous terrains = *mountain bike*) **à quatorze vitesses qui est exposé**? Ce sera mon cadeau de Noël.

   _____

3. Ne croyez pas toutes **les histoires que l'on raconte sur son compte**! Elles sont fausses.

   _____

4. Ces touristes japonais n'oublieront pas de si tôt **la soirée qu'ils ont passée aux Folies-Bergères**!

   _____

5. Fais attention à **l'enfant qui est en train de traverser**! Tu vas l'écraser!

   _____

6. Ils ont fini par acheter **la maison qui leur faisait envie**.

   _____

7. Enfin, tu vas voir **le film dont nous t'avons tant parlé**! Ce n'est pas trop tôt!

   _____

8. Rappelle-moi le nom de **l'actrice qui joue dans** *Les Parapluies de Cherbourg*.

   _____

9. Comment s'appelle **le plat que l'on prépare avec de la farine de blé, des légumes et du mouton**?

   _____

10. Montre-moi **l'ordinateur que tu viens d'acheter**.

   _____

5-2 Adjectifs démonstratifs: formes composées. Complétez les phrases suivantes par les adjectifs démonstratifs qui conviennent, renforcés par **-ci** ou **-là**.

1. Je ne connais pas très bien la route: dois-je prendre (a) _____ chemin (b) _____ ou (c) _____ chemin (d) _____?

2. (a) _____ homme (b) _____ est déplaisant avec tout le monde.

3. Il vaut mieux aller à (a) _____ magasin (b) _____, même s'il est un peu loin: on y trouve de tout!

4. J'hésite entre (a) _____ robe (b) _____, très mode, et (c) _____ robe (d) _____, plus classique.

5. À (a) _____ époque (b) _____, peu de gens avaient le téléphone.

6. On a prévu de la neige pour (a) _____ jours (b) _____.

7. Je vous déconseille le rugby et la boxe: (a) _____ sports (b) _____ sont un peu trop brutaux pour quelqu'un comme vous!

8. (a) _____ enfant (b) _____ est sage comme une image (*i.e., extremely well-behaved*). Si seulement le mien était comme ça!

9. Nous avons réparti les élèves en deux groupes: (a) _____ groupe (b) _____ aura monsieur Tardieu comme professeur et (c) _____ groupe (d) _____ aura madame Piron.

10. À (a) _____ heure (b) _____, elle doit être arrivée.

11. Il a changé d'avis? Bon, très bien, mais à (a) _____ moment (b) _____ (*in that case*), il aurait fallu qu'il le dise!

12. Tu la détestes à (a) _____ point (b) _____? (*You hate her that much?*)

5-3 **Adjectifs démonstratifs: formes simples et composées.** Traduisez les phrases suivantes. Employez les indications entre crochets.

1. *This engineer is Italian.* _____

2. *These children are adorable.* _____

3. *This copy isn't mine.* [exemplaire (m.) / être à qqn]

    _____

4. *Where is that theater? On this street or on that boulevard?* [Dans / sur]

    _____

5. *This dessert is delicious.* _____

6. *This incident is disturbing.* [inquiétant] _____

7. *Which do you prefer? These skates or those skis?* [Qu'est-ce que tu préfères? / patins (m. pl.) / skis (m. pl.)]

    _____

8. *The Red Cross will take care of these women and children.* [La Croix-Rouge / s'occuper de]

    _____

9. *This place is simply wonderful!* [endroit (m.) / merveilleux]

    _____

10. *That Saturday, I have nothing planned.* [rien de prévu]

    _____

5-4 **Pronoms démonstratifs variables.** Complétez les phrases suivantes par les **pronoms démonstratifs variables** qui conviennent. Ajoutez -ci ou -là, si nécessaire.

1. Quel pull est-ce que je mets ce soir? (a) _____ en laine? —Non, mets (b) _____ en soie et cachemire.

2. Tu veux un crayon? Prends _____ (*that one*).

3. Je trouve que ces questions-là sont bien plus difficiles que _____.

4. Ces Picasso sont très beaux, mais je crois que je préfère _____ que nous avons vus à Paris.

5. Apporte-moi la grande casserole rouge, _____ qui est dans le placard, en bas à droite.

6. Tous _____ qui ont besoin d'acheter un billet sont priés de se rendre au guichet quatre.

7. Si tu ne veux pas conduire ma voiture, alors emprunte _____ de tes parents!

8. La différence entre ces deux vins rouges? Eh bien, _____ est un bourgogne tandis que _____ est un bordeaux.

5-5 *The one(s)…* Traduisez les phrases suivantes. Employez les indications entre crochets.

1. *Do I take the white napkins or the blue ones?* [Je prends… / serviettes (f. pl.)]

   _____

2. *The poems I prefer are [the ones] by Baudelaire.* [*by* = de]

   _____

3. *We definitely prefer our apartment to the one we visited yesterday.* [préférer nettement qqch à qqch d'autre]

   _____

4. *I'd like to buy myself sunglasses to replace the ones I lost.* [J'aimerais m'acheter… / lunettes (f. pl.) de soleil / perdre]

   _____

5. *I hesitate between these two pairs of shoes; should I take the black ones or the ones with the high heels?* [hésiter entre deux paires de chaussures (f. pl.) / dois-je… / à talons hauts]

   _____

6. *Which of these girls did you dance with last night? That one over there, the blonde one, or the one who's wearing jeans?* [Avec laquelle de… / là-bas / être en jeans]

   _____

7. *Let's buy petits fours again; the ones we had yesterday were so good!* [racheter / manger]

   _____

8. *I don't like this pair of pants; the woolen ones are much better.* [pantalon (m. s.)]

   _____

5-6 *****Récapitulation.** Complétez les phrases suivantes par les **adjectifs ou pronoms démonstratifs variables** qui conviennent. Ajoutez **-ci** ou **-là** si nécessaire.

1. (a) _____ appartement-ci est bien plus lumineux que (b) _____.

2. Viviane est la fille de Martine, Noëlle est _____ d'Hélène.

3. (a) _____ roses-ci sont plus belles que (b) _____, et pourtant elles ne sont pas plus chères.

4. J'ai trouvé (a) _____ objet au fond de (b) _____ tiroir; sais-tu ce que c'est?

5. Tu repars par quel avion demain? —Par _____ de 3 heures 30.

6. Parmi les étudiants que je connais, _____ qui font de la politique sur le campus sont souvent les plus ambitieux.

7. _____ hôtel est bien agréable, vous ne trouvez pas?

8. Mon chat est un siamois; (a) _____ de ma sœur est un persan et (b) _____ de mon frère sont des abyssins.

5-7 **Ce/c'** *vs* **cela/ça.** Complétez les phrases suivantes par **ce/c'**ou **cela/ça.** Lorsque les deux réponses sont possibles, indiquez-les.

1. Tout _____ m'est parfaitement égal.

2. Si tu pouvais venir, _____ serait fantastique.

3. (a) _____ est vous qui avez téléphoné tout à l'heure? —Non, (b) _____ sont eux.

4. Allez-y, _____ vous changera les idées!

5. _____ est arrivé hier soir.

6. _____ m'est arrivé hier soir.

7. Hier, quand je lui ai téléphoné, _____ n'avait pas l'air d'aller très fort (*he/she wasn't doing so well*).

8. Tu as tout le temps des vertiges (*you are constantly feeling dizzy*). À mon avis, _____ n'est pas normal, il faudrait appeler un médecin.

9. Mais non, _____ ne sont pas des moules, ce sont des palourdes (*clams*)!

10. Mais _____ est moi qui vous remercie! (*You're most welcome.*)

5-8 **Récapitulation: ce/c'** *vs* **ceci** *vs* **cela/ça.** Complétez les phrases suivantes par les **pronoms démonstratifs invariables** qui conviennent. Lorsque deux réponses sont possibles, indiquez-les.

1. Rappelez-vous bien _____: l'argent ne fait pas le bonheur.

2. Tout (a) _____ que je sais, (b) _____ est qu'elle n'est pas d'accord.

3. Quand ils m'ont raconté _____, j'ai éclaté de rire.

4. _____ ne serait pas elle par hasard qui t'aurait pris ton dictionnaire?

5. Tu aimes le ballet moderne? Oui, j'adore _____.

6. Non, non, ne buvez surtout pas (a) _____! C'est du Coca, ça va vous rendre malade; buvez plutôt (b) _____: c'est un petit pastis bien tassé qui va vous remonter le moral, vous allez voir!

7. Cesse de manger ces bonbons! Tu sais bien que _____ fait grossir!

8. _____ qui la rend le plus heureuse, c'est que nous pourrons passer Noël en famille avec elle.

5-9 ***Récapitulation: démonstratifs variables et invariables.** Complétez les phrases suivantes par les **adjectifs** ou les **pronoms démonstratifs variables** ou **invariables** qui conviennent. Ajoutez les mots **-ci** ou **-là** si nécessaire. Indiquez toutes les possibilités.

1. (a) _____ exercice-ci est vraiment difficile, mais (b) _____ est plus facile.

2. _____ alors! Je n'en reviens pas! (*I can't believe it!*)

3. Vous aimez le caviar? Ah non, je déteste _____!

4. (a) _____ idiot de Jean-Pierre a de nouveau complètement oublié notre rendez-vous! Je vais lui dire (b) _____ que je pense de son attitude; (c) _____ va chauffer (*there's going to be big trouble*)!

5. J'aime assez les films de Truffaut mais je déteste _____ de Godard.

6. Regarde ces deux jeans: tu préfères (a) _____ ou l'autre? —Ah moi, j'avoue que je préfère le noir, mais malheureusement, (b) _____ est aussi le plus cher.

7. Mets la grande nappe, _____ en tissu de Provence.

8. (a) _____ est elle qui m'a parlé de (b) _____ roman. (c) _____ ferait un joli cadeau pour maman, tu ne crois pas?

9. J'ai envie d'une belle bicyclette comme _____ de Daniel.

10. (a) _____ n'est pas la peine d'essayer d'écrire (b) _____ lettre maintenant: il est trop tard.

11. Il n'aime pas l'opéra italien? —Non, _____ l'ennuie à mourir.

12. _____ appareil photo est très bien mais un peu cher.

13. Qui est _____ Américain qui travaille à l'ambassade?

14. Tu ne connais pas Brigitte, (a) _____ jolie brune qui fait de l'histoire de l'art? —Tu veux parler de (b) _____ qui sort avec Daniel, (c) _____ étudiant qui habite chez les Pariseau? Oui, je la connais, et alors?

15. Que voulez-vous que (a) _____ me fasse? Je ne sais rien de tout (b) _____.

5-10 *Récapitulation générale: démonstratifs variables et invariables.* Complétez les phrases suivantes par les **adjectifs** ou **pronoms démonstratifs variables** ou **invariables** qui conviennent. Ajoutez les mots **-ci** ou **-là** si nécessaire. Indiquez toutes les possibilités.

1. Tiens, regarde (a) _____ fille, elle est mignonne, non? —Euh, laquelle? Je ne vois pas, il y a trop de monde. —Mais si, voyons, (b) _____ qui porte un jean et un pull blanc. —Ah oui, je vois, mais qui est- (c) _____? Tu la connais, toi? —Mais oui, bien sûr, rappelle-toi voyons! (d) _____ est Monique, (e) _____ qui fait de l'histoire à la Sorbonne. Attends-moi, je vais aller lui demander du feu.

2. De ces deux petits tableaux, lequel est le meilleur d'après toi, (a) _____ ou (b) _____? —Ah là là, (c) _____ n'est pas facile de choisir, ils sont très beaux tous les deux mais je crois que je préfère (d) _____ de droite, les couleurs sont plus vives. Achète-le pour tes parents, je suis sûre que (e) _____ leur fera plaisir.

3. Sur la photo de famille, (a) _____ qui sont devant, (b) _____ sont mes frères Laurel et Jean-Charles; (c) _____ qui est derrière, (d) _____ est mon père.

4. _____ enfant est de plus en plus agaçant, tu ne trouves pas?

5. Tiens, regarde (a) _____ imperméable (*raincoat*)! —Lequel, (b) _____ qui est exposé, à côté de (c) _____ manteaux d'hiver? —Oui, c'est exactement (d) _____ que (*what*) je cherche: il est un peu cher, mais (e) _____ m'est égal.

6. Qu'est-ce que (a) _____ est d'après toi, (b) _____ outil bizarre? Tu sais comment (c) _____ s'appelle et à quoi (d) _____ sert?

7. Je ne suis pas du tout d'accord avec lui; _____ dit (*that said*), il est vrai que je peux aussi comprendre son point de vue.

8. Retenez bien _____: l'examen aura lieu lundi et non mardi.

9. _____ dont la pauvre Nadia aurait besoin en ce moment, c'est de changer d'air (*to get a change of scene*).

10. Les cheveux de ma petite sœur sont blonds mais _____ de mon frère aîné sont châtain clair.

11. Mon père est plus jeune que _____ de Pauline.

12. Dommage que vous n'ayez pas tenu compte de _____ aspect dans votre analyse.

5-11 *Récapitulation générale.** Traduisez les phrases suivantes. Employez les indications entre crochets.

    1. *Bye, see you tonight!* [Au revoir, à…]

    _____

    2. *In those days, television didn't exist.* [époque (f.)]

    _____

    3. *We don't see her much these days.* [On ne la…]

    _____

    4. *You're not feeling well? In that case, go to bed!* [Tu… / se sentir bien / se coucher]

    _____

    5. *Don't call me at midnight; at that hour [of the night], I'm sleeping!* [appeler qqn (2ᵉ p. pl.)]

    _____

    6. *It doesn't matter if she's a little late.*

    _____

    7. *Did it go all right?* [être (passé composé)] _____

    8. *Hurry up; otherwise you'll miss the bus!* [se dépêcher (2ᵉ p. sg.) / (synonyme de **sinon**) / rater (futur proche)]

    _____

    9. *Done!* _____

    10. *This recording is [the one] by the Boston Symphony Orchestra.* [enregistrement / *by* = de]

    _____

    11. *Be quiet! That's enough!* [se taire (2ᵉ p. pl.)]

    _____

    12. *I like it when you wear your hair like that; it suits you very well.* [aimer bien / se coiffer (2ᵉ p. sg.)]

    _____

5-12 *Écriture.** Écrivez des phrases complètes de votre invention en employant les **adjectifs et pronoms démonstratifs** indiqués ci-dessous.

    1. ce   _____

    2. cet   _____

    3. cette   _____

    4. ces   _____

    5. ce …-ci / celui-là _____

    6. cette …-ci / celle-là _____

    7. celui   _____

    8. ceux   _____

    9. celle   _____

    10. celles _____

    11. cela   _____

    12. ça   _____

    13. ceci / cela _____

Chapitre Six

L'interrogation directe

6-1 **Questions dont la réponse est oui/si ou non.** Trouvez les questions correspondant aux réponses suivantes. Indiquez tous les niveaux de langue: familier, courant et soutenu.

MODÈLE: Oui, j'ai faim.
→ Tu as / Vous avez faim?
→ Est-ce que tu as / vous avez faim?
→ As-tu / Avez-vous faim?

1. Oui, j'ai perdu ma carte orange (*Paris metro pass*) [tu].

_____

_____

_____

2. Oui, nous sommes invité(e)s à son mariage.

_____

_____

_____

3. Oui, il va encore neiger ce soir.

_____

_____

_____

4. Si, si, ce clochard (*homeless man*) est diplômé de la fac de droit.

_____

_____

_____

5. Mais si, je suis sincère! [tu]

_____

_____

_____

6. Oui, nous voulons nous amuser.

_____

_____

_____

7. Si, Ludovic a fait une fugue (*ran away*)!

_____

_____

_____

8. Non, ça n'est pas possible!

_____

_____

_____

9. Non, je n'ai pas oublié mon rendez-vous! [tu]

_____

_____

_____

10. Oui, tu peux lui demander un service.

_____

_____

_____

6-2 **Questions dont la réponse est oui/si ou non.** Traduisez les phrases suivantes. Indiquez tous les niveaux de langue: familier, courant et soutenu. Faites l'accord du participe passé, si nécessaire. Employez les indications entre crochets.

1. *Did you go to school this morning?* [*you* = tu (m. s.)]

_____

_____

_____

2. *May I help you?* [*you* = vous]

_____

_____

_____

3. *Did Jean-Pierre get his visa?* [obtenir / visa (m.)]

_____

_____

_____

4. *Didn't they call her?* [*they* = on / appeler]

_____

_____

_____

5. *Did Aline take some?* [en prendre]

_____

_____

_____

6. *Are you hurting?* [ça… / *you* = vous / faire mal]

_____

_____

_____

7. *Hadn't Kate told them about it?* [dire]

_____

_____

_____

8. *Couldn't someone come pick us up?* [venir chercher]

_____

_____

_____

9. *Will the Roussels be absent next week?*

_____

_____

_____

10. *Won't Sophie be done with them [i.e., her exams]?* [terminer qqch]

_____

_____

_____

6-3 **Où, quand, comment, combien et pourquoi.** Complétez les phrases suivantes en employant les adverbes interrogatifs qui conviennent.

1. _____ allez-vous? —Très bien, merci.

2. _____ allez-vous? —Au supermarché.

3. _____ y allez-vous? —Parce que je n'ai plus rien à manger chez moi.

4. _____ coûtent ces radis (*radishes*)? —Un euro la botte (*one euro a bunch*).

5. _____ de croissants désirez-vous? —Un seul.

6. _____ reviens-tu ce soir? —Pas avant minuit.

7. _____ est-ce que tu lui as dit ça? —Pour le faire enrager (*to make him mad*).

8. Jusqu'à _____ est-ce qu'il reste? —Jusqu'à jeudi.

9. _____ allez-vous vous y prendre (*manage*) pour trouver un studio? —Je n'en sais rien, je verrai bien.

10. Par _____ êtes-vous passé(e)s pour venir? —Par Lyon.

6-4 **Où, quand, comment, combien** et **pourquoi.** Trouvez les questions correspondant aux mots **en gras** dans les réponses suivantes. Indiquez tous les niveaux de langue: familier, courant et soutenu. Ajoutez une préposition si nécessaire.

1. Bernard s'est cassé la jambe **en skiant**.

   _____

   _____

   _____

2. Ils se sont rencontrés **il y a deux mois**.

   _____

   _____

   _____

3. Ils l'ont appelé **Julien**.

   _____

   _____

   _____

4. Elle est restée chez elle **parce qu'elle était trop fatiguée**.

   _____

   _____

   _____

5. Ça/Cela coûte **vingt euros**.

   _____

   _____

   _____

6. Elle [la pièce de théâtre] dure **deux heures vingt**.

   _____

   _____

   _____

7. Il arrive **à trois heures**.

   _____

   _____

   _____

8. Ils sont partis **à la montagne**.

   _____

   _____

   _____

9. Je ne le lui ai pas dit **parce que ça ne la regarde pas** (*it's no business of hers*). [Tu…]

_____

_____

_____

10. Ils viennent **du Portugal**.

_____

_____

_____

6-5   Où, quand, comment, combien et pourquoi. Traduisez les phrases suivantes. Indiquez tous les niveaux de langue: familier, courant et soutenu. Employez les indications entre crochets.

1. *How is it going?*

_____

_____

_____

2. *Why is your sister sulking?* [faire la tête]

_____

_____

_____

3. *When are your parents leaving on their trip?* [tes parents / partir en voyage]

_____

_____

_____

4. *How tall are you?* [*you* = tu / mesurer]

_____

_____

_____

5. *Where did she get off?* [descendre]

_____

_____

_____

6-6   Quel, quelle, quels et quelles. Complétez les phrases suivantes en employant les adjectifs interrogatifs qui conviennent.

1. _____ histoire veux-tu que je te raconte?

2. Sous _____ président américain Henri Kissinger était-il ministre des Affaires Étrangères (*Secretary of State*)?

3. _____ exercices doit-on faire pour demain?

4. Elle est partie à _____ heure?

5. _____ sont les personnes que vous avez rencontrées hier soir?

6. Dans _____ hôtel êtes-vous descendu(e)s (*did you stay*)?

7. _____ vidéos est-ce que vous avez regardées?

8. De _____ pays vient-il? Du Chili?

9. _____ âge ont-elles?

10. _____ desserts avez-vous choisis, messieurs dames?

6-7 **Quel, quelle, quels et quelles.** Trouvez les questions correspondant aux mots **en gras** dans les réponses suivantes. Indiquez tous les niveaux de langue: familier, courant et soutenu. Employez les indications entre crochets.

1. Elle a **vingt ans**.

   _____

   _____

   _____

2. Il est **minuit moins dix**.

   _____

   _____

3. **Il fait froid**.

   _____

   _____

4. Ils sont allés **en Normandie et en Bretagne**. [régions, (f. pl.)]

   _____

   _____

5. J'en fais tous **les mardis**. [tu / judo (m.)]

   _____

   _____

   _____

6. Elle est **noire et blanche**. [ta nouvelle robe]

   _____

   _____

   _____

7. Tu dois descendre à la station **Montparnasse**.

   _____

   _____

   _____

Nom: _____   Date: _____

6-8 **Lequel, laquelle, lesquels** et **lesquelles.** Complétez les phrases suivantes en employant les pronoms interrogatifs qui conviennent. Ajoutez **à** ou **de** et faites les contractions, si nécessaire.

1. Ce roman existe en plusieurs éditions: _____ voulez-vous? —Donnez-moi la plus récente, s'il vous plaît.

2. _____ de ces deux films as-tu préféré?

3. Est-ce qu'on peut s'asseoir à une petite table? —Oui, bien sûr, _____ voulez-vous? Celle au fond vous convient (*suits you*)? Oui? Alors mettez-vous là, vous serez tranquilles.

4. Nous avons de nombreux modèles: _____ aimeriez-vous que je vous montre? —Montrez-moi ceux qui sont en vitrine.

5. Entre ces deux sacs de voyage, _____ te paraît le plus pratique?

6. Tu prends ton portable (*cell phone*) ou ton ordinateur? —Je ne sais pas encore, je n'arrive pas à me décider. —_____ as-tu vraiment besoin? Du portable ou de l'ordinateur?

7. Je n'ai rien compris à ce que le professeur nous a dit au sujet de ces sculptures. —Ah bon? Il a fait allusion _____? À celles de Rodin?

8. Alors madame, parmi toutes les bottes que je vous ai montrées, _____ allez-vous prendre? —Je crois que je vais prendre celles à talon haut.

9. Alexandre Dumas est un de mes auteurs préférés. —_____ parles-tu? Du père ou du fils?

10. Maintenant que tu as observé plusieurs cours, _____ vas-tu choisir?

6-9 **Quel, quelle,** etc. *vs* **lequel, laquelle,** etc. Complétez les phrases suivantes en employant soit les adjectifs, soit les pronoms interrogatifs qui conviennent. Ajoutez **à** ou **de** et faites les contractions, si nécessaire.

1. _____ de ces ceintures (*belts*) préférez-vous? Celle en cuir ou celle en toile?

2. _____ vins rouges préférez-vous? Les bordeaux ou les bourgognes?

3. (a) _____ est le nom de ce vieux film qu'ils ont passé à la télévision l'autre jour?
   —(b) _____? Celui avec Brigitte Bardot?

4. J'habite juste à côté du cinéma. —Heuh, attendez, je ne vois pas très bien ce que vous voulez dire: à côté _____? Celui qui fait le coin de la rue?

5. Dans _____ ville ont-ils déménagé?

6. Tu te souviens de cette actrice? —Non, tu veux parler _____? Je ne vois pas…

7. _____ sont les équipes qui ont gagné les demi-finales de la coupe du monde de football?

8. Pour ce genre de travail, je songe plus particulièrement à deux personnes. —Ah oui? _____ penses-tu? Attends, ne dis rien, laisse-moi deviner (*guess*)…

9. _____ étaient vos responsabilités dans cette compagnie?

10. Quand vous parlez de crise politique, à _____ événements particuliers faites-vous allusion?

6-10 Quel, quelle, etc. *vs* **lequel, laquelle,** etc. Traduisez les phrases suivantes. Indiquez tous les niveaux de langue: familier, courant et soutenu. Employez les indications entre crochets.

1. *Which scenes are you talking about?* [scène (f.) / vous]

   _____

   _____

   _____

   _____

2. *What is the problem?*

   _____

   _____

3. *Here are some illustrations; which ones do you need for your book?* [you = vous / avoir besoin de qqch]

   _____

   _____

   _____

4. *So, you want a teddy bear? Which one would you like?* [Alors, tu… / ours (m.) en peluche]

   _____

   _____

   _____

   _____

5. *What's the weather like today?*

   _____

   _____

   _____

   _____

6. *Among all these pizzerias, which one do you recommend to us?* [Parmi… / pizzeria (f.) / you = tu / recommander]

   _____

   _____

   _____

7. *What apples do you use for your tarte Tatin?* [pomme (f.) / utiliser]

   _____

   _____

   _____

   _____

6-11 Qui, que, quoi. Complétez les phrases suivantes par le pronom interrogatif qui convient à la forme (longue ou courte) qui s'impose.

1. De _____ parlez-vous? —De notre prof de maths.

2. De _____ vous parlez? —De l'examen de maths.

3. _____ tu as fait toute la matinée? —Rien, j'ai dormi.

4. _____ est arrivé? —Un terrible accident d'avion.

5. _____ est arrivé en retard? —Jean-Claude, comme d'habitude!

6. Ils t'ont dit _____? —Ils m'ont dit de revenir demain.

7. Avec _____ as-tu parlé de cela? —Avec Paul.

8. Avec _____ as-tu réparé le robinet (*faucet*)? —Avec une clé anglaise (*wrench*).

9. _____ tu as mangé à midi? —Un sandwich au jambon.

10. Cette robe est en _____? —En soie.

6-12 Qui, que, quoi. Voici des réponses. Trouvez les questions qui correspondent aux mots **en gras**. Indiquez tous les niveaux de langue: familier, courant et soutenu. Employez les indications entre crochets.

1. C'est **un cendrier** (*ashtray*).

   _____

   _____

   _____

2. C'est **ma sœur**.

   _____

   _____

   _____

3. Elle a cassé **un vase**.

   _____

   _____

   _____

4. Je songe **à ce que nous pourrions faire ce week-end**. [tu]

   _____

   _____

   _____

5. **Nathalie** a appelé.

   _____

   _____

   _____

6. En ce moment, **il est en train de regarder la télévision**.

   _____

   _____

   _____

7. Cette statue est **en bronze**.

_____

_____

_____

8. Ce sont **les manifestants** qui crient.

_____

_____

9. Je préfère **un thé**. [tu]

_____

_____

_____

10. J'ai mis les fleurs **dans un panier**. [tu]

_____

_____

_____

11. Ce sont **les Rodieux**. _____

6-13 **Qui, que, quoi.** Traduisez les phrases suivantes. Employez les indications entre parenthèses. Indiquez tous les niveaux de langue: familier, courant et soutenu. Employez les indications entre crochets.

1. _Who is this?_

_____

_____

_____

2. _What's this?_

_____

_____

_____

3. _What's the point?_ [idiomatique]

_____

4. _With whom is she furious?_ [être en colère contre qqn]

_____

_____

_____

5. _What is Jean-Marc going to write his thesis on?_ [écrire sur / thèse (f.)]

_____

_____

_____

6. *Whom did you see last night?* [tu]

_____

_____

_____

_____

7. *What did Leila do during her vacation?* [vacances (f. pl.)]

_____

_____

_____

8. *What's new?* [idiomatique] _____

9. *What did the professor speak about?*

_____

_____

_____

_____

10. *What is your brother going to repair this plug with?* [ton frère / réparer / prise (f.)]

_____

_____

_____

6-14 Récapitulation. Trouvez les questions correspondant aux mots **en gras** dans les réponses suivantes. Utilisez uniquement les constructions par **inversion**.

1. Elle est née **en 1875**.

_____

2. Elle s'appelait **Jeanne**.

_____

3. Elle a eu **un seul enfant**.

_____

4. Elle est célèbre **parce qu'elle a vécu si longtemps**.

_____

5. Elle a vécu **à Arles**.

_____

6. Elle vendait **des crayons** dans sa jeunesse.

_____

7. Elle vendait des crayons **à Van Gogh**.

_____

8. Elle est morte **à cent vingt-deux ans**!

_____

9. Le secret de sa longévité, ce fut **son humour**.

_____

10. C'est **Jeanne Calment**.

_____

6-15 ***Questions par inversion du nom sujet.** Reformulez les questions suivantes en utilisant la <u>double inversion</u> et l'<u>inversion stylistique du nom sujet</u> lorsqu'elle est possible ou obligatoire. Indiquez toutes les possibilités.

1. Pourquoi est-ce que Jacques a autant changé ces derniers mois?

_____

2. Qui est-ce que Jean a choisi comme partenaire pour danser le tango?

_____

3. Où est-ce que ta sœur a laissé mes clefs de voiture?

_____

4. Les vacances de Noël commencent quand cette année?

_____

_____

5. Tous ces vergers (_orchards_) appartiennent à qui?

_____

_____

6. Berlioz a vécu à quelle époque?

_____

_____

7. Dans quelle université est-ce que Fabienne étudie maintenant?

_____

_____

8. Ta voiture fait combien de litres aux cent? (_What mileage does your car get? [Literally: How many liters per hundred kilometers…?]_)

_____

_____

9. Ce polyglotte parle combien de langues?

_____

_____

10. Ce décorateur vous a recommandé quel mobilier?

_____

_____

Nom: _____   Date: _____

6-16 ***Récapitulation.** Trouvez les questions correspondant aux mots **en gras** dans les réponses suivantes. Indiquez uniquement deux niveaux de langue: courant et soutenu. Indiquez toutes les constructions possibles, y compris l'inversion stylistique du nom sujet lorsqu'elle est possible.

1. Gaëtan boude (*is sulking*) **parce qu'il est jaloux de son petit frère.**

   _____

   _____

2. Mes parents vont **très bien.** [tes]

   _____

   _____

3. Martine a **deux garçons et une fille.**

   _____

   _____

4. Michel **a construit une cabane dans un arbre** (*tree house*) pour ses enfants.

   _____

   _____

5. Marie déteste **son patron** (*her boss*).

   _____

   _____

6. Ces gants [m.] (*gloves*) lui ont coûté **trente euros.**

   _____

   _____

7. Dominique a **dix-sept ans.**

   _____

   _____

8. Valérie et son mari habitent **en banlieue** (*in the suburbs*).

   _____

   _____

9. L'entrevue s'est **très bien** passée.

   _____

   _____

   _____

10. Fadia a retrouvé Mélanie **au café du coin.**

   _____

   _____

6-17 *****Récapitulation.** Trouvez les questions correspondant aux mots **en gras** dans les réponses suivantes. <u>Indiquez uniquement deux niveaux de langue: courant et soutenu.</u> Indiquez toutes les constructions possibles, y compris l'<u>inversion stylistique du nom sujet</u> lorsqu'elle est possible.

    1. **Cinq** valises ont été égarées (*lost*).

    _____

    _____

    2. Les grévistes (*strikers*) demandent **de meilleures conditions de travail**.

    _____

    _____

    3. **Ce sont Antoine et Stéphane** qui nous l'ont dit.

    _____

    _____

    4. Cette église date **du XIIe siècle**.

    _____

    5. Yann pense **à la mobylette** (*moped*) **qu'il va s'acheter**.

    _____

    _____

    6. Les voleurs sont entrés **par la fenêtre**.

    _____

    _____

    _____

    7. Le train est arrivé **à neuf heures pile** (*exactly*).

    _____

    _____

    _____

    8. Amélie a changé la nappe (*tablecloth*) **parce que l'autre était sale**.

    _____

    _____

    9. Le médecin lui a recommandé **de ne pas faire de sport pendant un mois**.

    _____

    _____

    10. Ma nouvelle voiture est **bleue**. [ta]

    _____

6-18 **Interview** (travail oral et écrit). Préparez une quinzaine de questions que vous poserez oralement à votre partenaire en prenant des notes pour les réponses. Mettez ensuite votre entrevue au net et rendez-la par écrit.

7

Chapitre Sept

L'appartenance

7-1 Adjectifs possessifs. Complétez les phrases suivantes par les adjectifs possessifs qui conviennent. Traduisez les indications entre crochets, le cas échéant (*should the case happen*).

1. Caroline a _____ leçon de piano tous les mardis après-midi.

2. Les enfants, il fait froid aujourd'hui: mettez (a) _____ vestes et (b) _____ gants!

3. Tu iras jouer chez (a) _____ amie lorsque tu auras fini (b) _____ devoirs, pas avant!

4. Il est facile d'oublier _____ parapluie lorsqu'on n'a plus à s'en servir.

5. Victor, (a) _____ chambre est dans un tel désordre: range donc un peu (b) _____ affaires!

6. Il y a deux heures que je travaille à ce problème de maths: j'y perds _____ latin (idiomatique: *I'm lost*)!

7. Que ferez-vous de (a) _____ maison pendant (b) _____ congé sabbatique à l'étranger?

8. Cette femme a passé _____ vie à se dévouer pour les autres.

9. On dit que (a) _____ nièce me ressemble; il paraît même qu'elle est (b) _____ portrait tout craché (*spitting image*) à (c) _____ [*her*] âge, ce qui n'est pas étonnant puisque (d) _____ [*her*] mère et moi sommes sœurs jumelles.

10. Nous leur avons écrit mais _____ lettre est restée sans réponse.

11. (a) _____ voisins immédiats nous ont demandé de relever (b) _____ courrier et de nous occuper de (c) _____ animaux (*pets*) pendant (d) _____ absence.

12. Ton thé t'a-t-il ôté _____ toux? (*French tongue twister*)

13. Il a bien fallu quelques secondes au boxeur pour reprendre _____ esprits.

14. Chacun a droit à _____ opinion!

15. «Comme on fait _____ lit, on se couche.» (proverbe: *As you make your bed, so you must lie in it.*)

7-2 Adjectifs et pronoms possessifs. Complétez les phrases suivantes par les adjectifs et pronoms possessifs qui conviennent. Faites les contractions qui s'imposent. Traduisez les indications entre crochets, le cas échéant.

1. Tu as perdu (a) _____ beau stylo à plume (*fountain pen*)? Sers-toi (b) _____ [*mine*] en attendant d'en acheter un autre.

2. Je veux bien vous communiquer (a) _____ impressions concernant ce candidat, mais d'abord, dites-moi (b) _____.

3. Ne t'occupe pas de (a) _____ affaires à moi, occupe-toi donc (b) _____.

4. En ce moment, (a) _____ mari me prête (b) _____ voiture dont il n'a pas besoin, parce que (c) _____, qui commence à se faire vieille, est en réparation.

5. Puisqu'elles ont demandé (a) _____ vacances pour le mois de juillet, je vais demander (b) _____ pour le mois d'août.

6. Chers amis, merci de (a) _____ bons vœux (*wishes*); à notre tour de vous présenter (b) _____.

7. J'ai reçu (a) _____ résultats d'examen ce matin; et toi, as-tu reçu (b) _____?

8. Il faut une heure seulement à Paul pour faire (a) _____ devoirs tandis qu'il en faut bien le double à son frère pour terminer (b) _____.

9. Vous voulez savoir comment j'ai réussi (a) _____ dernière opération en bourse (*stock-exchange transaction*)? Mais grâce à (b) _____ [*my*] courtier (*broker*), bien sûr! Faites comme moi, adressez-vous (c) _____ [*yours*], qui n'est pas si mauvais puisqu'il a formé (*trained*) (d) _____ [*mine*]!

10. Quand on fume trop, on a de la peine à reprendre _____ souffle.

11. Si tu n'as pas de dictionnaire, je peux te prêter _____.

12. Elle nous a présenté sa famille, alors maintenant, nous aimerions lui présenter _____.

13. Ton lecteur DVD ne marche pas? Demande donc à Christiane et à Paul: je suis sûre qu'ils te permettront d'utiliser _____.

14. Ne comptez pas trop sur eux: _____ intentions sont bonnes mais ils ont la mémoire courte.

7-3 Adjectifs et pronoms possessifs. Traduisez les phrases suivantes. Employez les indications entre crochets.

1. *Ask Marie and Sarah at what time their flight leaves.* [avion]

   _____

2. *I would like a digital camera for my birthday.* [J'aimerais… / appareil photo numérique (m.)]

   _____

3. *May we borrow your lawn mower? Ours doesn't work!* [Pouvons-nous emprunter… / tondeuse à gazon (f.) / ne pas marcher]

   _____

4. *Let's exchange our telephone numbers —here is ours; what's yours?*
[Échangeons… / voici… / quel est…]

_____

5. *Theirs is a life of hard work!* [Quelle vie de labeur que…]

_____

6. *You know, of course, the Louvre museum and its most famous painting, the* Mona Lisa?
[Vous connaissez, bien sûr,… / célèbre tableau (m.), *la Joconde*]

_____

7. *I see your car but I don't see mine; where on earth did I park it?* [où diable ai-je bien pu la garer?]

_____

8. *My grandparents are both seventy; how old are yours?*

_____

9. *It's not my map, it's theirs.* [carte (f.)]

_____

10. *André, why are your sister's CDs in your room and yours in hers?*
[André, pourquoi est-ce que… / CD (m. pl.)]

_____

7-4   *Leur: adjectif possessif *vs* pronom possessif *vs* pronom objet indirect.** Indiquez la fonction de **leur** dans les phrases suivantes.

1. C'est (a) **leur** voiture? —Non, ce n'est pas (b) la **leur**, c'est celle de Bernard.

2. Tu **leur** as dit que nous allions au cinéma ce soir?

3. J'aime beaucoup les chats, alors quand mes voisins sont partis en vacances, je (a) **leur** ai proposé de prendre (b) le **leur** et de m'en occuper pendant (c) **leur** absence. Malheureusement, il s'est échappé et depuis trois jours, il demeure introuvable. Comment vais-je (d) le **leur** annoncer quand ils reviendront?

4. Ce studio est à eux? Oui, il (a) **leur** appartient, mais en ce moment, c'est (b) **leur** fils aîné qui y habite.

5. Quoique (*Although*) j'aime beaucoup notre villa (*house in a residential area*), je préfère la **leur**: elle est bien plus spacieuse (*much roomier*).

7-5   *Transformez les phrases suivantes en employant les constructions avec **être à**, **appartenir à**, puis le **pronom possessif** qui convient. Remplacez les noms **en gras** par les pronoms qui leur correspondent.

MODÈLE: *C'est mon chien. → Il **est à moi**, il **m'appartient**, c'est **le mien**.

1. C'est notre maison.

_____

2. Ce sont vos DVD. (m. pl.)

_____

3. Ce n'est pas ta veste.

_____

4. Ce sont les livres de **mes frères**.

_____

5. Ce ne sont pas les affaires (f.) de **Virginie**.

_____

6. C'est ton automobile?

_____

7. Ce sont nos photos.

_____

8. Ce n'est pas ma montre.

_____

9. C'est votre portable (*cell phone*)?

_____

10. Ce sont les passeports de **Julie et Catherine**.

_____

7-6 **Le génitif anglais.** Traduisez les phrases suivantes. Employez les indications entre crochets.

1. *This isn't my motorcycle, it's my brother's.* [moto (f.)]

_____

2. *This is our house, not the Jeannerets'.* [et non…]

_____

3. *Are these your cousins? —No, they are Jim's.* [Ce sont… / cousins (m. pl.)]

_____

4. *Is this Frank's computer or Melissa's?* [C'est… / ordinateur (m.)]

_____

5. *Are these his keys or Cedric's?* [Ce sont… / clés (f. pl.)]

_____

7-7 ***Adjectif possessif *vs* article défini.** Complétez les phrases suivantes par les adjectifs possessifs ou par les articles définis qui conviennent. Faites la contraction avec la préposition **à**, si nécessaire. Traduisez les indications entre crochets, le cas échéant.

1. Ludovic est très distrait: il a toujours _____ tête dans les nuages.

2. Jean-Luc et Xavier se sont battus à la récréation: Jean-Luc a donné un coup de pied dans

(a) _____ jambes de Xavier, qui est tombé et s'est mis à pleurer parce que (b) _____

genou (m. / *knee*) droit saignait.

3. Pour me réveiller, je me suis passé de l'eau froide sur _____ visage.

4. Il mit tendrement (a) _____ main sur l'épaule de Colette, contempla (b) _____

magnifiques yeux gris, la prit dans (c) _____ bras et déposa un léger baiser… sur le bout de

(d) _____ nez.

5. Pour attirer l'attention de sa mère, l'enfant la tirait d'une main par (a) _____ manche (f.) tandis que de (b) _____ autre, il essayait d'atteindre les bonbons qu'il convoitait (*was coveting*).

6. Pour cette fois, je fermerai _____ yeux sur ce que vous avez fait (*I'll be tolerant about what you did*), mais ne recommencez plus jamais!

7. Tu as mal (a) _____ dents? —Oui, une de (b) _____ dents de sagesse (*wisdom teeth*) me fait horriblement mal depuis hier. Je n'ai pas fermé (c) _____ œil de la nuit (*I didn't sleep a wink*).

8. Cet homme est très mal élevé: il ne peut pas s'asseoir sans poser _____ grands pieds sur la table! Quel malotru (*What a boor*)!

9. Arrête! Tu nous casses _____ pieds avec tes plaisanteries stupides!

10. De plus en plus énervé, il le saisit soudain par (a) _____ cravate (f.) et se mit à lui crier des injures dans (b) _____ oreilles (f. pl.).

11. Il s'approcha d'elle et prit _____ [*her*] main dans la sienne.

12. Tous ceux qui sont d'accord, levez _____ main!

7-8 ***Adjectif possessif** *vs* **article (défini ou indéfini).** Complétez les phrases suivantes par les adjectifs possessifs ou par les articles (définis ou indéfinis) qui conviennent. Faites la contraction avec la préposition à, si nécessaire.

1. Pour tenter de cacher sa rougeur, elle se couvrit (a) _____ visage de (b) _____ mains.

2. Il arriva, (a) _____ cravate (f.) de travers et (b) _____ cheveux tout ébouriffés (*disheveled*).

3. Marc ne sait vraiment pas s'habiller: la couleur de (a) _____ chemise (f.) ne va jamais avec celle de (b) _____ veston (m. [*jacket*]).

4. Il avait _____ air complètement désemparé. (*He looked totally helpless.*)

5. Ne mets pas (a) _____ main gauche sur (b) _____ genoux (m. pl. / *lap*) quand tu manges, ce n'est pas poli; mets-la sur la table.[1]

6. Depuis qu'elle a eu cet accident, _____ dos la fait terriblement souffrir.

7. Si vous avez mal _____ dos, je vous conseille de faire des massages; cela vous soulagera.

8. Elle a pris (a) _____ douche, s'est lavé (b) _____ cheveux; ensuite elle s'est habillée, puis elle est descendue prendre (c) _____ petit déjeuner.

9. Je ne sais pas ce que j'ai: depuis quelque temps, je perds (a) _____ mémoire, j'oublie tous (b) _____ rendez-vous!

10. À cinq ans, tu avais (a) _____ petit visage tout rond et (b) _____ beaux cheveux bouclés.

11. Il portait sur (a) _____ tête (b) _____ vieux chapeau melon qui lui donnait (c) _____ air d'un clown.

---

[1] En France, comme d'ailleurs dans la plupart des autres pays européens (sauf en Angleterre), on garde toujours les deux mains sur la table quand on mange.

12. J'ai mal (a) _____ pied gauche depuis que je me suis tordu (b) _____ cheville (f.) en patinant (*skating*).

13. À force de faire (a) _____ yeux doux à Marianne, Antoine a fini par lui tourner

    (b) _____ tête.

14. Ils avaient mis des journaux sur _____ tête pour se protéger de la pluie.

15. Elle a décidé de se laisser pousser _____ cheveux.

16. Je ne pourrai plus jamais le regarder dans _____ yeux. (*I'll never be able to look him in the eye.*)

17. Elle a toujours (a) _____ ongles vernis et manucurés; comment fait-elle pour avoir

    (b) _____ ongles aussi parfaits?

7-9 *Récapitulation. Complétez les phrases suivantes par les **adjectifs ou pronoms possessifs**, les **articles** (définis ou indéfinis), les **pronoms objets** (indirects ou disjoints) ou les **pronoms démonstratifs** qui conviennent, suivant le contexte. Traduisez les indications entre crochets, le cas échéant.

1. Oh zut (*darn*)! J'ai perdu (a) _____ carnet (m.) de métro! J'espère que toi, tu as toujours

   (b) _____! —Oui, ne t'en fais pas, il nous reste assez de tickets pour le retour.

2. Tu as mal à _____ tête? Tiens, prends ces deux aspirines!

3. Ma fille aime beaucoup ce chaton (*kitten*) mais il ne (a) _____ appartient pas. C'est

   (b) _____ des voisins. —Ah bon? Il est à (c) _____? —Oui, mais ils ne s'en occupent

   pas beaucoup, alors il vient souvent chez nous. Il faut dire qu'il est bien mignon. Vous avez vu? Il a

   (d) _____ petit nez tout rose et (e) _____ minuscule tache blanche sur

   (f) _____ poitrine (f. sg.).

4. Tu ne pourrais pas faire un peu plus attention où tu mets (a) _____ [*your*] affaires? Tu les as

   encore laissé traîner par terre et j'ai failli me rompre (b) _____ cou (*neck*).

5. C'est votre sac de voyage? —Non, ce n'est pas (a) _____ [*ours*]; je crois que c'est

   (b) _____ [*theirs*].

6. Donne-moi (a) _____ [*my*] écharpe, s'il te plaît; si tu ne la trouves pas, passe-moi

   (b) _____ de ma sœur.

7. Les Roulet aiment beaucoup (a) _____ appartement. Il (b) _____ appartient depuis

   longtemps.

8. C'est la voiture de Grégoire? —Oui, maintenant c'est (a) _____ voiture; elle est bel et bien à

   (b) _____! C'est son oncle qui la lui a donnée.

9. Pardon, Monsieur, mais ces lunettes ne sont pas à (a) _____ [*yours*], elles sont à

   (b) _____ [*mine*]! —Oh, excusez-moi, mademoiselle, je ne me rendais pas compte que c'étaient

   (c) _____ [*yours*]!

10. La famille de Jeff est richissime, mais _____ de Marc est très modeste.

11. Excusez-moi madame, c'est (a) _____ [*your*] magazine (m.)? —Ah non monsieur, ce n'est pas

    (b) _____; je crois que c'est (c) _____ de la dame à côté.

12. Le bébé jouait à cache-cache (*hide-and-seek*) avec son père en mettant (a) _____ figure dans (b) _____ mains.

13. Des délinquants lui ont donné un grand coup sur (a) _____ tête et lui ont arraché (b) _____ portefeuille (m. / *wallet*).

14. Les amis de la petite Lucie sont plutôt calmes et bien élevés, mais _____ de son frère Jean-Marie sont absolument impossibles!

7-10 *Récapitulation.* Traduisez les phrases suivantes. Employez les indications entre crochets.

1. *Are these Sandra's things? —No, these are ours.* [Est-ce que… / affaires (f. pl.)]

   _____

2. *About the keys, Annie made a mistake; instead of giving them theirs, she gave them yours.* [Pour les clés… / se tromper / *yours*: 2ᵉ p. pl.]

   _____

3. *My throat hurts.* [gorge (f.)]

   _____

4. *He sprained his ankle.* [se fouler / cheville (f.)]

   _____

5. *She opened her big blue eyes and started to smile.* [Elle ouvrit… / et se mit… (passé simple)]

   _____

6. *He shook his/her hand.*

   _____

7. *Whose bathrobe is this? Is it his/hers?* [À qui… / peignoir (m.)]

   _____

8. *We spoke to them about their trip.* [voyage (m.)]

   _____

9. *Is this little dog yours? —No, ours is a German shepherd.* [Est-ce que… / berger allemand (m.)]

   _____

10. *Why is she sulking?* [Pourquoi est-ce qu'elle… / tête (idiomatique)]

    _____

11. *Does she need my help?* [Est-ce qu'elle…]

    _____

12. *My parents are very generous.* [cœur / main (idiomatique)]

    _____

13. *It's not my girlfriend, it's Lisa's.*

    _____

7-11 *Récapitulation.** Traduisez les phrases suivantes. Employez les indications entre crochets.

1. *Is this book yours? —No, it's not mine, it's my brother's.* [C'est… / —Non…]

   _____

2. *Whose house is this? —It's not ours, it's the Gallets'.* [À qui…]

   _____

3. *Do you want to borrow their car or mine? —I don't like theirs, I'd rather borrow yours.* [Tu veux emprunter… / je préfère…]

   _____

4. *I had forgotten my sunglasses, so David lent me his.* [oublier (plus-que-parfait) / lunettes de soleil / alors… / prêter]

   _____

5. *Is this computer yours? —Yes, it's ours.* [ordinateur (m.) / Oui, c'est…]

   _____

6. *My mother has blond hair and blue eyes, while my little sister has magnificent red hair with great big green eyes.* [tandis que / roux]

   _____

7. *My stomach hurts.* [ventre (m.)]

   _____

8. *We had to listen very carefully because he didn't want to raise his voice.* [Nous avons dû… (employez deux expressions idiomatiques)]

   _____

9. *When Myriam saw her father, she jumped on his lap to give him a kiss.* [sauter / genoux (m. pl.) / embrasser]

   _____

10. *The homeless man was walking around with a bottle in **his** hand, with **his** shirt unbuttoned and **his** pants all torn **at the** knees.* → Le clochard se promenait, une bouteille à (a) _____ main,

    (b) _____ chemise (f.) déboutonnée et (c) _____ pantalon (m.) tout déchiré (d)

    _____ genoux.

8

Chapitre Huit

La négation

8-1 **Négation des verbes.** Récrivez les phrases suivantes en mettant les verbes **en gras** à la forme négative.

1. Ce garçon me **plaît**.

   _____

2. Elle m'**appelle** chaque matin.

   _____

3. Nous nous en **sommes servi(e)s** hier soir.

   _____

4. Le samedi, il y en **a** beaucoup.

   _____

5. Elle le lui **a dit**.

   _____

6. **Revenez** avant 4 heures!

   _____

7. **Est**-elle l'aînée de la famille?

   _____

8. Nous préférons **être** au courant de cette affaire.

   _____

9. Elle **est** étonnée d'**avoir été choisie**.

   _____

10. On **est** vraiment fatigué(e)s.

    _____

11. Prière d'**éteindre** en sortant. (*Please turn off the lights upon leaving.*)

    _____

12. **Penses**-y!

    _____

13. **Donne**-le-leur!

    _____

14. Il est préférable de les **attendre**.

    _____

15. **Faites**-le-leur signer. (*Make them sign it.*)

    _____

8-2 Négation des articles. Récrivez les phrases suivantes en les mettant à la forme négative. Analysez bien **les articles** mis en évidence. Employez **ni… ni…**, si nécessaire.

1. Elle a décoré elle-même **la** vitrine de son magasin.

   _____

2. Nous possédons **une** écurie (*stable*) dans notre propriété à la campagne.

   _____

3. Il a **l'**estime de ses collègues.

   _____

4. J'ai toujours eu **des** animaux chez moi.

   _____

5. Je comprends **les** revendications des manifestants.

   _____

6. Il faut **du** beurre pour faire ce gâteau.

   _____

7. Ils ont **un** pied-à-terre à Paris.

   _____

8. Cette actrice a **de la** présence sur scène.

   _____

9. Ces élèves montrent **de l'**ardeur au travail.

   _____

10. C'est **le** moment de prendre des vacances.

    _____

11. Je veux **des** tulipes pour ce bouquet d'anniversaire.

    _____

12. J'ai besoin **du** cendrier (*ashtray*).

    _____

13. Ils aiment l'opéra **et la** musique classique.

    _____

14. J'ai **un** chien **et un** chat.

    _____

15. Nous prendrons **de la** mousse au chocolat **et de la** tarte aux pommes.

    _____

8-3 *Ni… ni…* Traduisez les phrases suivantes. Employez les indications entre crochets. Indiquez toutes les possibilités.

1. *I don't want either dessert or coffee.*

   _____

2. *Neither she nor I understood what he said.*

   _____

3. *He is neither generous nor honest.*

_____

4. *It's neither water nor vodka, it's white vinegar.* [vinaigre (m.)]

_____

5. *They like neither wine nor beer.*

_____

6. *Neither you nor your friends would know how to get there.* [you = 2ᵉ p. sg. / savoir (conditionnel) comment y aller]

_____

7. *It's neither chicken nor turkey, it's pork.* [poulet (m.) / dinde (f.) / porc (m.)]

_____

8. *I can't either ski or skate.* [savoir / skier / patiner]

_____

9. *He's neither sick nor tired; he's just lazy.* [simplement paresseux]

_____

10. *Whose keys are these? They're neither mine nor theirs.* [À qui appartiennent… / clés (f. pl.) / Ce ne sont…]

_____

8-4 **La restriction.** Récrivez les phrases suivantes. Remplacez l'adverbe **en gras** par une expression synonyme. Faites tous les autres changements nécessaires et indiquez toutes les possibilités.

1. Je bois **seulement** du lait écrémé.

_____

2. **Seulement** Jean peut comprendre cela.

_____

3. Elle a **seulement** dix-sept ans.

_____

4. Il nous reste **seulement** deux jours de vacances.

_____

5. Il regarde la télévision **en permanence**.

_____

8-5 ***Restriction** avec **ne… que.** Traduisez les phrases suivantes. Employez les indications entre crochets.

1. *Marie-Hélène only eats fish.*

_____

2. *My little brother only likes vanilla ice cream.* [glace (f.) à la vanille]

_____

3. *Sebastian is the only one who is willing to help me.* [bien vouloir]

_____

4. *She does nothing but surf the Internet all day.* [naviguer / surfer sur l'Internet toute la journée]

   _____

5. *Only you know how to do this.* [you = f. pl.]

   _____

6. *We don't just study French; we also take courses in sociology, political science, and economics.* [suivre des cours de… / sciences politiques / économie]

   _____

7. *She's only thirteen, but she looks older.* [mais on lui en donnerait plus]

   _____

8. *These people are selfish; they only think of themselves.* [égoïste]

   _____

9. *We only eat the fruit from our garden.* [les fruits]

   _____

10. *You only have to see him to understand why he doesn't go unnoticed.* [Il n'y a… / passer inaperçu]

    _____

11. *I am only passing through.* [passer]

    _____

12. *They have only a week of vacation.*

    _____

8-6 *Omission de «pas».** Traduisez les phrases suivantes. Omettez l'adverbe **pas** si possible, et à plus forte raison lorsque c'est obligatoire. Employez les indications entre crochets.

1. *She didn't do anything.*

   _____

2. *She is Belgian, if I'm not mistaken, isn't she?* [idiomatique]

   _____

3. *We don't know it yet.*

   _____

4. *But I won't know anyone at that party!* [futur simple]

   _____

5. *Please don't come in without knocking.* [Prière de + infinitif]

   _____

6. *I don't have either the time or the money to go to London next week.*

   _____

7. *I don't have any idea.*

   _____

8. *I have no need for his condescension.* [(idiomatique) / condescendance (f.)]

   _____

9. *We only have ten minutes left.* [Il… / nous / rester]

_____

10. *I don't have more than ten minutes.*

_____

11. *He's just talking off the top of his head!* [Il dit… (idiomatique)]

_____

12. *You don't own a tuxedo? That's no problem* or *Never mind, someone will lend you one!* [Tu… / avoir un smoking / tenir (idiomatique) / prêter]

_____

13. *He's not sure what to do.* [savoir (style soutenu)]

_____

14. *She didn't dare look at him.* [oser (imparfait—style soutenu)]

_____

15. *She doesn't stop talking.* [cesser (style soutenu)]

_____

8-7   ***Ne explétif* vs ne négatif.** Traduisez les phrases suivantes. Employez soit le **ne** explétif, soit le **ne** négatif suivi de l'adverbe **pas**, selon le sens de la phrase. Employez les indications entre crochets.

1. *We are worried that they don't understand the situation.* [avoir peur / comprendre (subjonctif présent)]

_____

2. *I fear that she'll lose her job.* [craindre / perdre (subjonctif présent) / travail (m.)]

_____

3. *Don't go back unless she invites you.* [N'y retourne pas… / inviter (subjonctif présent)]

_____

4. *Hurry up before the train leaves!* [Dépêche-toi… / repartir (subjonctif présent)]

_____

5. *She is afraid that they might retaliate against her husband.* [avoir peur / ils / exercer des représailles]

_____

6. *Don't call me back before I've talked to them about it.* [Ne me rappelle pas… / parler de qqch à qqn (subjonctif passé)]

_____

7. *We'll go tomorrow, unless you feel like doing something else.* [à moins que tu… / avoir envie de (subjonctif présent)]

_____

8. *His parents are concerned that he won't pass his exams.* [avoir peur / réussir (à) ses examens]

_____

9. *That documentary was less interesting than I thought.* [documentaire (m.) / penser]

_____

10. *She can stay with us, unless Jacques and Sophie want to bring her back after dinner.* [vouloir (subjonctif présent) / vouloir ramener qqn]

_____

11. *This candidate is more eloquent than I expected him to be.* [éloquent / s'y attendre]

_____

8-8 Étude de vocabulaire: pronoms et adverbes. Répondez négativement aux questions suivantes en modifiant les mots **en gras** de la façon qui convient.

1. Est-ce qu'elle t'en a **déjà** parlé?

   Non, _____

2. **Quelqu'un** est venu?

   Non, _____

3. Tu as vu **quelqu'un**?

   Non, _____

4. Vous y comprenez **quelque chose**?

   Non, nous _____

5. Y a-t-il **quelque chose** qui t'intéresse?

   Non, _____

6. As-tu **quelques** *ou* **des** idées à ce sujet?

   Non, _____

7. Tu as trouvé **quelque part** le livre que tu cherchais?

   Non, je ne l' _____

8. Vous allez **souvent** à l'opéra?

   Non, nous n'y _____

9. Elle est **encore** au bureau?

   Non, _____

10. Est-ce qu'elle a **toujours** eu peur de **tout**?

    Non, _____

11. Est-ce qu'ils s'y intéressent **encore**?

    Non, _____

12. Vous vous voyez **souvent**?

    Non, _____

13. Vous avez **déjà** fini le semestre?

    Non, nous ne l' _____

14. Est-ce que **certaines** d'entre elles y sont allées?

    Non, _____

15. Vous avez vu **quelque chose**?

    Non, je _____

Nom: _____   Date: _____

8-9 **Étude de vocabulaire: adjectifs et leurs contraires.** Complétez les phrases suivantes avec les adjectifs qui conviennent au contexte.

1. Est-ce que le verbe «vouloir» est régulier? —Mais non, tu sais bien qu'il est _____, voyons!

2. À cause de sa forte fièvre, il disait des choses absurdes et parlait de manière _____.

3. Il est très habile de ses mains; par contre, son frère est horriblement _____: il ne sait rien faire de ses dix doigts.

4. Berk, ce poisson n'est pas frais, il ne sent pas bon, il a même une odeur _____! Pouah!

5. Je suis furieuse contre Émilie! Elle ne m'a même pas dit merci: c'est une fille (a) _____! Après tout ce que j'ai fait pour elle, elle pourrait tout de même être un peu plus (b) _____!

6. Tu m'avais dit que cette dame était aimable, mais elle s'est montrée au contraire très _____ avec moi ce matin, je ne sais pas pourquoi; elle a dû se lever du pied gauche! (*She must have gotten up on the wrong side of the bed!*)

7. Madame Boivin est souvent très désobligeante, mais sa belle-fille, au contraire, se montre toujours très _____.

8. Applique-toi donc un peu, sinon ta grand-mère n'arrivera pas à te lire: tu as vraiment une écriture _____.

9. Les dîners chez les Lheureux sont en général tout simples, tandis que les réceptions chez les Bourrassa sont plutôt _____.

10. Cette grosse armoire est encombrante et en plus, elle ferme mal! Vraiment, elle est _____: nous ferions mieux de nous en débarrasser.

11. Les tableaux de ce peintre sont maintenant très recherchés, mais son œuvre est restée longtemps _____.

12. Je ne vous conseille pas de boire ce vin: il est vraiment _____: on dirait du vinaigre.

13. Vous vous attendiez à cette nouvelle, vous l'espériez? Non, pas du tout: cette nouvelle a été pour nous aussi (a) _____ qu' (b) _____.

14. Ne vous fiez pas à eux (*Don't trust them*): ils sont totalement _____.

15. C'est vrai que Paul n'est pas très beau; il a même un physique un peu _____; n'empêche (*still*) qu'il a quand même un charme fou: il est tellement drôle!

16. Cet étudiant ne travaille pas de façon assez régulière; ses résultats sont très _____, ce qui est dommage car il est loin d'être bête.

17. Philippe est content de sa nouvelle situation? —Non, il est plutôt _____: il ne s'entend pas du tout avec ses collègues.

18. Si, à gauche, ce sont les nombres pairs, à droite, il devrait logiquement y avoir les nombres _____, n'est-ce pas?

8-10 *Tournures idiomatiques: «n'avoir qu'à + infinitif» et «rien qu'à + nom».** Complétez les phrases suivantes par une phrase logique de votre invention.

MODÈLES: *Si tu as froid, tu n'as qu'à… → Si tu as froid, tu n'as qu'à mettre un pull. (*If you are cold, just put on a sweater.*)

*On voyait bien qu'il était furieux rien qu'à… → On voyait bien qu'il était furieux rien qu'à sa façon de nous regarder. (*You could see he was furious just by the way he was looking at us.*)

1. Si tu as faim, tu n'as qu'à…

   _____ .

2. J'ai déjà commandé le gâteau, il n'y aura plus qu'à…

   _____ .

3. On reconnaît *la Joconde* rien qu'à…

   _____ .

4. J'aurais reconnu Suzanne rien qu'à…

   _____ .

5. Ma présentation orale est presque prête; je n'ai plus qu'à…

   _____ .

6. Si vous ne voulez pas y aller aujourd'hui, vous n'avez qu'à…

   _____ .

7. Vous allez reconnaître le Louvre rien qu'à…

   _____ .

8-11 *Tournures idiomatiques.** Traduisez les phrases suivantes. Employez les indications entre crochets.

1. *She works more than ever.*

   _____

2. *She never works on Mondays.*

   _____

3. *The mail hasn't come yet?* [Le courrier…]

   _____

4. *One recognizes Charlie Chaplin just by the way he walks.* [On… / démarche (f.)]

   _____

5. *She has no reason to complain.* [se plaindre]

   _____

6. *No one is supposed to leave town before the end of the inquiry.* [devoir s'absenter / enquête (f.)]

   _____

7. *What are you doing for New Year's Eve? —Oh, not much…* [Qu'est-ce que vous… / la Saint Sylvestre]

   _____

8. *Did you like that restaurant? No, frankly, not that much!* [Vous…]

   _____

9. *She is not altogether easy to live with.* [facile à vivre / (style soutenu)]

_____

10. *This is silk, not cotton.* [soie (f.) / coton (m.)]

_____

11. *If you are cold, just wear my jacket!* [Si tu… / veste (f.)]

_____

12. *She missed her bus? Too bad, she should have hurried!* [Elle… / rater / Tant pis pour elle / se dépêcher]

_____

13. *He has no excuse!*

_____

8-12 Récapitulation. Récrivez les phrases suivantes à la forme négative en faisant porter la négation sur les mots **en gras**. Faites tous les changements nécessaires. Omettez l'adverbe **pas** <u>lorsque c'est possible</u>.

MODÈLES: *J'ai rencontré **quelqu'un**. → Je n'ai rencontré **personne**.
            *J'**ai** faim. → Je **n'ai pas** faim.

1. Je préfère lui **parler** tout de suite.

_____

2. Dites-le-leur!   _____

3. Nous l'avons **déjà** vu **quelque part**.

_____

4. Je regrette d'y **être arrivé(e)** avant eux.

_____

5. Ils sont partis **en se disant** au revoir.

_____

6. Quand on est **connu(e)**, **tout le monde** vous aime **et** vous admire.

_____

7. Elle a **des parents et des amis**.

_____

8. J'ai **un cadeau** pour eux.

_____

9. Certains de ses livres sont **déjà** épuisés (*out of print*).

_____

10. Il **se sert de la** voiture.

_____

11. Elle est **bête et paresseuse**.

_____

12. J'**ai l'intention** de lui rendre visite.

_____

13. Ils sont **déjà** là.

_____

14. Ils ont traversé la frontière (*border*) **en étant poursuivis** par la police.

_____

15. Il reste **encore du** gâteau.

_____

16. Ils connaissent **déjà tout le monde**.

_____

17. Ces bijoux sont très **communs**: on les trouve presque **partout**.

_____

18. Il **apprécie** la bonne chère (*good food*) **et** les bons vins.

_____

19. J'**ose** toujours lui dire ce que je pense.

_____

20. Nous allions **parfois** dîner dans de bons restaurants.

_____

8-13 *****Récapitulation.** Traduisez les phrases suivantes. Employez les indications entre crochets.

1. *We didn't see anything.* [On…]

_____

2. *He's not a doctor, he's only a medical student.* [médecin / étudiant en médecine / (employez un synonyme de **seulement**)]

_____

3. *They came back home without making noise.* [rentrer / bruit (m.)]

_____

4. *I don't know any of his movies!*

_____

5. *She's narrow-minded: she only socializes with people like herself.* [étroite d'idées / fréquenter des gens / (employez un synonyme de **seulement**)]

_____

6. *She found neither apricots nor cherries.* [trouver / abricot (m.) / cerise (f.)]

_____

7. *He's sorry he didn't meet her earlier.* [Il est désolé… / rencontrer]

_____

8. *Don't answer them!* [2ᵉ p. sg.]

_____

9. *Be careful not to fall.* [Fais attention…]

_____

10. *There's only bread left and nothing else.* [(employez un synonyme de **seulement**)]

_____

8-14 *****Récapitulation.** Traduisez les phrases suivantes. Employez les indications entre crochets. Omettez <u>si possible</u> l'adverbe **pas**.

1. *She's a vegan; she eats neither eggs nor cheese.* [végétalienne]

_____

2. *I didn't say anything to anybody.*

_____

3. *This works a lot better than I thought.*

_____

4. *Neither you nor your brother have ever been to Quebec? You should go one of these days!* [you = 2ᵉ p. sg. / Vous devriez…]

_____

5. *I don't know how to thank you.* [you = 2ᵉ p. pl.]

_____

6. *Let's hide before they come back.* [se cacher]

_____

7. *Have you ever read his short stories?* —*No, in fact I've never heard of this author.* [Avez-vous… / nouvelle (f.) / entendre parler de qqn]

_____

8. *You wouldn't have seen my dog by any chance?* [Vous… / voir (conditionnel passé)]

_____

9. *They haven't called yet?* [Ils… / appeler]

_____

10. *I want neither chocolate nor nougat; I'm on a diet.* [nougat (m.) / être au régime]

_____

8-15 *****Récapitulation.** Traduisez les phrases suivantes. Employez les indications entre crochets.

1. *We are sorry we didn't see this mistake.* [être désolé / erreur (f.)]

_____

2. *The problem is that, when her in-laws come to see them, they don't just pass through, they stay at least for a week or two.* [Le problème est que, lorsque ses beaux-parents / rendre visite à qqn / passer]

_____
_____

3. *I have no need for your sarcasm.* [(idiomatique) / sarcasmes (m. pl.)]

   _____

4. *I'm afraid it might rain this weekend.* [J'ai peur... / pleuvoir]

   _____

5. *They haven't always been well off.* [riche]

   _____

6. *We don't play tennis, and we don't sail either.* [faire / tennis (m.) / voile (f.)]

   _____

7. *I haven't understood anything about this movie.* [comprendre qqch à qqch d'autre]

   _____

8. *We don't go to Spain any more; it's too hot there in the summer.* [faire chaud]

   _____

9. *He looked everywhere, but he didn't find that shop anywhere.*
   [chercher / trouver / magasin (m.)]

   _____

10. *You wouldn't have a one-dollar bill, by any chance?* [Tu... / billet (m.)]

    _____

11. *She's never happy with anything; she never stops complaining—she's really a pain!* [cesser / se plaindre]

    _____

12. *You don't have a car? Never mind! We'll send you our chauffeur.*
    [Vous... / tenir (idiomatique) / envoyer / chauffeur (m.)]

    _____

13. *He was just talking off the top of his head, as usual.* [idiomatique]

    _____

14. *Do you still see him sometimes? —No, I haven't seen him since we broke up.*
    [Tu... / revoir depuis que / rompre]

    _____

15. *Their house isn't finished; there is neither heat nor electricity yet.* [terminé / chauffage (m.) / électricité]

    _____

16. *One recognizes Fred Astaire just by the way he dances.* [sa façon de danser]

    _____

9

Chapitre Neuf
Temps principaux du passé de l'indicatif

9-1 Imparfait. Complétez les phrases suivantes en mettant les verbes entre parenthèses à l'imparfait.

1. *When I was ten, I used to take dance lessons twice a week.* → Quand j' (a) _____ (avoir) dix ans, je (b) _____ (prendre) des leçons de danse deux fois par semaine.

2. *It was snowing and we were shivering with cold.* → Il (a) _____ (neiger) et nous (b) _____ (grelotter) de froid.

3. *If only or I wish I could help them!* → Si seulement je (a) _____ (pouvoir) les aider!

4. *We didn't mean to disturb you, we were just coming to borrow your telephone book.* → Nous ne (a) _____ (vouloir) pas vous déranger, nous (b) _____ (venir) juste vous emprunter votre bottin.

5. *Your friend Loïs is a vegetarian? You should have told me!* → Ton amie Loïs est végétarienne? Mais il _____ (falloir) me le dire!

6. *What would you do if you were in my shoes?* → Que ferais-tu si tu _____ (être) à ma place?

7. *The fuses blew while they were preparing dinner.* → Les fusibles ont sauté pendant qu'ils _____ (préparer) le dîner.

8. *What if we went to Greece for our honeymoon?* → Et si nous _____ (partir) en Grèce pour notre lune de miel?

9. *I thought [that] you were mad at me ...* → Je (a) _____ (croire) que tu (b) _____ (être) fâché contre moi...

10. *They used to go out together when they were students.* → Ils (a) _____ (sortir) ensemble quand ils (b) _____ (être) étudiants.

9-2 Imparfait. Inventez la fin des phrases suivantes selon les indications entre crochets. Mettez les verbes à l'imparfait.

1. Quand ma grand-mère habitait encore à Toulouse, nous... [habitude]

   _____

2. Ah, si seulement...! [souhait]

   _____

3. Aujourd'hui, je suis à l'heure, mais hier... parce que... [description puis explication]

   _____

4. Je... [vouloir *ou* venir (politesse)]

   _____

5. Quand Marc est rentré chez lui, son frère… [action prise dans son déroulement]

   _____

6. Et si nous… [suggestion]

   _____

7. Quand nous sommes arrivé(e)s, … [description de la météo]

   _____

8. Sans lui, je… [conséquence inévitable d'un fait non réalisé]

   _____

9. Émilie a appelé pendant que je… [action prise dans son déroulement]

   _____

10. Ce matin, j'… [état]

    _____

11. Je le ferais volontiers si je… [hypothèse irréelle]

    _____

9-3 **Imparfait.** Écrivez un paragraphe d'une dizaine de phrases à l'imparfait dans lesquelles vous décrirez ce que vous et vos ami(e)s aviez l'**habitude** de faire lorsque vous étiez encore au lycée (_high school_).

   Lorsque j'étais au lycée, je …

9-4 **Passé proche.** Complétez les phrases suivantes en employant la forme appropriée du passé proche ou immédiat. Employez les indications entre crochets lorsqu'elles sont données.

   1. _They had just left the hotel._ [quitter] → Ils _____ l'hôtel.

   2. _She has just bought herself a new car._ [s'acheter] → Elle _____ une nouvelle voiture.

   3. _Assia and I had just met each other when I was transferred to Toronto._ → Assia et moi _____ quand j'ai été transféré à Toronto.

   4. _I had just finished my diploma when they offered me that job._ [terminer] → Je _____ mon diplôme quand on m'a offert cet emploi.

   5. _They've just called to say that they'd be a little late._ → Ils _____ pour dire qu'ils seraient un peu en retard.

   6. _The countryside was beautiful because it had just snowed._ → La campagne était très belle parce qu'il _____.

   7. _Let's hurry! The train has just pulled into the station._ [entrer] → Dépêchons-nous! Le train _____ en gare.

   8. _I've just realized that I lost my keys._ [se rendre compte] → Je _____ que j'ai perdu mes clés.

   9. _You're going out again? But you've just got home!_ [rentrer] → Tu ressors? Mais tu _____!

   10. _You had just been born when we moved into this house._ → Tu _____ quand nous avons emménagé dans cette maison.

9-5 Passé composé. Complétez les phrases suivantes en mettant les verbes entre parenthèses au passé composé. Attention au choix de l'auxiliaire, à l'accord du participe passé et à la place de l'adverbe, le cas échéant.

1. Ils (a) _____ (se présenter) au directeur et lui (b) _____ (remettre) leurs CV ainsi que leurs lettres de recommandation.

2. Madame Thibaudeau _____ (être) absolument ravie de votre visite et se réjouit de vous revoir bientôt.

3. Est-ce que tu _____ (sortir) hier soir?

4. Est-ce que tu _____ (déjà sortir) le parasol?

5. En vieillissant, mon grand-père _____ (devenir) complètement sourd.

6. Il _____ (faire) un froid terrible l'hiver passé; heureusement que cet hiver, il fait plus doux.

7. Un prisonnier _____ (s'évader) en sciant les barreaux de sa cellule.

8. Il m' _____ (donner) des photos: tu veux les voir?

9. Hier, avec mon amie Jacqueline, nous [f. pl.] (a) _____ (s'asseoir) sur un banc et nous

   (b) _____ (passer) tout l'après-midi à bavarder de tout et de rien: nous

   (c) _____ (parler) de nos enfants, de nos maris, de nos collègues, bref, nous

   (d) _____ (se raconter) nos grands et petits soucis. C'était d'autant plus sympathique que nous ne nous étions pas vues depuis longtemps.

10. On _____ (vite rentrer) les chaises de jardin avant la pluie.

11. L'été passé, je _____ (aller) en vacances en Italie.

12. Elles _____ (se disputer) pour des questions d'héritage.

13. Julie, tu _____ (naître) en quelle année?

14. On _____ (avoir) beaucoup de peine à vous joindre ce matin, Monsieur Duchet: vous devriez vraiment vous acheter un portable (*cell phone*).

15. Hier, il _____ (pleuvoir) toute la journée.

16. Hier, ils (a) _____ (arriver) par le train de 8h12 et ils (b) _____ (repartir) par celui de 21h30.

17. Ses frères ne voulaient pas qu'elle vende sa maison mais ils _____ (ne pas pouvoir) l'en empêcher.

18. Ma grand-mère est allée au cinéma hier soir mais le film qu'elle (a) _____ (voir)

    (b) _____ (ne pas lui plaire).

19. Hier, Jean-Luc _____ (se faire) opérer d'une hernie: il devra rester trois jours à l'hôpital.

20. J' _____ (bien recevoir) votre dernière lettre dont je vous remercie.

9-6 Interview: passé composé (exercice écrit puis **oral).** Préparez d'abord une liste des huit ou dix **événements majeurs** de votre week-end (ou de vos dernières vacances). Employez uniquement des verbes au **passé composé.** Travaillez ensuite avec une autre personne et posez-vous mutuellement des questions (au passé composé) sur vos activités.

9-7 Passé proche *vs* passé composé. Complétez les phrases suivantes en mettant les verbes entre parenthèses au passé proche ou composé, suivant le sens et le contexte. Attention au choix de l'auxiliaire et du semi-auxiliaire, à l'accord du participe passé et à la place de l'adverbe, le cas échéant.

1. *She hurt herself falling.* → Elle _____ (se faire) mal en tombant.

2. *They haven't answered my letter yet.* → Ils _____ (ne pas encore répondre) à ma lettre.

3. *I've just received your letter.* → Je _____ (recevoir) votre lettre.

4. *I recommend this restaurant; I've never been disappointed by their cuisine.* → Je vous recommande ce restaurant: je _____ (ne jamais être) déçu(e) par leur cuisine.

5. *He's always had problems in school [and he still does].* → Il _____ (toujours avoir) des problèmes à l'école.

6. *The movie has just started.* → Le film _____ (commencer).

7. *The movie started ten minutes ago.* → Le film _____ (commencer) il y a dix minutes.

8. *You cannot forget this movie once you've seen it.* → On ne peut pas oublier ce film une fois qu'on l' _____ (voir).

9. *He worked many years for UNESCO.* → Il _____ (longtemps travailler) pour l'UNESCO[1].

10. *They've just gotten married.* → Ils (10) _____ (se marier).

9-8 *Imparfait *vs* passé composé. Mettez les verbes entre parenthèses à l'imparfait ou au passé composé, suivant le sens. Attention au choix de l'auxiliaire, à l'accord du participe passé et à la place de l'adverbe, le cas échéant.

1. Mes cousins (a) _____ (venir souvent) nous voir lorsque nous (b) _____ (vivre) encore à Montpellier; mais maintenant que nous habitons Strasbourg, ils ne viennent plus, c'est trop loin pour eux.

2. Est-ce qu'il pleuvait encore quand tu _____ (sortir) ce matin?

3. Autrefois, David (a) _____ (faire) beaucoup de hockey mais il y a deux ans, il (b) _____ (se luxer) une cheville (*sprained an ankle*) et depuis, il n'en fait plus.

4. Au moment où nous (a) _____ (rencontrer) Michel et Jacqueline, mon mari (b) _____ (travailler) encore pour Air France.

5. C'est dommage: il (a) _____ (pleuvoir) tout le week-end: nous (b) _____ (ne rien pouvoir) faire!

6. Quand mon petit frère (a) _____ (avoir) cinq ou six ans, il (b) _____ (vouloir) que je lui lise une histoire tous les soirs: il (c) _____ (beaucoup aimer) cela, ça le (d) _____ (calmer) et il (e) _____ (s'endormir) presque tout de suite après; mais le jour où il (f) _____ (apprendre) à lire tout seul, il (g) _____ (ne plus vouloir) que je lui fasse la lecture.

---

[1] UNESCO: *United Nations Educational, Scientific and Cultural Organization*

9-9 *Imparfait *vs** passé composé.** Mettez les verbes entre parenthèses à l'imparfait ou au passé composé, suivant le sens et le contexte. Attention au choix de l'auxiliaire, à l'accord du participe passé et à la place de l'adverbe et/ou des pronoms, le cas échéant.

1. Ce matin j' (a) _____ (mettre) plus d'une heure pour arriver au bureau, tellement il y

   (b) _____ (avoir) de circulation! J' (c) _____ (tourner) en rond pendant vingt

   minutes pour essayer de trouver à me garer (*park*) dans les petites rues près d'ici, mais comme je ne

   (d) _____ (trouver) rien, j' (e) _____ (finir) par aller dans un garage payant.

2. Normalement, une fois que les étudiants (a) _____ (terminer) leurs examens, il rentrent

   chez eux, mais l'été passé, plusieurs étudiants étrangers (b) _____ (rester) sur le campus

   parce qu'on (c) _____ (avoir) besoin d'assistants de recherche dans divers laboratoires.

3. Tu sais quand les Derain reviennent? —Marc et Anne me l' _____ (aussi demander) hier,

   mais je ne sais pas.

4. Lors de l'examen oral, on m' (a) _____ (poser) une question à laquelle je

   (b) _____ (ne pas savoir) répondre: j'étais nerveux/nerveuse et j'ai eu un blanc (*I went

   blank*).

5. C'est bien: la plupart des gens (a) _____ (déjà répondre) à notre invitation; ceux qui

   (b) _____ (ne pas encore le faire) sont ceux qui (c) _____ (être) encore en

   vacances la semaine passée.

9-10 *Imparfait *vs** passé composé.** Mettez les verbes entre parenthèses à l'imparfait ou au passé composé, suivant le sens et le contexte. Attention au choix de l'auxiliaire, à l'accord du participe passé et à la place de l'adverbe et/ou des pronoms, le cas échéant.

1. L'an passé, nous (a) _____ (faire) du vélo tous les dimanches, mais cette année, nous

   (b) _____ (ne pas en faire) une seule fois!

2. Ah bon, vous _____ (ne pas aimer) le film? Et pourquoi ça?

3. Pourquoi est-ce que tu (a) _____ (ne pas acheter) le pull (*sweater*) qui

   (b) _____ (aller) avec le pantalon? —Parce que je (c) _____ (ne pas aimer) la

   couleur: tu sais bien que le vert pâle ne me va pas du tout.

4. Vous (a) _____ (aller) toujours faire du ski dans les Alpes autrefois, n'est-ce pas? —Oui,

   c'est exact, mais l'hiver passé, nous (b) _____ (aller) dans les Pyrénées.

5. L'avion (a) _____ (ne pas pouvoir) décoller (*take off*) parce qu'il y (b) _____

   (avoir) du brouillard.

6. Je (a) _____ (ranger) ma chambre quand tu (b) _____ (téléphoner).

7. Quand il (a) _____ (avoir) vingt ans, il (b) _____ (toujours monter) les

   escaliers quatre à quatre, mais maintenant qu'il en a soixante, il ne peut plus!

8. J'aime beaucoup cette actrice; j' _____ (toujours admiré) son élégance discrète et raffinée.

9. Tu aimes le camembert? Tiens, c'est bizarre, je (a) _____ (croire) que tu

   (b) _____ (détester) ça!

10. Vers quatre heures du matin, j' (a) _____ (entendre) un bruit bizarre: j' (b) _____ (bien croire) que c' (c) _____ (être) un voleur, mais heureusement, ce n'était rien.

11. Il m'a pris(e) à part parce qu'il (a) _____ (vouloir) me demander discrètement si je (b) _____ (pouvoir) lui prêter un peu d'argent.

12. Est-ce que quelqu'un (a) _____ (voir) mon sac? —Oui, il est dans l'entrée, là où tu (b) _____ (le laisser) en rentrant tout à l'heure!

13. C'est vrai? Ils (a) _____ (gagner)? J'en (b) _____ (être) sûr(e)!

14. Je (a) _____ (chercher) une solution depuis plus d'une heure lorsque tout à coup, une idée géniale (b) _____ (me venir) à l'esprit.

15. Je me demande bien (*I really wonder*) pourquoi il t' _____ (dire) ça...

16. Quand elle (a) _____ (rentrer), son frère (b) _____ (dormir) déjà.

9-11 ***Récapitulation: imparfait *vs* passé proche *vs* passé composé.** Traduisez les phrases suivantes en mettant les verbes aux temps qui conviennent, suivant le sens et le contexte. Employez les indications entre crochets. Attention au choix de l'auxiliaire, à l'accord du participe passé et à la place de l'adverbe et/ou des pronoms, le cas échéant.

1. *They had just gotten back when they heard the news.* [Ils... / apprendre / nouvelle (f. sg.)]

_____

2. *I didn't mean to disturb you, I just wanted to bring your mail to you.* [you = vous]

_____

3. *She knocked on the door to see whether I was free.* [frapper à la porte]

_____

4. *We brought up the old mirror to the attic.* [monter / miroir (m.) / grenier (m.)]

_____

5. *We met her only once or twice when she was still living nearby.* [ne la rencontrer qu'une ou deux fois quand... / vivre près de chez nous]

_____

6. *One more step, and he would have fallen into the canal.* [Un pas de plus, et... / canal (m.)]

_____

7. *They had just arrived in Paris when we ran into them in front of Notre Dame.* [Ils... / croiser qqn par hasard]

_____

8. *We had to get up very early this morning.*

_____

9. *We only heard about it this morning.* [ne...que / savoir]

_____

10. *Yesterday I was sick, that's why I couldn't call him back.* [c'est pour cela... / rappeler]

_____

9-12 ***Récapitulation: imparfait** vs **passé composé.** Traduisez les phrases suivantes en mettant les verbes aux temps qui conviennent. Employez les indications entre crochets. Attention au choix de l'auxiliaire, à l'accord du participe passé et à la place de l'adverbe et/ou des pronoms, le cas échéant.

1. *It snowed all morning.* [neiger / matinée (f.)]

   _____

2. *When he woke up this morning, it was snowing.* [se réveiller]

   _____

3. *They were supposed to leave at 9 A.M., but their flight was delayed for security reasons.* [Ils… / vol (m.) / être retardé / raisons de sécurité]

   _____

   _____

4. *Where did you put my book? —I left it on the table!* [Où est-ce que tu…]

   _____

   _____

5. *When I was little, I believed in Santa Claus.* [petit(e) / croire au Père Noël]

   _____

6. *I always thought [that] she would come back.* [croire qu'elle reviendrait]

   _____

7. *The accident happened very fast; we didn't have time to realize what was going on.* [arriver / réaliser ce qui… / se passer]

   _____

   _____

8. *We were in the middle of breakfast when the door bell rang.* [prendre le petit déjeuner / lorsqu'on… / sonner à la porte]

   _____

   _____

9. *How about going to Rome next weekend?* [le week-end prochain]

   _____

10. *You didn't have enough money to buy yourself an ice-cream cone? You should have told her!* [Tu… / s'acheter / glace (f.) / Mais il… / falloir]

    _____

9-13 **Plus-que-parfait.** Mettez les verbes entre parenthèses au plus-que-parfait. Attention au choix de l'auxiliaire, à l'accord du participe passé et à la place de l'adverbe et/ou des pronoms, le cas échéant.

1. Il est encore au bureau? Tiens, c'est bizarre, je croyais qu'il _____ (déjà partir).
2. Les otages _____ (être déjà) exécutés quand les médias ont diffusé la vidéo des ravisseurs (*kidnappers*).
3. Il était tard, le théâtre _____ (fermer) ses portes depuis longtemps.
4. Nous avons eu de fortes chutes de neige ces deux derniers jours, et pourtant la météo _____ (ne pas prévoir) de tempête de neige avant demain.
5. Où est passé mon portable? Il me semble pourtant que je l' _____ (mettre) dans mon sac, mais je ne le trouve plus.

6. Oh, excuse-moi, j' _____ (complètement oublier) que tu n'aimais pas le saumon fumé; je vais te préparer autre chose.

7. Vous n'avez toujours pas reçu ces deux romans? Je vous les _____ (pourtant commander) il y a plus de deux semaines: je voulais être sûre de les avoir pour Noël!

8. Ils viennent d'avoir des jumeaux? Ça alors! Je croyais qu'ils _____ (se séparer) il y a deux ans.

9. Une fois que nous _____ (finir) nos devoirs, nous allions jouer dans le jardin jusqu'à l'heure du dîner.

10. Jacques ne savait plus que faire ni vers qui se tourner: aucun de ses amis n' _____ (vouloir) l'aider.

11. Alors, petite cachottière (*you sneaky little thing*), tu _____ (ne pas me dire) que tu sortais avec Marc…

12. Quand nous nous sommes réveillé(e)s au milieu de la nuit, le vent (a) _____ (se lever), la température (b) _____ (tomber) à moins vingt degrés au-dessous de zéro et plusieurs tuyaux (c) _____ (geler): il a fallu faire venir (*we had to call*) le plombier.

13. Si on arrive à 11 heures du soir, il sera trop tard, les magasins seront fermés! —Oh oui, c'est vrai, zut alors (*darn*), je _____ (ne pas y penser)!

14. Si vous _____ (se donner) la peine (*If you had bothered*) de relire ce poème une ou deux fois, vous l'auriez mieux compris.

15. Je n'ai pas réussi à trouver l'endroit, je ne sais pas pourquoi: tu m' _____ (pourtant bien expliquer) où ça se trouvait l'autre jour.

16. Il a pris un somnifère parce qu'il _____ (mal dormir) la veille.

17. Nous serions venu(e)s en avance si on nous _____ (téléphoner) un peu plus tôt.

18. On nous _____ (dire) 8 heures, alors on est venu(e)s à 8 heures.

9-14 *Imparfait *vs** plus-que-parfait *vs* passé composé.** Mettez les verbes entre parenthèses à l'imparfait, au plus-que-parfait ou au passé composé, suivant le sens. Attention au choix de l'auxiliaire, à l'accord du participe passé et à la place de l'adverbe et/ou des pronoms, le cas échéant.

1. Quand nous (a) _____ (rentrer), le téléviseur était allumé: nous (b) _____ (oublier) de l'éteindre en partant.

2. Tout à l'heure, mon frère (a) _____ (se moquer) de moi sous prétexte que je (b) _____ (ne rien comprendre) au film d'hier soir, mais c'est lui qui n'a rien compris!

3. Elle sortait avec un homme qu'on lui _____ (présenter) deux mois plus tôt.

4. Est-ce que tu m' (a) _____ (rapporter) la vidéo que je t' (b) _____ (prêter) avant les vacances? Nous voudrions la revoir.

5. J'ai retrouvé le document que vous m' _____ (demander) l'autre jour; vous voulez le lire?

6. Pendant le week-end, nous (a) _____ (revoir) des amis que nous (b) _____ (rencontrer) à Paris lors de notre dernier séjour. Pour les amuser, nous leur (c) _____ (faire) visiter le campus et nous les (d) _____ (emmener) à une soirée: il y (e) _____ (avoir) un monde fou (*lots of people*) et nous (f) _____ (bien s'amuser).

7. Quand Laura (a) _____ (apprendre) qu'elle (b) _____ (gagner) le premier prix, elle (c) _____ (pousser) un cri de joie et (d) _____ (se mettre) à rire: elle (e) _____ (ne pas arriver) à en croire ses oreilles.

8. D'habitude, une fois qu'il (a) _____ (terminer) son travail, il (b) _____ (se rendre) au café du coin pour retrouver des amis.

9. Il a longtemps travaillé comme mécanicien, comme l' _____ (faire) son père avant lui, mais maintenant, il est à la retraite.

10. Si tu _____ (vraiment vouloir) partir en vacances avec elle, tu l'aurais fait.

11. Dans le temps, quand mon grand-père (a) _____ (être) médecin de campagne, il (b) _____ (toujours commencer) sa journée par la tournée de ses patients à domicile.

12. Ils _____ (toujours savoir) que leur fils était doué (*gifted*).

9-15 Imparfait *vs* plus-que-parfait *vs* passé composé. Mettez les verbes de ce petit récit à l'imparfait, au plus-que-parfait ou au passé composé, selon le sens et le contexte. Attention au choix de l'auxiliaire, à l'accord du participe passé et à la place de l'adverbe, le cas échéant.

Le week-end passé, Annick (1) _____ (bien s'amuser). Vendredi soir, elle (2) _____ (aller) à une soirée. Il y (3) _____ (avoir) beaucoup de monde et elle y (4) _____ (retrouver) des tas d'amis qu'elle (5) _____ (ne pas voir) depuis longtemps. Elle (6) _____ (danser) jusqu'à deux heures du matin; l'orchestre (7) _____ (être) formidable. Samedi, elle (8) _____ (se lever) à 10 heures. Il (9) _____ (faire) beau, elle (10) _____ (être) de bonne humeur. Elle (11) _____ (faire) sa toilette, puis elle (12) _____ (descendre) en ville pour rejoindre une amie. Elles (13) _____ (aller) dans un petit café où elles (14) _____ (prendre) leur petit déjeuner. Ensuite, elles (15) _____ (faire) quelques courses: Annick (16) _____ (avoir) envie de s'acheter une robe qu'elle (17) _____ (remarquer) dans la vitrine d'une petite boutique quelques jours plus tôt. Comme elle (18) _____ (oublier) son chéquier dans sa chambre, son amie lui (19) _____ (prêter) de l'argent. Après leurs achats, elles (20) _____ (téléphoner) à leurs amis Bob et Lisa qui les (21) _____ (inviter) à une autre soirée. Annick et son amie (22) _____ (être) ravies et elles (23) _____ (accepter) sans hésiter. Comme c' (24) _____ (être) une fête de Halloween, il (25) _____ (falloir) trouver des costumes: elles (26) _____ (décider) de se déguiser en fantômes parce que c' (27) _____ (être) plus facile et qu'elles (28) _____ (ne pas avoir) assez de temps ni d'argent pour trouver quelque chose de plus original. À 8 heures, elles (29) _____ (partir) rejoindre Bob et Lisa. Toute la nuit, elles (30) _____ (beaucoup danser et pas mal boire). Annick (31) _____ (rentrer) à

4 heures du matin. Dimanche, en se réveillant, comme elle (32) _____ (ne pas se sentir) très bien, elle (33) _____ (prendre) deux aspirines puis (34) _____ (se rendormir). Vers 2 heures de l'après-midi, elle (35) _____ (commencer) à faire son devoir de français: le professeur (36) _____ (demander) aux étudiants d'écrire une rédaction au passé, ce qu'elle (37) _____ (faire) en moins d'une heure, après quoi elle (38) _____ (sortir) se promener pour dissiper son mal de tête qui (39) _____ (s'aggraver) entretemps (*had gotten worse in the meantime*). Après le dîner, elle (40) _____ (se coucher) et a dormi jusqu'à 8 heures le lendemain matin.

9-16 **Imparfait** *vs* **plus-que-parfait** *vs* **passé composé.** Racontez par écrit ce que vous avez fait le week-end passé en prenant pour modèle l'exercice précédent. Mettez vos verbes à l'imparfait, au plus-que-parfait et au passé composé, selon le sens et le contexte. Attention au choix de l'auxiliaire, à l'accord du participe passé et à la place de l'adverbe, le cas échéant.

9-17 ***Imparfait** *vs* **plus-que-parfait** *vs* **passé composé.** Mettez les verbes entre parenthèses à l'imparfait, au plus-que-parfait ou au passé composé, suivant le sens et le contexte. Attention au choix de l'auxiliaire, à l'accord du participe passé et à la place de l'adverbe et/ou des pronoms, le cas échéant.

Quand Jean-Louis (1) _____ (découvrir) que Christine (2) _____ (décider) de partir en vacances sans lui et qu'elle (3) _____ (même déjà acheter) son billet, il lui (4) _____ (faire) une scène terrible. Comme ils (5) _____ (crier) tous les deux à tue-tête (*at the top of their voices*) depuis plus d'une heure, que Christine (6) _____ (sangloter) et qu'on (7) _____ (entendre) des menaces et des bruits d'assiettes qui (8) _____ (voler) dans toutes les directions, les voisins (9) _____ (alerter) la police: ils (10) _____ (ne pas oser) intervenir eux-mêmes de peur d'être mêlés à cette sordide affaire.

9-18 ***Récapitulation: imparfait** *vs* **plus-que-parfait** *vs* **passé composé** *vs* **passé proche.** Traduisez les phrases suivantes en mettant les verbes aux temps qui conviennent, selon le sens et le contexte. Employez les indications entre crochets. Attention au choix de l'auxiliaire, à l'accord du participe passé et à la place de l'adverbe et/ou des pronoms, le cas échéant.

1. *Did they know each other back then? —No, not yet.* [Est-ce qu'ils… / à l'époque]

_____

2. *They met two years ago.* [se rencontrer]

_____

3. *When my grandparents were younger, they never had the time to travel because they were far too busy; but now that they are retired, they travel a lot.* [voyager / bien trop occupé / être à la retraite]

_____

_____

4. *So far, my parents haven't had the time to travel; they are far too busy.* [Jusqu'ici…]

_____

5. *I wish we had waited a bit longer!* [Si seulement…]

_____

6. *When I left this morning, it had just snowed, and the roads were extremely slippery.*
   [neiger / glissant]

   _____

   _____

7. *As he was leaving the office, Philip realized that he had completely forgotten his dentist appointment.*
   [En sortant du bureau… / se rendre compte]

   _____

   _____

8. *I had just arrived in Lyon when I found this job.*

   _____

9. *Yesterday, he didn't go to class because he had slept badly the night before and hadn't heard his alarm clock.*
   [la nuit précédente / entendre / réveil (m.)]

   _____

   _____

10. *Back in Paris, I had a problem; I couldn't cash my check because I had left my passport in the hotel in Madrid.* [De retour à Paris / pouvoir encaisser / chèque (m.)]

   _____

   _____

9-19 ***Récapitulation: imparfait** vs **plus-que-parfait** vs **passé composé** vs **passé proche.*** Traduisez les phrases suivantes en mettant les verbes aux temps qui conviennent, selon le sens et le contexte. Employez les indications entre crochets. Attention au choix de l'auxiliaire, à l'accord du participe passé et à la place de l'adverbe et/ou des pronoms, le cas échéant.

   1. *Did you understand what she said?* [Vous…]

   _____

   2. *I meant to ask him a favor.* [vouloir / service (m.)]

   _____

   3. *Did you know about it? —Yes, I learned it through my parents.* [Tu le…]

   _____

   4. *They've always been very happy together [i.e., they still are today].*

   _____

   5. *Why did they separate? Weren't they happy together?* [Pourquoi est-ce qu'ils… / se séparer]

   _____

   6. *I wish I had bought that lottery ticket!*

   _____

   7. *He used to see Nicole when she was still working at the travel agency, but he hasn't seen her in ages.*
   [une agence de voyage / depuis longtemps]

   _____

   8. *The little girl fell and started to cry because she [had] hurt her knee.* [se mettre à / se faire mal au genou]

   _____

9. *We were tired because we had driven for more than six hours.* [rouler]

_____

10. *One-tenth of a second less, and she would have won the gold medal!* [Un dixième de seconde en moins, et… / médaille (f.) d'or]

_____

9-20 *Récapitulation: imparfait *vs* plus-que-parfait *vs* passé composé *vs* passé proche.** Traduisez les petits textes suivants en mettant les verbes aux temps qui conviennent selon le sens et le contexte. Employez les indications entre crochets. Attention au choix de l'auxiliaire, à l'accord du participe passé et à la place de l'adverbe et/ou des pronoms, le cas échéant.

1. *We had abandoned all hope* [tout espoir de + infinitif] *of finding our cat again when a neighbor* [une voisine] *called* [appeler] *to tell us that she had discovered* [découvrir] *him perched in* [perché dans] *a tree.*

_____

_____

_____

_____

2. *Did you* [tu] *know that Paul was back* [de retour] *and that he had gotten married* [se marier] *while you were abroad? I just ran into him in the street* [rencontrer par hasard dans la rue]; *he told me the news himself. . . .* [c'est lui qui]

_____

_____

_____

_____

3. *The other day, when Melisande called* [appeler] *her father to tell him that she had used* [utiliser] *his credit card to buy herself* [s'acheter] *a brand new cell phone* [un tout nouveau portable], *he lost his temper* [se fâcher tout rouge] *and told her* [répondre] *that she was going to have to pay it back with her allowance* [devoir le rembourser sur son argent de poche].

_____

_____

_____

_____

_____

_____

9-21 *Rédactions.** Dans ces rédactions (d'une page ou deux), mettez vos verbes au **passé proche**, au **passé composé**, à l'**imparfait** ou au **plus-que-parfait**, <u>selon le sens et le contexte de votre histoire</u>. Attention au choix de l'auxiliaire, à l'accord du participe passé et à la place de l'adverbe et/ou des pronoms.

(a) Racontez votre plus beau (ou votre plus étrange/horrible) souvenir.

(b) Racontez comment se sont passés vos premiers jours à l'université.

(c) Vous avez rêvé que vous jouiez le rôle principal de votre film favori: racontez ce rêve.

10 Chapitre Dix
Les participes présent et passé

10-1 ***Participe présent (forme simple).** Récrivez les phrases suivantes en remplaçant les verbes **en gras** par un participe présent. Faites tous les autres changements nécessaires.

MODÈLES: *Comme elle se **sentait** mieux, elle est sortie avec ses amis. → Se **sentant** mieux, elle est sortie avec ses amis. (*Since she was feeling better, she went out with her friends.*)

*J'ai vu un chien qui **courait** après un ballon. → J'ai vu un chien **courant** après un ballon. (*I saw a dog running after a ball.*)

1. On va avoir de plus en plus besoin de gens qui **parlent** l'arabe couramment.

   _____

2. Comme la librairie **fermait** à 5 heures, elle n'a pas eu le temps d'y aller.

   _____

3. Y a-t-il un TGV qui **aille** directement de Paris à Marseille sans arrêt à Aix?

   _____

4. Comme je n'**avais** aucune intention de revoir Jean-Luc, je ne l'ai pas rappelé.

   _____

5. Le bus qui **passe** devant chez moi est bien pratique: en dix minutes, je suis au bureau.

   _____

10-2 ***Participe présent (formes simple et composée).** Récrivez les phrases suivantes en remplaçant les verbes **en gras** par un participe présent de forme simple ou composée. Faites tous les autres changements nécessaires. (Voir modèles ci-dessus.)

1. Comme il **estimait** qu'il n'était pas assez payé, il a demandé une augmentation.

   _____

2. À côté de moi, il y avait un vieux monsieur qui **lisait** le journal.

   _____

3. Puisque je ne **suis** pas libre demain après-midi, je passerai chez toi dans la matinée.

   _____

4. Il faut absolument trouver quelqu'un qui **sache** réparer cette photocopieuse.

   _____

5. Comme le magasin **a fait** faillite, tout a dû être liquidé.

   _____

10-3 *Participe présent (formes simple et composée).* Récrivez les phrases suivantes en remplaçant les verbes **en gras** par un participe présent de forme simple ou composée. Faites tous les autres changements nécessaires.

1. Comme il **avait manqué** son avion, Étienne a pris le train de nuit.

    _____

2. Un monsieur qui **s'appelle** Raymond a téléphoné pour vous hier après-midi.

    _____

3. C'est un château qui **a** d'abord **appartenu** au duc de Bourgogne.

    _____

4. Les étudiants qui **ont terminé** leur travail peuvent s'en aller.

    _____

5. Comme je **me promenais** l'autre jour au jardin du Luxembourg, je suis tombée sur une ancienne étudiante que je n'avais pas vue depuis au moins dix ans.

    _____

    _____

10-4 *Participe présent (formes simple et composée).* Récrivez les phrases suivantes en remplaçant les verbes **en gras** par un participe présent de forme simple ou composée. Faites tous les autres changements nécessaires.

1. Comme le brouillard **tombait**, la visibilité diminua considérablement.

    _____

2. On va exproprier les familles qui **habitent** sur le passage du futur TGV.

    _____

3. Comme il **avait fini** de lire son journal, il sortit faire une promenade.

    _____

4. L'instituteur a donné des points supplémentaires aux élèves qui **avaient** bien **répondu**.

    _____

5. Comme elle **avait** peur des araignées, elle évitait de monter au grenier.

    _____

6. Ils se sont hâtés de vendre leurs actions, comme celles-ci **commençaient** à chuter.

    _____

7. Le gouvernement a pénalisé les fonctionnaires qui **ont fait** la grève.

    _____

8. Comme elle **est** plus littéraire que scientifique, elle a choisi la Faculté des Lettres.

    _____

9. Je préfère les pommes qui **ont** la chair ferme.

    _____

10. Comme elle **est** douée pour les langues, elle se destine à l'interprétariat.

    _____

10-5 ***Participe présent** *vs* **gérondif.** Récrivez les phrases suivantes en remplaçant le verbe **en gras** soit par un participe présent de forme simple ou composée, soit par un gérondif. Ajoutez **en** *ou* **tout en**, si nécessaire. Faites tous les autres changements qui s'imposent.

1. Je suis arrivée; en même temps j'**ai couru**.

   _____

2. L'idéal serait un petit studio qui **donne** sur (*that looks out on*) un parc ou une rue tranquille.

   _____

3. Si vous **vous dépêchez**, vous arriverez à temps.

   _____

4. Il feuilletait un revue pendant qu'il **attendait** son tour.

   _____

5. Comme elle **s'imaginait** qu'elle gagnerait le concours, elle s'en vantait déjà (*she was already bragging about it*) devant tout le monde.

   _____

6. Bien qu'il **travaille** énormément, Jeff trouve toujours du temps pour ses amis.

   _____

7. Nous avons aperçu une voiture qui **démarrait** à toute vitesse.

   _____

8. Comme ils **ont obtenu** un prêt (*a loan*) à un taux (*interest rate*) très intéressant, les Guichard ont pu s'acheter un nouvel appartement dans le quartier.

   _____

   _____

9. Tu comprendras mieux tout cela quand tu **auras grandi**.

   _____

10. Comme nous ne les **voyons** plus, nous n'avons aucune nouvelle de ces gens.

   _____

10-6 ***Participe présent** *vs* **adjectif verbal.** Complétez les phrases suivantes soit par un participe présent de forme simple, soit par l'adjectif verbal dérivé du verbe indiqué entre parenthèses. Attention aux modifications orthographiques et aux accords.

1. Il est parti sans rien dire à personne, _____ (négliger) de rendre ses clés et de nous donner sa nouvelle adresse.

2. Ce sont des campeurs _____ (négliger) qui ont mis le feu à la forêt.

3. Ces enfants sont bien mignons mais plutôt _____ (fatiguer).

4. Les enfants _____ (fatiguer) trop leur mère, on leur dit [passé simple] d'aller jouer dans le jardin.

5. La pluie _____ (tomber) à verse (*in buckets*), ils se sont réfugiés dans un café.

6. Nous nous sommes retrouvés à la nuit _____ (tomber).

7. Se faisant de plus en plus _____ (insister), la cliente exigea d'être servie avant tout le monde.

8. _____ (insister) pour être servie tout de suite, la cliente voulut passer devant tout le monde.

9. Ce sont des gens très habiles et _____ (intriguer): ils obtiennent toujours tout ce qu'ils veulent!

10. _____ (intriguer) auprès du maire, ils ont fini par obtenir tout ce qu'ils voulaient.

11. Il me faut des pneus _____ (adhérer) qui tiennent bien la route lorsqu'il pleut ou qu'il neige.

12. Il me faut des pneus _____ (adhérer) bien à la route lorsqu'il pleut ou qu'il neige.

10-7 *Récapitulation: participe présent *vs* gérondif *vs* adjectif** ou **nom dérivés du verbe.**
Complétez les phrases suivantes avec, selon le cas, soit le participe présent ou le gérondif, soit l'adjectif ou le nom dérivés du verbe indiqué entre parenthèses. Ajoutez la préposition **en**, si nécessaire. Attention aux modifications orthographiques et aux accords.

1. Le dictateur se débarrassait de ses ennemis _____ (expédier) la plupart d'entre eux dans l'autre monde (*by killing them*)!

2. Comme elle gagnait fort peu, elle avait recours à toutes sortes d' _____ (expédier) pour joindre les deux bouts (*to make ends meet*).

3. La Sarthe est un des _____ (affluer) de la Seine.

4. Les dons des anciens étudiants _____ (affluer) en très grand nombre, on arrêta la campagne de fonds (*fund drive*) plus tôt que prévu.

5. Cette institutrice est très _____ (exiger) avec ses élèves.

6. Puisque le client est roi, il faut satisfaire ses _____ (exiger).

7. _____ (exceller) depuis toujours dans toutes les matières, François avait vu s'ouvrir devant lui les portes des plus grandes universités.

8. Merci pour cet _____ (exceller) repas!

9. _____ (provoquer) son ennemi en duel, D'Artagnan voulait d'abord défendre l'honneur des Trois Mousquetaires.

10. Durant son procès, la conduite de l'accusé fut tellement _____ (provoquer) que le juge dut le rappeler à l'ordre à plusieurs reprises (*had to call him to order a number of times*).

10-8 *Récapitulation: participe présent *vs* gérondif *vs* adjectif** ou **nom dérivés du verbe.**
Complétez les phrases suivantes avec, selon le cas, soit le participe présent ou le gérondif, soit l'adjectif ou le nom dérivés du verbe entre parenthèses. Ajoutez la préposition **en**, si nécessaire. Attention aux modifications orthographiques et aux accords.

1. C'est _____ (intriguer) qu'elle a réussi à obtenir ce poste. (*It was by devious means that she got this job.*)

2. Quelle _____! Elle a fait des pieds et des mains pour avoir ce poste! (*What a devious woman! She did everything and anything in order to get this job!*)

3. Le mètre est une unité de longueur _____ (équivaloir) à cent centimètres.

4. Le gallon est l' _____ (équivaloir) d'à peu près quatre litres.

5. Il y a toujours un convoi de voitures publicitaires _____ (précéder) le peloton du Tour de France.

6. Si cet Américain remporte une sixième victoire dans le Tour de France, son exploit sera sans _____ (précéder) dans l'histoire de la célèbre course cycliste.

7. _____ (zigzaguer), l'ivrogne rentra chez lui sous les quolibets (*jeers*) des passants.

8. Nous n'étions qu'à cinq kilomètres du col de la montagne (*mountain pass*) mais nous avons mis au moins une demi-heure pour y parvenir, tant la route était _____ (zigzaguer).

9. _____ (convaincre) ses supporters de ne pas voter pour l'autre candidat démocrate, il a commis une erreur qui a coûté à son parti les élections présidentielles.

10. Ses discours ne sont pas très _____ (convaincre).

10-9 Formes verbales anglaises en -*ing*. Traduisez les phrases suivantes. Employez les indications entre crochets.

1. *She hurt her back diving.* [plonger]

_____

2. *He left without taking his cell phone.* [portable (m.)]

_____

3. *Not wishing to disturb her, he didn't call her.* [Ne pas vouloir / déranger / téléphoner]

_____

4. *I'm dying of thirst!* [soif (f.)] _____

5. *I saw them running toward the beach.* [courir en direction de la plage]

_____

6. *Making such remarks in public is unacceptable.* [faire de telles remarques / inadmissible]

_____

7. *He works while listening to music.* [travailler / écouter]

_____

8. *We don't feel like going out tonight.*

_____

9. *The pedestrians were crossing the street when the accident happened.* [passant (m.)]

_____

10. *By leaving five minutes earlier, you would have made your train.* [partir / tu / attraper (conditionnel passé)]

_____

11. *Do you mind my opening the window?* [Ça vous dérange que…]

_____

10-10 Accord du participe passé: verbes conjugués avec être *vs* avoir. Complétez les phrases suivantes en mettant les verbes entre parenthèses au passé composé ou au plus-que-parfait, selon le cas. Faites l'accord du participe passé, si nécessaire.

1. Quelle est l'équipe de football que la France _____ (battre) aux championnats du monde?

2. Napoléon _____ (finir) ses jours à Sainte-Hélène.

3. Chaque année, on nettoyait les murs que les écoliers _____ (couvrir) de graffitis l'année précédente.

4. J'ai été emballée (*I was thrilled by*) par la voiture hybride que j' _____ (conduire)!

5. Explique-moi comment tu _____ (résoudre) ce problème de trigonométrie.

6. Parmi les romans que j' _____ (lire) ce semestre, c'est *Le Père Goriot* de Balzac que j'ai préféré.

7. Pour mieux échapper à leurs poursuivants, les voleurs _____ (s'enfuir) dans les ruelles et la police ne les a jamais retrouvés.

8. Quels cours est-ce que tu _____ (suivre) le semestre passé?

9. Qu'as-tu fait des tulipes (f. pl.) que nous (a) _____ (acheter)? —Oh zut! je les

    (b) _____ (oublier) chez le fleuriste: il faut que j'aille les chercher!

10. George Sand? Oui, je crois en effet qu'elle _____ (naître) en 1804.

11. Pendant ma convalescence, ma meilleure amie _____ (venir) me tenir compagnie tous les jours.

12. Je ne trouve plus les clés de la voiture: où est-ce que tu les _____ (mettre)?

13. Sophie _____ (s'asseoir) sur les genoux de sa maman pour que celle-ci lui lise une histoire.

14. T'ai-je raconté la peur bleue que j' _____ (avoir) l'autre jour en voyant surgir un ours dans mon jardin?

10-11 Accord du participe passé: verbes conjugués avec être *vs* avoir. Complétez les phrases suivantes en mettant les verbes entre parenthèses au passé composé ou au plus-que-parfait, selon le cas. Faites l'accord du participe passé, si nécessaire.

1. Sa femme et ses enfants? Oui, il les _____ (rejoindre) après deux années de séparation.

2. Dis-moi, tes chaussures, tu les _____ (trouver) dans quel magasin?

3. On vous a envoyé la documentation que vous (a) _____ (demander)? —Oui, merci, je l' (b) _____ (bien recevoir).

4. Il paraît qu'elle (a) _____ (être) très généreuse envers son neveu quand celui-ci

    (b) _____ (avoir) besoin d'argent pour payer ses dettes.

5. Comment? Vous ne savez pas que César _____ (conquérir) la Gaule en 50 avant Jésus-Christ?

6. Cette histoire est bien plus compliquée que tu ne me l' _____ (dire).

7. L'expérience que Catherine (a) _____ (acquérir) en travaillant au Moyen Orient lui

    (b) _____ (bien servir) plus tard dans sa carrière au CICR (Comité International de la Croix-Rouge).

8. Tu (a) _____ (trouver) des places pour ce soir? —Non, mais j'en (b) _____ (trouver) deux pour demain soir.

9. Connaissez-vous les nombreuses toiles sur la cathédrale de Rouen que Monet _____ (peindre)?

10. J'ai gardé toutes les lettres que Jean-Paul m' _____ (écrire) pendant qu'il était en mission au Sénégal.

11. Ses résultats brillants au baccalauréat lui _____ (valoir) les félicitations du jury.

12. Avec les trois cafés que j' _____ (boire) après le dîner, je vais avoir du mal à dormir cette nuit!

13. Parmi les cent vingt candidats qui se sont présentés, combien de demi-finalistes est-ce que

    vous _____ (choisir) pour finir?

14. On doit me livrer ma nouvelle imprimante (*printer*) ce matin: on me l' _____ (promettre).

15. Des cerises (f. pl.)? Oui, j'en _____ (acheter) pour faire des confitures (*jams*).

10-12 **Accord du participe passé:** verbes conjugués avec **avoir.** Traduisez les phrases suivantes. Employez les indications entre crochets.

1. *Did you take the books back to the library? —Yes, I took them back yesterday.* [Est-ce que tu… / rapporter / la bibliothèque]

   _____

2. *Did she buy some stamps? —Yes, she bought one hundred of them.* [Est-ce qu'elle… / timbres (m. pl.) / une centaine]

   _____

3. *What about Laura? When did you meet her?* [Et Laura? / tu / rencontrer]

   _____

4. *Who ate my apple?!* [pomme (f.)]

   _____

5. *She lost the address that I had copied for her.* [perdre / recopier]

   _____

10-13 ***Participe passé des verbes de mouvement courants:** être *vs* avoir.* Complétez les phrases suivantes en mettant les verbes entre parenthèses au passé composé. Faites l'accord du participe passé si nécessaire.

1. Elles (a) _____ (sortir)? —Oui, elles (b) _____ (aller) dans une boîte de nuit (*night club*) pour retrouver des amis.

2. Jean-Denis, tu (a) _____ (sortir) les ordures (f.)? —Non, mais je les (b) _____ (descendre) à la cave.

3. Toutes ces vieilleries (f. pl./*old things*), tu les _____ (monter) au grenier comme je te l'ai demandé?

4. À Paris, mes parents _____ (monter) au dernier étage de la Tour Montparnasse pour admirer la vue.

5. Je n'avais encore jamais vu les deux films qu'ils _____ (passer) à la télévision hier soir.

6. Où _____ (passer) ta voiture? —Je l'ai prêtée à Brigitte pendant que la sienne était en réparation.

7. Quand les Lemieux _____ (rentrer) de vacances? [question par inversion]

8. Qu'as-tu fait du parasol? —Je l' _____ (rentrer), comme tu me l'avais demandé.

9. La lettre que j' _____ (retourner) à la Poste ce matin était adressée à quelqu'un qui a presque le même nom que moi.

10. Il _____ (retourner) dans son pays natal après vingt ans d'absence.

10-14 ***Participe passé des verbes de mouvement courants:** être *vs* avoir.* Traduisez les phrases suivantes. Employez les indications entre crochets.

1. *My sisters went downtown.* [aller en ville]

   _____

2. *She spent the night on the living room couch.* [passer / le sofa du salon]

_____

3. *Michael and Aïcha came by at noon.* [passer]

_____

4. *Did you bring in the magazines I had left at the door? —Yes, I did [bring them in].* [Est-ce que tu… / rentrer / magazines (m. pl.) / laisser devant la porte]

_____

10-15 *Accord du participe passé: verbes pronominaux.** Complétez les phrases suivantes en mettant les verbes entre parenthèses au passé composé ou au plus-que-parfait, selon le cas. Faites l'accord du participe passé, si nécessaire.

1. Elle _____ (se baisser) pour rattacher ses lacets (*shoelaces*).

2. Ils _____ (se diriger) vers la sortie sans attirer l'attention.

3. Ludovic et Émilie _____ (se téléphoner) pour se souhaiter la bonne année.

4. La petite Estelle _____ (se cacher) sous les couvertures en riant.

5. Les deux petites filles _____ (se mettre) la tête sous la couette (*bedspread*) pour s'amuser.

6. Savez-vous quand ces événements _____ (se passer)?

7. Quand ils (a) _____ (se rencontrer), ils (b) _____ (se plaire) à tel point qu'ils ont décidé de se revoir. (*When they met, they liked each other so much that they decided to see each other again.*)

8. Pourquoi est-ce qu'elle _____ (se couper) les cheveux? —Parce que c'est plus pratique et que ça lui va bien (*it looks good on her*).

9. J'ignore pourquoi elle _____ (se mettre) à rire.

10. En faisant la cuisine, elle a lâché une casserole et _____ (se brûler) la main.

11. Hélène et Isabelle (a) _____ (ne pas se voir) depuis treize ans lorsqu'un jour, elles (b) _____ (s'apercevoir) par hasard au restaurant. Elles (c) _____ (se reconnaître) immédiatement et (d) _____ (se promettre) de se revoir très prochainement (*very soon*).

10-16 *Accord du participe passé: verbes pronominaux.** Complétez les phrases suivantes en mettant les verbes entre parenthèses au passé composé. Faites l'accord du participe passé, si nécessaire.

1. Ma petite sœur et mes parents _____ (se disputer) parce qu'elle est rentrée trop tard samedi soir.

2. En se voyant, ils _____ (se sourire).

3. Hier, elle _____ (se réveiller) avec une forte fièvre et n'a pas pu aller travailler.

4. Ils _____ (ne pas se rendre compte) de ce qu'ils disaient.

5. Elle _____ (se lancer) dans une longue explication à laquelle je n'ai rien compris. (*She launched into a long explanation of which I understood nothing.*)

6. Ils _____ (s'absenter) pendant plus de dix jours.

7. Ce n'est qu'à la dernière minute que Sébastien et Nasreen _____ (se rappeler) qu'ils n'étaient pas libres ce soir-là.

8. Ils _____ (s'envoyer certainement) leurs coordonnées puisqu'ils doivent collaborer à ce projet.

9. Sais-tu si les enfants _____ (se laver) les mains avant de passer à table?

10. Les personnes qui _____ (se succéder) à la tête de cette organisation ont toutes été très différentes les unes des autres.

11. Elle voulait d'abord faire du théâtre, puis elle _____ (se raviser): maintenant elle fait de la danse.

12. À l'examen, les membres du jury _____ (se montrer) extrêmement sévères envers Nadia et l'ont recalée (*they failed her*).

13. Quel toupet! (*What nerve!*) Elle _____ (se permettre) de nous accompagner au restaurant alors que nous ne l'avions pas invitée!

14. Ils _____ (se moquer) de moi parce que j'ai pleuré pendant tout le film.

10-17 *Accord du participe passé: verbes pronominaux. Traduisez les phrases suivantes. Employez les indications entre crochets.

1. *The little girl went to sleep at eight o'clock.* [s'endormir]

   _____

2. *She cut her finger while preparing a sandwich.*

   _____

3. *Did Adèle and Laura apologize?* [Est-ce que… / s'excuser]

   _____

4. *Sophie and Caroline promised each other to see each other more often.* [se promettre / se voir]

   _____

5. *The jokes that they sent each other were hilarious.* [blague (f.) qu'ils… / tordant]

   _____

10-18 *Accord du participe passé: verbes suivis d'un infinitif. Complétez les phrases suivantes en mettant les verbes entre parenthèses au passé composé. Faites l'accord du participe passé, si nécessaire.

1. Mon trisaïeul (*great-great-grandfather*), qui était fou de Sarah Bernhardt, l' _____ (voir) jouer une fois à la Comédie-Française dans une pièce de Racine.

2. *Hernani* est une célèbre pièce de Victor Hugo que j' _____ (voir) jouer à la Comédie-Française lorsque j'étais encore au lycée.

3. Je me demande combien de personnes ils _____ (pouvoir) convaincre.

4. Avant d'aller écouter les musiciens, nous les _____ (regarder) défiler (*marching by*).

5. Les enfants sont de retour? C'est curieux, je ne les _____ (ne pas entendre) revenir.

6. Où sont tes gants (*gloves*)? —Je crois que je les _____ (laisser) tomber.

7. Les boucles d'oreilles qu'il _____ (vouloir) acheter à sa femme étaient trop chères pour lui.

8. Ce sont deux autoportraits qu'il _____ (devoir) peindre quand il était très jeune.

9. Françoise est restée plus d'une heure dans la salle d'attente; je ne comprends pas pourquoi le docteur l' _____ (faire) attendre aussi longtemps.

10. Je vais lui rendre les tickets de métro que nous _____ (ne pas pouvoir) utiliser.

11. C'est une robe qu'elle _____ (faire) faire chez un grand couturier.

12. Les modifications qu'ils _____ (accepter) d'apporter au plan original vont leur coûter une fortune!

13. Ça alors! Ils n'arrivent plus à retrouver la vieille pendule que je leur _____ (donner) à réparer!

14. Ce sont les seuls documents qu'ils nous _____ (autoriser) à vous montrer.

15. Cette grande boîte en carton? Ce sont des animaux en peluche qui appartenaient à mes enfants et que je _____ (ne pas vouloir) jeter.

10-19 *Accord du participe passé: verbes suivis d'un infinitif.* Traduisez les phrases suivantes. Employez les indications entre crochets.

1. *I've already heard her play once, in New York.*

   _____

2. *These songs? Yes, I've heard them interpreted by a famous Italian tenor.* [Ces airs (m. pl.)? / interpréter / célèbre ténor]

   _____

3. *We didn't see the neighbors come back but we heard them argue all evening long.* [se disputer / toute la soirée]

   _____

4. *Why did you make her cry?* [Pourquoi l'as-tu…]

   _____

10-20 *Accord du participe passé: cas spéciaux* (verbes impersonnels + **coûter, courir, peser, valoir** et **vivre**). Complétez les phrases suivantes en mettant les verbes entre parenthèses au passé composé ou au plus-que-parfait, selon le cas. Faites l'accord du participe passé, si nécessaire.

1. Si vous vous rappelez les températures qu'il _____ (faire) l'hiver passé et si vous pensez par ailleurs à toutes les inondations qu'il y _____ (avoir) durant l'été, on ne peut pas dire que le climat ait été très agréable l'an dernier!

2. Tu te souviens des magnifiques tartes qu'ils _____ (faire) pour *Thanksgiving* l'an dernier? Elles étaient délicieuses!

3. Malgré la longue canicule (*heat wave*) que nous _____ (avoir) cet été dans le Midi de la France, il n'y a pas eu de grave incendie de forêt.

4. Les cinq cent mille euros que ce tableau lui _____ (valoir) sur le marché ne le compenseront jamais du fait qu'il a dû s'en séparer. (*The five hundred thousand euros that he got for this painting on the market will never compensate him for the fact that he had to part with it.*)

5. Si nos enfants parlent couramment français, c'est à cause des dix années que nous _____ (vivre) à Québec.

6. Les horreurs (f. pl.) que ces soldats _____ (vivre) les ont beaucoup affectés.

7. Ces roses ne valent pas les douze dollars qu'elles m' _____ (coûter).

8. Souvenez-vous des ennuis que tout cela nous _____ (coûter)!

9. Tous les kilomètres qu'il _____ (courir) durant sa vie ne l'ont pas empêché de mourir d'une attaque cardiaque à 55 ans! (*All the kilometers he ran during his lifetime didn't prevent him from dying of a heart attack at age 55!*)

10. Ses chances de réussite? Vous pouvez être sûr(e)s qu'il les _____ (mûrement peser) avant de se lancer dans une expédition aussi périlleuse!

11. Cette citrouille est magnifique, mais nous sommes loin des cent livres que celle de nos voisins _____ (peser) l'année passée! (*This pumpkin is magnificent but we are a long way from the hundred pounds that our neighbors' pumpkin weighed last year!*)

12. Je ne vous raconte pas toutes les démarches (*steps*) qu'il _____ (falloir) faire pour obtenir mon permis de séjour! Un vrai cauchemar!

10-21 ***Accord du participe passé: cas spéciaux** (verbes impersonnels + **coûter, courir, peser, valoir** et **vivre**). Traduisez les phrases suivantes. Employez les indications entre crochets.

1. *And all the extra workers that had to be hired to finish that project: were they really necessary?* [Et tous les travailleurs supplémentaires qu'il… / falloir engager / finir / projet (m.)]

   _____

2. *When I think of the effort this project cost me!* [les efforts / travail]

   _____

3. *The five hundred dollars she paid for these shoes weren't worth it!* [chaussures (f. pl.)]

   _____

4. *As for the risks, of course we duly weighed them before acting.* [Quant aux risques (m. pl.) / bien sûr dûment / agir]

   _____

5. *The heat waves we had in 2003 were unbearable.* [Les chaleurs (f. pl.) qu'il… / faire / insupportable]

   _____

10-22 **Récapitulation sur l'accord du participe passé.** Traduisez les phrases suivantes. Employez les indications entre crochets.

1. *Did you buy any plums? —Yes, I bought a pound.* [Est-ce que tu… / prune (f.) / une livre]

   _____

2. *She ran toward the entrance.* [se diriger / l'entrée / en courant]

   _____

3. *They said good-bye to each other.* [Elles…]

   _____

4. *Did she do her homework? —Yes, she did.* [Elle… / devoirs (m. pl.)]

   _____

5. *The two cars ran into each other at the intersection.* [se heurter au carrefour]

   _____

6. *I haven't visited the Rheims cathedral yet.*

   _____

7. *Where is your scarf? —I left it home.* [écharpe (f.)]

   _____

8. *The sunglasses she wanted to buy for herself were too expensive.* [lunettes (f. pl.) de soleil / s'acheter]

_____

9. *She turned twenty yesterday.*

_____

10. *The storm we had last night broke the biggest branch off our maple tree.* [La tempête / il / faire / érable]

_____

10-23 ***Récapitulation sur l'accord du participe passé.*** Traduisez les phrases suivantes. Employez les indications entre crochets.

1. *They spoke briefly to each other, then they parted without a glance.* [Ils… / brièvement / puis / se séparer sans un regard]

_____

2. *The swimming pool they had installed for them cost [them] a lot of money.* [piscine (f.) / installer / coûter un argent fou]

_____

3. *Where are your two daughters? Did you let them go on a trip by themselves?* [partir tout seul]

_____

4. *They talked to each other about their family.* [Elles…]

_____

5. *The problems [that] she had to resolve were very serious.* [résoudre / grave]

_____

6. *The problems [that] she resolved were very serious.*

_____

7. *And what about the children? You didn't hear them cry?* [Et les enfants? Vous…]

_____

8. *She felt his hand caressing her face.* [sentir / lui caresser le visage]

_____

9. *My jacket? I think someone stole it from me.* [Ma veste? / on / voler]

_____

10. *My sister and her friend Vanessa met in front of the library.* [se retrouver]

_____

11. *Which lesson did she ask us to prepare?* [Quelle leçon est-ce qu'elle…]

_____

12. *He can't find the documents he left on his desk.* [ne plus retrouver]

_____

13. *He can't find the documents he left lying around on his desk.* [ne plus retrouver / laisser traîner]

_____

14. *She went out on an errand.* [faire une course]

_____

15. *She wasn't bored for a moment during her vacation.* [ne pas s'ennuyer une seule seconde]

_____

Nom: _____   Date: _____

Chapitre Onze
Le futur et le conditionnel

11-1 **Futur proche.** Complétez les phrases suivantes en mettant les verbes entre parenthèses au futur proche et en utilisant l'expression ou le verbe appropriés: **aller, devoir, être sur le point de, s'apprêter à** ou **avoir l'intention de** (au présent ou à l'imparfait, selon le cas). Attention à la place des pronoms, le cas échéant.

1. *We're going to see them tomorrow.* → Nous _____ (les voir) demain.

2. *The train is just about to pull into the station.* → Le train _____ (entrer) en gare.

3. *I thought you were going to call me.* → Je croyais que tu _____ (m'appeler).

4. *She intends to let them know.* → Elle _____ (le leur faire) savoir.

5. *They're supposed to join us tonight.* → Ils _____ (venir) nous rejoindre ce soir.

6. *Do you think it's going to rain?* → Tu crois qu'il _____ (pleuvoir)?

7. *Stop teasing her; you're going to make her cry again!* → Arrête de la taquiner: tu _____ (encore la faire) pleurer!

8. *I am just about to go to bed.* → Je _____ (aller se coucher).

9. *I think we're supposed to meet at 9 A.M.* → Je crois que nous _____ (se retrouver) à 9 heures.

10. *You weren't going to leave without saying good-bye, I hope!* → Tu _____ (ne pas s'en aller) sans dire au revoir, j'espère!

11-2 **Futur proche *vs* futur simple.** Mettez les verbes entre parenthèses au futur proche (verbe **aller**, au présent ou à l'imparfait, + infinitif) ou au futur simple, selon le cas.

1. Il fait froid: je crois qu'il _____ (neiger).

2. Il faisait froid: il _____ (neiger) et nous étions à des kilomètres du prochain village (*and we were miles away from the next village*).

3. Il _____ (ne pas neiger) avant demain soir.

4. Je _____ (la rappeler) tout de suite.

5. Je _____ (la rappeler) demain sans faute.

6. Ils ont fini les travaux: tu _____ (enfin pouvoir) travailler plus tranquillement.

7. Ils ont fini les travaux: tu _____ (pouvoir) travailler plus tranquillement à partir de demain.

8. Nous _____ (repartir) lorsqu'un terrible orage a éclaté.

9. Nous _____ (repartir) demain: aujourd'hui, il est déjà trop tard.

10. Papa, est-ce qu'on peut aller au cinéma ce soir? —Je ne sais pas, nous _____ (voir); peut-être, si vous êtes sages.

11-3 ***Aller: semi-auxiliaire** *vs* **verbe de mouvement.** Dans les phrases suivantes, indiquez si le verbe **aller** est semi-auxiliaire du futur proche (au présent ou au passé) ou verbe de mouvement.

1. Il **va** y aller.

2. Il y **est allé**.

3. J'**allais** lui en parler quand quelqu'un m'a interrompu(e).

4. Je **suis allé(e)** lui en parler ce matin.

5. Nous **allons** dîner au restaurant.

6. Nous **étions allé(e)s** dîner au restaurant.

11-4 **Futur simple** *vs* **futur antérieur.** Mettez les verbes entre parenthèses au futur simple ou antérieur, selon le cas.

1. Je t' _____ (aider) si tu en as besoin.

2. Quand tu (a) _____ (terminer) tes devoirs, tu (b) _____ (aller) m'acheter du pain, s'il te plaît.

3. Je ne pense pas que nous _____ (pouvoir) faire du ski ce week-end: ils ont annoncé de la pluie.

4. Il est en retard? Il _____ (oublier) l'heure, comme d'habitude!

5. Une fois que vous (a) _____ (voir) ce film, vous me (b) _____ (dire) ce que vous en pensez.

6. Nous (a) _____ (aller) faire une petite balade après que nous (b) _____ (finir) de manger.

7. Jean-Jacques n'est pas encore arrivé? —Non, mais ne t'en fais pas: il _____ (s'arrêter) chez un copain.

11-5 **Futur proche** *vs* **futur simple** *vs* **futur antérieur.** Complétez les phrases suivantes en mettant les verbes entre parenthèses à la forme appropriée du futur (proche, simple ou antérieur, selon le cas).

1. J'ai si bien mangé dans ce restaurant que j'y _____ (retourner) avec plaisir.

2. Émilie et Zoé, une fois que vous (a) _____ (arriver), vous me (b) _____ (téléphoner).

3. Après avoir enlevé les mauvaises herbes, vous _____ (arroser) les plates-bandes.

4. Laisse-le: il (a) _____ (s'arrêter) de crier lorsqu'il en (b) _____ (avoir) assez!

5. Prête-moi tes polars (*detective novels*): je te les (a) _____ (rendre) dès que je les (b) _____ (lire).

6. Tu _____ (vouloir) bien ranger ta chambre, s'il te plaît.

7. Alors les enfants, vous avez mémorisé votre fable de La Fontaine? Oui? Eh bien, c'est ce que nous _____ (voir)! Jean-Denis, lève-toi et récite-nous «Le Corbeau et le Renard» si tu veux bien.

8. J'espère que les enfants _____ (ne pas manger) toutes les cerises, qu'il en _____ (rester) bien quelques-unes pour moi!

11-6 **Récapitulation: futur proche *vs* futur simple *vs* futur antérieur.** Traduisez les phrases suivantes. Employez les indications entre crochets.

1. *If you wait a bit, you'll be able to see him.* [Si vous… / patienter]

   _____

2. *I'll have you know that I disagree with you completely.* [Tu… / savoir / ne pas être du tout d'accord (idiomatique)]

   _____

3. *We'll try to come home before midnight.* [rentrer]

   _____

4. *Careful, you're going to hurt yourself.* [tu / se faire mal]

   _____

5. *Hurry up! They are just about to start.* [Dépêchez-vous! / Ils …]

   _____

6. *You'll watch that video once you've practiced your piano.* [Tu… / regarder / vidéo (f.) / travailler]

   _____

7. *In three months from now, I will have graduated from college.* [finir ma licence]

   _____

8. *Call me as soon as you're back.* [Appelle-moi… / rentrer]

   _____

9. *When the cake is ready, will you please take it out of the oven?* [gâteau (m.) / tu… / vouloir bien / sortir / four (m.)]

   _____

10. *Tomorrow, I'm supposed to [go] visit my grandmother.* [aller rendre visite à qqn]

   _____

11-7 **Jeu de rôles: futur proche *vs* futur simple *vs* futur antérieur.** Travaillez avec un ou une partenaire. Vous êtes Madame Irma, voyante extralucide. Votre partenaire vient vous poser toutes sortes de questions sur son avenir (travail, santé, amour). Que lui prédisez-vous? Dans vos questions ainsi que vos réponses, employez le **futur proche**, le **futur simple** ou le **futur antérieur**, selon le cas. Après quelques minutes, changez de rôle.

11-8 ***Rédaction au futur.** Vous envoyez un message électronique à un(e) ami(e) qui doit venir vous rendre visite et vous lui décrivez tout ce que vous allez faire ensemble. Mettez vos verbes au **futur proche**, au **futur simple** ou au **futur antérieur**, selon le cas.

MODÈLE: *Salut… [nom de l'ami(e)] *ou* Cher/Chère… [nom de l'ami(e)]
          Je suis très content(e) que tu viennes ce week-end: nous allons faire tout un tas de choses ensemble. D'abord, dès que tu seras arrivé(e)…

11-9 **Conditionnel présent** et **passé: le futur dans une phrase au passé.** Complétez les phrases suivantes en les transposant au passé. Mettez les verbes **en gras** au conditionnel présent ou passé, selon le cas.

1. La météo annonce qu'il **pleuvra** ce soir. → La météo a annoncé qu'il…

   _____

2. Tout le monde croit qu'on **aura** bientôt **trouvé** une cure pour le cancer. → Tout le monde croyait qu'on…

   _____

3. Je pense qu'elle **sera** contente. → Je pensais qu'elle…

_____

4. J'espère que tu **auras** bientôt **fini**. → J'espérais que tu…

_____

5. Vous ne savez pas qu'il y **aura** des grèves toute la semaine? → Vous ne saviez pas qu'il…

_____

6. Il n'est que sept heures: la représentation ne **commencera** pas avant huit heures. → Il n'était que sept heures: la représentation…

_____

7. Je crois qu'il **changera** d'avis une fois qu'il **aura lu** ton rapport. → Je croyais qu'il…

_____

8. Le président affirme que d'ici six mois, la situation économique se **sera redressée**. → Le président a affirmé que…

_____

11-10 Conditionnel présent: la politesse. Inspirez-vous des phrases suivantes pour poser des questions au conditionnel. Employez les indications entre crochets.

MODÈLE: Je n'ai pas de parapluie. [pouvoir / vous] → **Pourriez-vous** m'en prêter un? _ou_ Est-ce que **vous pourriez** m'en prêter un?

1. Nous cherchons l'office de tourisme. [pouvoir / vous]

_____

2. Je ne sais pas ce qu'on donne (_what's playing_) au cinéma cette semaine. [avoir / tu]

_____

3. Ma voiture est en panne. [ça… / te déranger]

_____

4. Nous ne comprenons pas ce menu en anglais. [être / vous / assez aimable]

_____

5. J'ai faim. [tu / ne pas vouloir]

_____

11-11 Conditionnel présent _vs_ conditionnel passé: souhait _vs_ regret. Complétez les phrases suivantes en mettant les verbes entre parenthèses au conditionnel présent ou passé, selon qu'il s'agit d'un souhait ou d'un regret. Attention à la place de l'adverbe, le cas échéant.

1. J' _____ (adorer) avoir un chien, mais mes parents ne veulent pas.

2. J' _____ (adorer) avoir un chien quand j'étais enfant, mais mes parents n'ont jamais voulu.

3. Elle _____ (tant vouloir) visiter Venise! C'était le plus grand rêve de sa vie!

4. J'_____ (tellement aimer) visiter Venise avec toi! On pourrait peut-être y aller pour les prochaines vacances?

5. Tu _____ (devoir) aller à cette soirée: tu te serais bien amusée.

6. Tu _____ (ne pas devoir) lui dire ça: maintenant, tout le monde le saura!

7. Pour m'acheter une voiture aussi chère, il _____ (falloir) d'abord que je gagne à la loterie!

8. Il _____ (falloir) le lui expliquer avant! Maintenant, il est trop tard!

11-12 Conditionnel présent *vs* conditionnel passé: conseil *vs* reproche. Inspirez-vous des phrases suivantes soit pour donner un conseil ou une suggestion (au conditionnel présent), soit pour faire un reproche (au conditionnel passé). Employez les indications entre crochets.

MODÈLES: *Je suis très fatigué(e). [Tu… / devoir] → Tu devrais aller te coucher [conseil]. *ou* Tu aurais dû aller te coucher plus tôt hier soir. [reproche]
*Je meurs de faim. [Tu… / pouvoir] → Tu pourrais t'acheter un sandwich à la boulangerie [suggestion]. *ou* Tu aurais pu manger un peu plus ce matin avant de partir! [reproche]

1. Je suis en retard. [Tu… / devoir]

_____

2. Vous avez encore raté l'avion? [Vous… / devoir]

_____

3. J'ai oublié mon porte-monnaie. [Il… / falloir]

_____

4. J'ai pris un taxi pour rentrer. [Tu… / pouvoir]

_____

5. Nous nous sommes ennuyé(e)s toute la soirée. [Vous… / faire mieux]

_____

6. Maman, il n'y a rien à voir à la télévision! [Vous… / pouvoir]

_____

7. Je me suis perdu(e) en venant. [Il… / falloir]

_____

8. Je ne me sens pas bien. [Tu… / faire mieux]

_____

11-13 Jeu de rôles: conseil *vs* reproche. Travaillez avec un ou une partenaire. Une personne fait un commentaire et l'autre réagit, soit en lui donnant un conseil, soit en lui faisant un reproche (comme dans l'exercice précédent). Employez les verbes **vouloir, pouvoir, devoir, falloir** et **faire mieux** au moins une fois. Après cinq phrases, changez de rôle.

11-14 Conditionnel présent et passé: possibilité et éventualité. Complétez les phrases suivantes en mettant les verbes entre parenthèses au conditionnel présent ou passé, selon le cas.

1. *You wouldn't be pregnant by any chance, would you?* → Tu _____ (ne pas être) enceinte, toi, par hasard?

2. *It could have happened to you!* → Ça _____ (pouvoir) t'arriver!

3. *How would I know?* → Comment est-ce que je le _____ (savoir)?

4. *Why would she have lied?* → Pourquoi est-ce qu'elle _____ (mentir)?

5. *Would you leave your career to practice medicine in Afghanistan?* → Vous _____ (abandonner) votre carrière pour exercer la médecine en Afghanistan?

6. *Do you think that without that stupid argument, he would have left so suddenly?* → Tu crois que sans cette stupide dispute, il _____ (partir) si brusquement?

7. *We could lend you a map in case you'd like to visit the neighboring countryside.* → Nous (a) _____ (pouvoir) vous prêter une carte au cas où vous (b) _____ (vouloir) visiter les environs.

11-15 Conditionnel présent et passé: supposition ou information non confirmée. Récrivez les phrases suivantes selon les modèles ci-dessous. Mettez les verbes **en gras** au conditionnel présent ou passé, selon le cas.

MODÈLES: *On dit qu'il fait très froid dans cette région. → Il **ferait** très froid dans cette région.
*Il paraît qu'il a eu un accident. → Il **aurait eu** un accident.
*Certaines études suggèrent que la tuberculose **affecte** de plus en plus de gens. → <u>Selon certaines études</u>, la tuberculose **affecterait** de plus en plus de gens.

1. On affirme qu'il y **a** de la glace sur Mars.

_____

2. On dit que Néron **a incendié** Rome.

_____

3. Les scientifiques prétendent que le recul de la banquise (*the melting of the ice cap*) **est** dû à un réchauffement de la planète.

_____

4. Les économistes soutiennent que nous **sommes** en période d'inflation.

_____

5. Les experts estiment qu'il ne **reste** plus que quelques centaines de pandas en Chine.

_____

6. Les premiers résultats suggèrent que le candidat démocrate **arrive** en tête.

_____

7. Les écologistes estiment que le forage de puits de pétrole (*the drilling of oil wells*) dans le nord de l'Alaska **portera** atteinte (*will hurt*) à la flore et la faune de cette région.

_____

8. Il paraît que la grand-mère de Jean **est tombée** dans les escaliers et qu'elle **s'est cassé** le col du fémur (*hip*).

_____

_____

11-16 Conditionnel présent et passé: indignation. Complétez les phrases suivantes en mettant les verbes entre parenthèses au conditionnel présent ou passé, selon le cas.

1. *Couldn't you have been a little more careful?!* → Vous _____ (ne pas pouvoir) faire un peu plus attention?!

2. *Do you mind not smoking?!* → Ça vous _____ (déranger) de ne pas fumer?!

3. *Couldn't you be a little more polite with your mother?!* → Tu _____ (ne pas pouvoir) être un peu plus poli(e) avec ta mère, non?!

4. *Would you mind arriving on time for once?!* → Ça t' _____ (ennuyer) d'arriver à l'heure pour une fois?!

5. *Would you mind giving us a little more room?!* → Ça vous _____ (gêner) beaucoup de nous faire un peu de place?!

6. *Couldn't you at least have warned us?!* → Vous _____ (ne pas pouvoir) nous avertir, non?!

11-17 Conditionnel présent et passé: faits douteux, imaginaires ou irréels. Complétez les phrases suivantes en mettant les verbes entre parenthèses au conditionnel présent ou passé, selon le cas. Attention à la place de l'adverbe, le cas échéant.

1. Tu ne veux pas qu'on aille au bord de la mer pendant quelques jours: on y (a) _____ (être) si bien! On (b) _____ (pêcher) la crevette, on (c) _____ (prendre) des bains de soleil, (d) _____ (faire) de la voile; le soir, on (e) _____ (se promener) le long de la plage. Allons-y le week-end prochain, tu veux bien?

2. Si vous aviez fait un peu moins de bruit la nuit dernière, nous _____ (dormir mieux).

3. Je vous ai préparé des sandwichs au cas où vous _____ (avoir) faim en revenant ce soir.

4. Si tu faisais un peu plus attention en classe, tu _____ (arriver) à de meilleurs résultats.

11-18 Récapitulation: le conditionnel présent et passé. Complétez les phrases suivantes en mettant les verbes entre parenthèses au conditionnel présent ou passé, selon le cas.

1. Ses parents _____ (être)-ils originaires d'Europe centrale, par hasard?

2. La météo a annoncé qu'il y _____ (avoir) une vague de froid ce week-end.

3. Si je pouvais, je _____ (voyager) tous les ans dans un pays différent.

4. D'après le reportage, l'assassin _____ (se déguiser) en femme.

5. Est-ce que tu _____ (être) assez gentil pour me raccompagner?

6. J' _____ (bien aimer) m'acheter ce manteau en cachemire mais il est hors de prix (*it's way too expensive*)!

7. Maladroit, tu _____ (pouvoir) faire un peu plus attention en reculant la voiture! Regarde-moi ça! Tu as écrasé le parterre de fleurs (*flower bed*)!

8. L'accident d'avion survenu dans les Andes _____ (coûter) la vie à tous les passagers.

9. Si tu nous l'avais dit plus tôt, nous _____ (venir) te chercher.

10. Prévenez-nous, au cas où vous _____ (avoir) un empêchement, mais faites-le avant ce soir si possible.

11-19 *Could, should* et would. Traduisez les phrases suivantes. Employez les indications entre parenthèses.

1. *She went out on an errand but she should be back in five minutes.* [sortir faire une course / être de retour]

_____

2. *You should go [there]: you would have fun.* [Tu… / y aller / bien s'amuser]

_____

3. *I couldn't understand what she was saying.*

_____

4. *My mother would have liked to go on vacation with my father, but he couldn't get away.* [bien aimer partir en vacances / se libérer]

_____

5. *I know someone who would be interested.* [que ça / intéresser]

_____

6. *If you should ever win the lottery, what would you do with all that money?* [Si jamais tu… / gagner à la loterie]

_____

7. *You could at least send her a thank-you note!* [Tu… / envoyer un mot de remerciement]

_____

8. *I couldn't send her a thank-you note because I don't know her address.*

_____

9. *I would gladly lend you twenty dollars, but I left my wallet at home.* [te prêter volontiers / laisser son porte-monnaie]

_____

10. *I would constantly lend him money; he was always broke.* [être fauché (argotique)]

_____

11-20 Rédactions au conditionnel présent et passé.

A. Commencez votre paragraphe par **Si tu venais…** et complétez par une dizaine de phrases au conditionnel. Transposez ensuite votre paragraphe au passé en commençant par **Si tu étais venu(e)…**

MODÈLE: *Si tu <u>venais</u>, nous **pourrions** aller au cinéma. Ensuite, nous **irions** retrouver des amis…
*Si tu <u>étais venu(e)</u>, nous **aurions pu** aller au cinéma. Ensuite, nous **serions allé(e)s** retrouver des amis…

B. Votre meilleur(e) ami(e) broie du noir (est déprimé[e]): vous lui téléphonez pour essayer de lui remonter le moral, l'encourager à prendre la vie du bon côté, bref, vous lui donnez des conseils, vous lui faites des suggestions. Mettez vos verbes au conditionnel présent ou passé selon le contexte et le sens.

MODÈLE: *Alors, il paraît que ça ne va pas fort et que tu broies du noir? Mon/Ma pauvre! Écoute, tu devrais tout de même essayer de sortir un peu, voir des gens, te distraire. Je ne sais pas moi, tu pourrais… Tu n'aimerais pas…? Je suis sûr(e) que tu aimerais… Pourquoi tu n'es pas allé(e)…? Tu aurais dû y aller, ça t'aurait fait du bien…

12

Chapitre Douze

Le subjonctif

12-1 Subjonctif présent. Mettez les verbes entre parenthèses au subjonctif présent.

1. A cette heure-ci, j'ai peur qu'il ne _____ (être) trop tard pour trouver une boulangerie ouverte.

2. Il vaudrait mieux qu'elle _____ (ne pas apprendre) la vérité.

3. Je suis étonné(e) qu'il _____ (vouloir) reprendre contact avec son ex-femme!

4. Ils ont insisté pour que nous _____ (aller) les chercher à l'aéroport.

5. Il vaut mieux que vous _____ (comprendre) tout de suite que nous ne sommes pas intéressé(e)s par votre offre publicitaire.

6. C'est dommage que tu ne _____ (pouvoir) pas assister au concert de rock de ce soir!

7. Il faut que tu _____ (faire) des efforts sérieux si tu veux être reçu(e) à ton examen (*if you want to pass your exam*).

8. Il est tyrannique: il veut toujours qu'on lui _____ (obéir) au doigt et à l'œil.

12-2 Subjonctif présent. Mettez les impératifs au subjonctif présent en faisant précéder le verbe de **Je veux que…** ou **Je ne veux pas que…**, suivant le cas.

MODÈLES: *Descends! → Je veux que tu descendes.
                   *Ne descendez pas! → Je ne veux pas que vous descendiez.

1. Finis ton petit déjeuner! _____

2. Ne pars pas maintenant! _____

3. N'allons pas au restaurant! _____

4. Prends ton portable (*cell phone*)! _____

5. Dites-lui au revoir! _____

6. Répondez quand on vous appelle! _____

7. Dis-moi la vérité! _____

8. Ne reviens pas trop tard! _____

9. Faites attention! _____

10. Ne conduis pas trop vite! (*Don't drive too fast!*) _____

12-3 Subjonctif présent. Répondez selon le modèle ci-dessous. Mettez les verbes **en gras** au subjonctif présent.

MODÈLE: *Pourquoi est-ce que vous ne lui en **parlez** pas? [Il faudrait que...] → Il faudrait que vous lui en **parliez**.

1. Pourquoi est-ce que vous ne **montez** pas leur dire bonsoir? [Je voudrais que...]

_____

2. Pourquoi est-ce que nous ne **partons** pas tout de suite? [Il faut absolument que...]

_____

3. Pourquoi est-ce qu'il ne **comprend** pas la situation? [Il faudrait que...]

_____

4. Pourquoi est-ce que vous ne **buvez** pas davantage d'eau? [Il faudrait que...]

_____

5. Pourquoi est-ce qu'elle ne **voit** pas un docteur? [Il est urgent que...]

_____

6. Pourquoi est-ce que tu n'**es** pas gentil avec ta sœur? [Je veux que...]

_____

7. Pourquoi est-ce que vous ne **suivez** pas un cours de maths? [Il faudrait que...]

_____

8. Pourquoi est-ce que tu ne **finis** pas ton travail? [Il faut que...]

_____

9. Pourquoi est-ce que tu n'**apprends** pas ce morceau de musique par cœur? [Il est indispensable que...]

_____

10. Pourquoi est-ce qu'elle ne **choisit** pas elle-même le menu? [J'aimerais mieux qu'elle...]

_____

12-4 Subjonctif présent. Répondez selon le modèle ci-dessous. Mettez les verbes **en gras** au subjonctif présent.

MODÈLE: *Pourquoi est-ce que vous ne **répondez** pas? [Il faut que...] → Il faut que vous **répondiez**.

1. Pourquoi est-ce que vous ne m'**écoutez** pas? [Je veux que...]

_____

2. Pourquoi ne se **sert**-il pas de son dictionnaire? [Il faudrait qu'...]

_____

3. Pourquoi ne **viens**-tu pas nous voir à Paris? [Nous voudrions tellement que...]

_____

4. Pourquoi est-ce que vous ne **prenez** pas un taxi? [Il vaudrait mieux que...]

_____

5. Pourquoi est-ce que Michel ne **va** pas la voir? [Il faut que...]

_____

6. Pourquoi ne me **crois**-tu pas? [Il faut que…!]

_____

7. Pourquoi ne **fais**-tu pas un peu plus de sports? [Il faudrait que…]

_____

8. Pourquoi ne nous **retrouvons**-nous pas un peu plus tôt? [Je préférerais que…]

_____

9. Pourquoi est-ce que tu ne la **revois** plus? [Ce serait bien que…]

_____

10. Pourquoi n'**avez**-vous pas de passeport valable? [Il est indispensable que…]

_____

12-5 *Subjonctif présent* vs *subjonctif passé*. Mettez les verbes entre parenthèses au subjonctif présent ou passé, selon le cas.

1. Je suis étonnée que nos amis _____ (ne pas nous téléphoner) depuis les dernières vacances.

2. Je suis étonnée que nos amis _____ (ne plus nous téléphoner) aussi régulièrement qu'autrefois.

3. Nous sommes contents que vous _____ (engager) bientôt une autre secrétaire: elle vous sera bien utile.

4. Nous sommes contents que vous _____ (engager) cette nouvelle secrétaire: elle s'est déjà montrée bien utile.

5. Il faut que ce tableau vous _____ (plaire), sinon ce n'est pas la peine de l'acheter.

6. Il faut que ce tableau vous _____ (plaire) pour que vous l'ayez acheté à ce prix!

7. Odile a beaucoup de qualités; c'est dommage qu'elle _____ (faire) si souvent des gaffes!

8. C'est idiot qu'Odile _____ (faire) cette gaffe hier soir!

9. J'ai peur que nous _____ (se tromper) si nous allons dans cette direction.

10. J'ai peur que nous _____ (se tromper) en prenant ce chemin: il faut faire marche arrière!

12-6 *Subjonctif présent* vs *subjonctif passé*. Mettez les verbes entre parenthèses au subjonctif présent ou passé, selon le cas.

1. Je suis ravie que vous _____ (pouvoir) venir le week-end prochain.

2. Je suis ravie que vous _____ (pouvoir) venir le week-end passé.

3. Mon père n'est pas content que mon frère _____ (ne pas faire) de maths quand il était à l'université.

4. Mon père n'est pas content que mon frère _____ (ne pas faire) de maths en ce moment à l'université.

5. Je suggère que vous _____ (effectuer) un stage quand vous serez en France.

6. C'est bien que vous _____ (effectuer) un stage quand vous étiez en France.

7. Je doute qu'il _____ (parvenir) à les convaincre quand il les verra demain.

8. Je doute qu'il _____ (parvenir) à les convaincre l'autre jour.

9. Il n'est pas sûr que j' _____ (obtenir) de bons résultats aux derniers examens.

10. Il n'est pas sûr que j' _____ (obtenir) de bons résultats aux prochains examens.

12-7   *Subjonctif présent *vs* subjonctif passé.** Mettez les verbes entre parenthèses au subjonctif présent ou passé, selon le cas.

1. Les manifestants s'attendent à ce que la police _____ (interdire) tout accès au quartier.

2. Les manifestants n'ont guère été surpris que la police _____ (interdire) tout accès au quartier deux jours plus tôt.

3. Nous regrettons que tu _____ (devoir) repartir si tôt l'autre soir.

4. Nous regrettons que tu _____ (devoir) repartir si tôt ce soir.

5. Je trouve dommage qu'il _____ (être) toujours si occupé.

6. Je trouve dommage qu'il _____ (être) si occupé toute la semaine passée: nous ne l'avons quasiment pas vu.

7. Nous nous attendons à ce que vous _____ (terminer) votre travail à notre retour.

8. Nous nous attendons à ce que vous _____ (terminer) votre travail le plus tôt possible.

9. C'est curieux qu'il _____ (réagir) de cette manière quand il a appris la nouvelle.

10. J'ai peur qu'il _____ (réagir) très mal quand il entendra cette nouvelle.

12-8   *Subjonctif présent *vs* subjonctif passé.** Traduisez les phrases suivantes. Employez les indications données entre crochets.

1. *I'd like him to be here with us.* [aimer / là] _____

2. *I'm happy he stayed two more days.* [être content(e) / rester deux jours de plus]

_____

3. *It's too bad she is sick.* [C'est dommage…] _____

4. *It's too bad she was sick.* [C'est dommage…] _____

5. *We'll have to arrive earlier tomorrow.* [Il faudra que nous…]

_____

6. *We'll have to be finished before 5 P.M.* [Il faudra que nous… / terminer]

_____

7. *I'm delighted she liked her gift.* [cadeau (m.)]

_____

8. *I'm happy they're going to Italy.*

_____

9. *His parents are furious that he wants to quit school.* [vouloir / abandonner ses études]

_____

10. *His parents are furious that he quit school.*

_____

12-9   Désir, appréciation, souhait et préférence. Complétez les phrases suivantes par une proposition subordonnée de votre invention. Employez le subjonctif présent ou passé, suivant le cas.

1. Ils souhaiteraient que vous…

   _____

2. Je n'aime pas que tu…

   _____

3. Elle préfère que je…

   _____

4. Il vaudrait mieux que tu…

   _____

5. Il est préférable que nous…

   _____

6. Cela vaut-il vraiment la peine que vous…

   _____

7. Elle ne supporte pas qu'on…

   _____

8. Il est déplorable qu'ils…

   _____

12-10   Nécessité et volonté. Complétez les phrases suivantes par une proposition subordonnée de votre invention. Employez le subjonctif présent ou passé, suivant le cas.

1. J'ai besoin que tu…

   _____

2. Elle tient à ce que je…

   _____

3. Je m'attendais à ce qu'il…

   _____

4. Il veut que nous…

   _____

5. Mes parents avaient suggéré que nous…

   _____

6. Mon père s'est opposé à ce que je…

   _____

7. Le gouvernement exige que…

   _____

8. Il faut absolument que vous…

   _____

12-11 Émotion et jugement. Complétez les phrases suivantes par une proposition subordonnée de votre invention. Employez le subjonctif présent ou passé, suivant le cas.

1. Ça m'étonnerait qu'il...

   _____

2. C'est formidable que tu...

   _____

3. Nous sommes ravi(e)s que tu...

   _____

4. Ils sont surpris que ce candidat...

   _____

5. C'est bizarre que Caroline...

   _____

6. Est-ce que ça vous dérangerait que nous...

   _____

7. Mon père est toujours très ponctuel: il ne supporte pas qu'on...

   _____

8. Elle a été déçue que je...

   _____

9. Il est rare qu'on...

   _____

10. Ce n'est pas normal que personne ne...

    _____

12-12 Possibilité et doute. Complétez les phrases suivantes par une proposition subordonnée de votre invention. Employez le subjonctif présent ou passé, suivant le cas.

1. Il n'est pas impossible que mes ami(e)s...

   _____

2. Il se peut que je...

   _____

3. Je doute beaucoup que nous...

   _____

4. Il est peu probable que tu...

   _____

5. Il arrive parfois que mes parents...

   _____

12-13 ***Conjonctions suivies du subjonctif.** Complétez les phrases suivantes en mettant les verbes entre parenthèses au subjonctif présent ou passé, selon le cas.

1. Rentrons vite avant que mon père _____ (se rendre) compte que nous étions sorti(e)s.

2. Avant que vous _____ (se lancer) dans l'analyse de ce poème, il serait bon que vous nous disiez d'abord qui en est l'auteur.

3. J'accepte, bien que votre proposition ne me _____ (plaire) guère.

4. Je vous aiderai à faire la vidange (*oil change*), à moins que vous _____ (savoir) la faire vous-même.

5. Il faut absolument parler à cet enfant pour qu'il (a) _____ (être) moins agressif et qu'il
(b) _____ (ne pas se battre) constamment avec ses camarades d'école.

6. Je te le dis afin que tu le _____ (savoir).

7. On lui a volé sa montre sans qu'il _____ (s'en apercevoir).

8. Je ne peux vous donner cette chambre qu'à condition que vous me _____ (montrer) votre réservation.

9. Quoiqu'il _____ (se prendre) pour quelqu'un de très important, il n'a en réalité aucune influence.

10. Bien qu'elle _____ (ne pas avoir) beaucoup d'argent, ma tante Aline est toujours très généreuse avec nous.

12-14 ***Conjonctions suivies du subjonctif.** Complétez les phrases suivantes par une proposition subordonnée de votre invention. Employez le subjonctif présent ou passé, suivant le cas.

1. Tu peux sortir retrouver tes amis, pourvu que tu…

   _____

2. Il nous reste suffisamment d'essence (*gasoline*) pour que nous…

   _____

3. Il fait trop beau pour que vous…

   _____

4. Dépêchez-vous, que nous…

   _____

5. Il faudrait que je range un peu l'appartement avant que nous…

   _____

6. Elle aime beaucoup son cours d'histoire, bien que…

   _____

7. Relis ce poème jusqu'à ce que tu…

   _____

8. Je me suis adressé(e) à lui afin qu'il…

   _____

9. Je viendrai te chercher en voiture, à moins que tu…

_____

10. Entendu, j'irai avec toi au cinéma ce soir, bien que je…

_____

12-15 ***Conjonctions suivies du subjonctif.** Transformez les phrases suivantes de façon à employer une des conjonctions suivantes:

> bien que / quoique / pour que / afin que / en attendant que / jusqu'à ce que / à moins que / à [la] condition que / sans que

Mettez le verbe **en gras** au subjonctif. Faites tous les autres changements nécessaires.

MODÈLE: *Virginie aime beaucoup Mathieu, même s'il **est** un peu dans la lune (_absent-minded_).
→ Virginie aime beaucoup Mathieu, **bien qu'il soit** _ou_ **quoiqu'il soit** un peu dans la lune.

1. La petite Zoé est très sage, même si elle **fait** parfois des bêtises.

_____

2. Je vous permets de sortir avec vos copains, mais seulement si vous ne **dépensez** pas tout votre argent.

_____

3. Venez ici! J'ai quelque chose à vous **dire**.

_____

4. Je t'attendrai ici jusqu'au moment où tu **reviendras**.

_____

5. Téléphonez-moi: je veux **savoir** ce qui se passe.

_____

6. Prévenez-nous: nous voulons **partir** en même temps que vous.

_____

7. Ils travaillent très dur: leur fille veut **faire** des études universitaires.

_____

8. Il est parti et nous n'**avons** pas **pu** lui dire au revoir.

_____

9. Magali joue avec son ours en peluche: elle attend le moment où sa mère **viendra** la coucher.

_____

10. Nous reviendrons demain, sauf s'il **pleut**.

_____

12-16 ***Conjonctions suivies du subjonctif.** Traduisez les phrases suivantes. Employez les indications données entre crochets.

1. _I absolutely need to call my parents, although it is already midnight._ [Il faut…]

_____

2. *You may use my car, provided that you fill it with gas when you return it to me.* [Tu... / se servir / remettre de l'essence / rendre]

   _____

3. *Let's go this afternoon, unless the weather is really bad.* [Allons-y... / un temps affreux]

   _____

4. *Supposing that the plane is on time, our friends will arrive in an hour from now.* [d'ici une heure]

   _____

5. *They are never happy, whatever people do for them.* [Ils... / content / quoi qu'on]

   _____

6. *Keep practicing this piece until you can play it by heart.* [Continue de travailler ce morceau / jouer par cœur]

   _____

7. *She managed to throw him a birthday party without his knowing about it.* [réussir à lui organiser une réception d'anniversaire / s'apercevoir]

   _____

8. *We want you to stay with us until you get better.* [Nous voulons que tu... / se sentir mieux]

   _____

9. *I didn't tell her anything, for fear that she might lose sleep over it.* [se faire du mauvais sang]

   _____

10. *Please, keep quiet, so that we can hear the news!* [Taisez-vous s'il vous plaît... / informations]

    _____

12-17 Subjonctif *vs* indicatif. Dans les phrases suivantes, mettez les verbes entre parenthèses aux temps et modes qui conviennent. Lorsqu'il y a plusieurs possibilités, indiquez-les.

1. Je crains que nous _____ (avoir) une tempête de neige cette nuit.

2. On annonce qu'il y _____ (avoir) une tempête de neige cette nuit.

3. Tous les parents souhaitent que leurs enfants _____ (être) heureux.

4. Tous les parents espèrent que leurs enfants _____ (être) heureux.

5. Ce candidat a de bons résultats dans les sondages: il est donc probable qu'il _____ (parvenir) aux primaires.

6. Ce candidat est bien trop libéral: il est improbable qu'il _____ (parvenir) aux primaires.

7. Heureusement qu'il _____ (suivre) tes conseils, autrement il aurait eu des problèmes.

8. Il est heureux qu'il _____ (suivre) tes conseils, autrement il aurait eu des problèmes.

9. Je crois que ce jeune SDF[1] (*homeless man*) _____ (finir) par s'en sortir.

10. Je doute que ce jeune SDF _____ (finir) par s'en sortir.

11. Il paraît que les explorateurs _____ (atteindre) leur objectif.

12. Nous ne sommes pas du tout certains que les explorateurs _____ (atteindre) leur objectif.

[1] SDF = sans domicile fixe.

13. Je crois que le nouveau parfum de Guerlain lui _____ (plaire) beaucoup: elle le porte tous les jours!

14. Je ne crois pas que ce parfum trop capiteux lui _____ (plaire) beaucoup: elle ne le porte jamais!

15. En principe, la municipalité veille (*makes sure*) à ce que les routes _____ (être) déblayées (*cleared*) le plus vite possible après une tempête de neige.

12-18 Subjonctif *vs* indicatif. Complétez les phrases suivantes en mettant les verbes entre parenthèses aux temps et modes qui conviennent. Quand il y a plusieurs possibilités, indiquez-les.

1. Heureusement que tu _____ (ne pas oublier) tes clés!

2. Je suis bien content que tu _____ (ne pas oublier) tes clés!

3. Je me doutais bien que Julie et Pascal _____ (être) amoureux.

4. Je doute beaucoup que Julie et Pascal _____ (être) amoureux.

5. Bien sûr que Julie et Pascal _____ (être) amoureux; ça se voit: ils ne cessent de se faire les yeux doux!

6. Crois-tu vraiment que Julie et Pascal _____ (être) amoureux?

7. Je veux que vous lui _____ (communiquer) cette décision par écrit.

8. J'espère que vous lui _____ (communiquer) cette décision par écrit.

9. Il est possible qu'elle _____ (ne pas retenir) la date que tu lui avais donnée.

10. Il est probable qu'elle _____ (ne pas retenir) la date que tu lui avais donnée.

11. Malheureusement, je serai partie avant que vous _____ (être) de retour.

12. Je partirai après que vous _____ (être) de retour.

13. Le fait que ce nouvel appartement _____ (ne pas leur convenir) m'étonne.

14. Il ne semble pas que les prix _____ (beaucoup augmenter) depuis l'an passé.

15. Il me semble que les prix _____ (beaucoup augmenter) depuis l'an passé.

12-19 Subjonctif *vs* indicatif. Complétez les phrases suivantes en mettant les verbes entre parenthèses aux temps et modes qui conviennent. Quand il y a plusieurs possibilités, indiquez-les.

1. Faites-le avant qu'il _____ (être) trop tard.

2. Je doute qu'il _____ (pouvoir) refuser une offre aussi avantageuse.

3. Ne me dérangez pas, à moins évidemment que vous _____ (avoir) une urgence.

4. Il faut absolument que nous (a) _____ (avertir) leurs amis pour qu'ils

   (b) _____ (savoir) quoi faire quand ils reviendront.

5. L'idéal serait qu'elle _____ (aller) dans le sud passer une semaine de vacances.

6. J'espère qu'il _____ (ne pas me téléphoner) ce soir.

7. Il paraît qu'il _____ (complètement oublier) son rendez-vous.

8. Je suggère que vous _____ (repasser) me voir en début d'après-midi.

9. Vous pensez que j'en _____ (être) capable?

10. Pensez-vous vraiment que j'en _____ (être) capable?

12-20 *Subjonctif *vs* **indicatif.** Complétez les phrases suivantes en mettant les verbes entre parenthèses aux temps et modes qui conviennent. Lorsqu'il y a plusieurs possibilités, indiquez-les.

1. *I don't believe that she is mad at you.* → Je ne crois pas qu'elle _____ (être) fâchée contre toi.

2. *They are convinced that he is wrong.* → Ils sont convaincus qu'il _____ (avoir) tort.

3. *Do you think she has made the right decision?* → Est-ce que tu crois qu'elle _____ (prendre) la bonne décision?

4. *Do you really think she made the right decision?* → Crois-tu vraiment qu'elle _____ (prendre) la bonne décision?

5. *I'm not sure that she's making progress.* → Je ne suis pas sûr(e) qu'elle _____ (faire) des progrès.

6. *I don't believe she's made any progress.* → Je ne crois pas qu'elle _____ (faire) le moindre progrès.

7. *He thinks that she doesn't want to go abroad.* → Il pense qu'elle _____ (ne pas vouloir) aller à l'étranger.

8. *Do you really think she doesn't want to go abroad?* → Croyez-vous vraiment qu'elle _____ (ne pas vouloir) aller à l'étranger?

9. *I don't really understand that you didn't sign a contract earlier.* → Je ne comprends vraiment pas que vous _____ (ne pas signer) de contrat plus tôt.

10. *When I talked to him, I learned that he still hadn't signed a contract.* → Quand je lui ai parlé, j'ai appris qu'il _____ (ne toujours pas signer) de contrat.

12-21 **Subjonctif *vs* indicatif.** Complétez les phrases suivantes en improvisant une subordonnée de votre invention aux temps et modes qui conviennent.

1. L'essentiel, c'est que je…

_____

2. Mes parents tiennent absolument à ce que je…

_____

3. Je n'ai pas envie qu'il…

_____

4. Carmen a téléphoné à Philippe pour qu'il…

_____

5. Il serait bon que tu…

_____

6. Je sais bien que vous…

_____

7. L'important, c'est que vous…

_____

8. J'aime beaucoup ma cousine, bien qu'elle…

_____

9. Je préfère que tu…

_____

10. J'espère que nous…

_____

12-22 *Subjonctif* vs **indicatif.** Complétez les phrases suivantes en mettant les verbes entre parenthèses aux temps et modes qui conviennent. Quand il y a plusieurs possibilités, indiquez-les.

1. J'ai feuilleté un magazine en attendant que le docteur me _____ (recevoir).

2. Dans cette région, les marées sont assez fortes pour que vous _____ (risquer) de vous noyer.

3. Nous parlons lentement pour que John _____ (comprendre) ce que nous disons.

4. Il ne faut surtout pas que tu (a) _____ (prendre) ce problème trop à cœur (*too seriously*); je suis sûr(e) que tout ça (b) _____ (finir) par s'arranger.

5. Mais non, calme-toi, voyons! Il n'y a aucun danger que nous _____ (rater) notre avion: nous avons plus de deux heures d'avance!

6. Je ne crois pas qu'il _____ (être) nécessaire de les rappeler.

7. Nathalie a appelé son chat Mistigris, bien qu'il _____ (être) tout noir.

8. J'ai peur que tu _____ (attraper) un rhume l'autre jour.

9. Heureusement que tu _____ (ne pas attraper) de rhume l'autre jour.

10. Elle a tellement insisté pour que nous la (a) _____ (laisser) partir au Maroc, que nous (b) _____ (finir) par céder.

11. Je ne le connais pas personnellement, bien que j' _____ (souvent entendre) parler de lui.

12. Il faut qu'il _____ (commettre) une faute professionnelle grave pour avoir été congédié de la sorte.

13. Il est déjà de retour? Je suis surprise qu'il (a) _____ (revenir) si vite: je croyais qu'il (b) _____ (devoir) rester là-bas toute la semaine.

14. J'espère qu'elle (a) _____ (arriver) à le convaincre de ne pas y aller tout seul, mais je doute qu'elle y (b) _____ (parvenir), têtu comme il l'est!

15. Ils sont déjà là? —Non, pas que je _____ (savoir).

12-23 *Subjonctif* vs **indicatif.** Complétez les phrases suivantes en mettant les verbes entre parenthèses aux temps et modes qui conviennent. Quand il y a plusieurs possibilités, indiquez-les.

1. Dites-lui qu'il nous _____ (écrire) pour nous prévenir.

2. Je suis persuadé(e) que vous _____ (regretter) bientôt cette décision.

3. Je suis persuadé que vous la _____ (regretter) déjà.

4. J'espère que tu _____ (saisir) ce qu'elle vient de dire; moi, je n'ai rien compris!

5. Il est inutile que vous (a) _____ (insister) puisque je vous (b) _____ (dire) qu'il n'est pas là.

6. Je suis si heureux que tu _____ (venir) nous dire bonjour: cela fera très plaisir à ta grand-mère.

7. Heureusement que tu _____ (venir) nous voir hier et pas aujourd'hui!

8. Madame Duclos n'y voit plus très clair: elle aimerait qu'on lui _____ (faire) la lecture.

9. J'espère que ce DVD te _____ (plaire).

10. Je suis contente que ce DVD lui _____ (plaire).

11. Il est temps que vous _____ (rencontrer) nos amis Tanya et Jérôme.

12. Quel dommage que vous _____ (être) obligé(e)s de partir si tôt hier soir!

13. Bon, excuse-moi mais il faut que j'y _____ (aller), sinon je risque d'arriver en retard.

14. Je suis ravi(e) que vous _____ (avoir) une aussi bonne opinion de Fanélie: c'est vraiment une chic fille.

15. Je ne pense pas qu'il _____ (savoir) comment y aller.

16. Je veux que tu _____ (boire) ce grog chaud: cela te fera du bien!

17. J'ai peur qu'elles _____ (partir) sans savoir exactement où nous devions nous retrouver.

18. Je préférerais que nous _____ (ne pas descendre) dans cet hôtel: il est trop bruyant.

19. Il semble qu'elle _____ (avoir) tort quand elle nous a dit de tourner à droite: il paraît que ce village est dans la direction opposée.

20. Il me semble qu'elle _____ (avoir) raison de penser cela.

12-24 *Subjonctif *vs* indicatif* dans les **propositions relatives.** Complétez les phrases suivantes en mettant les verbes entre parenthèses aux temps et modes qui conviennent.

1. C'est le seul exposé que nous _____ (avoir) à préparer pour ce cours.

2. Pourriez-vous m'indiquer un hôtel qui ne _____ (être) pas trop éloigné de la Sorbonne?

3. Allez à cet hôtel-là, celui qui (a) _____ (faire) le coin de la rue: c'est le meilleur que je (b) _____ (connaître) dans ce quartier.

4. Comment! Elle a vu quelque chose dans ce film qui l' _____ (choquer)?

5. Je n'ai vraiment rien vu dans ce film qui _____ (pouvoir) choquer quiconque (*anyone*).

6. Suivez un cours qui _____ (convenir) mieux à vos intérêts.

7. Il aime beaucoup son cours de philosophie: c'est un cours qui _____ (convenir) bien à ses intérêts.

8. Le moins qu'on _____ (pouvoir) dire, c'est qu'il est terriblement distrait!

9. C'est un des meilleurs films que j' _____ (voir) depuis des mois.

10. Y a-t-il quelque chose que vous (a) _____ (ne pas comprendre) en relisant le chapitre?
   —Oui, il y a un passage que je (b) _____ (ne pas comprendre): pourriez-vous me l'expliquer?

11. Ce modèle est le seul dont nous _____ (disposer) pour le moment.

12. Il lui faudrait une secrétaire qui _____ (savoir) parler couramment l'anglais et l'espagnol.

13. Enfin! Il a trouvé une secrétaire qui _____ (connaître) parfaitement l'anglais et l'espagnol!

14. Le Massif Central est la seule région de France que je _____ (ne pas encore visiter).

15. Je ne sais pas moi... Essaie de trouver un emploi qui _____ (correspondre) à tes aptitudes et à tes goûts...

16. Enfin! J'ai trouvé un emploi qui _____ (correspondre) à mes aptitudes et à mes goûts.

17. Je n'arrive à trouver personne qui _____ (vouloir) louer notre appartement pour l'été.

18. Bonne nouvelle: j'ai trouvé quelqu'un qui _____ (vouloir) louer notre appartement pour l'été.

12-25 *Le subjonctif dans les propositions relatives.** Répondez négativement aux questions suivantes par une subordonnée relative au subjonctif (présent ou passé, selon le cas) en employant **le/la seul(e)** *ou* **les seul(e)s qui** *ou* **que** *ou* **dont**, selon le sens et le contexte. Employez les indications données entre crochets.

MODÈLE: *À part ce modèle, vous avez d'autres portables? [Non, ce modèle… / nous] → Non, ce modèle est **le seul que nous ayons**.

1. À part le français, vous parlez d'autres langues étrangères? [Non, le français est la seule langue étrangère que nous…]

   _____

2. À part Jennifer, tu connais beaucoup d'autres Américaines? [Non, Jennifer est la seule Américaine que je…]

   _____

3. À part Jennifer, tu as rencontré beaucoup d'autres Américaines? [Non, Jennifer… / je…]

   _____

4. À part le cinéma, est-ce qu'il y a autre chose qui lui plaît vraiment? [Non, le cinéma…]

   _____

5. À part Bertrand, vous connaissez d'autres personnes qui savent le russe? [Non, Bertrand…]

   _____

6. À part Valentine, vous avez beaucoup d'amis qui font du parapente (*paragliding*)? [Non, Valentine…]

   _____

7. À part Noémi, est-ce que quelqu'un d'autre a loué une voiture pour ce week-end? [Non, Noémi…]

   _____

8. À part Jacques et Olivia, vous avez beaucoup d'autres amis qui veulent faire Sciences Po? [Non, Jacques et Olivia…]

   _____

9. À part Jean-François, tu as d'autres amis à Montréal? [Non, Jean-François…]

   _____

10. À part Ludovic, tu te souviens **de** quelqu'un d'autre? [Non, Ludovic…]

    _____

12-26 **Subjonctif *vs* infinitif.** Reliez les éléments de façon à faire des phrases complètes. Employez l'infinitif ou le subjonctif (présent ou passé, selon le cas). Faites tous les changements qui s'imposent. Ajoutez la préposition **de**, si nécessaire.

MODÈLE: *Je préfère… / Vous y allez à trois heures. → Je préfère que vous y **alliez** à trois heures.
*Il préfère… / Il viendra à trois heures. → Il préfère **venir** à trois heures.

1. J'aimerais… / Tu viendras me chercher en voiture demain.

   _____

Nom: _____ Date: _____

2. J'aimerais… / Je viendrai te chercher en voiture demain.

3. Elle voudrait… / Nous l'aiderons à faire sa déclaration d'impôts.

4. Elle voudrait… / Elle m'aidera à faire ma déclaration d'impôts.

5. Tu dois terminer tes devoirs… / <u>avant</u> / Tu vas au cinéma.

6. Tu dois terminer tes devoirs… / <u>avant</u> / Je reviens.

7. Aline joue avec son Nintendo … / <u>en attendant</u> / Elle part à l'école.

8. C'est embêtant… / Tu n'as pas compris ce qu'il disait.

9. Nous reviendrons demain… / <u>à moins</u> / Il fera mauvais.

10. Nous ne pourrons pas venir… / <u>à moins</u> / Nous louons une voiture.

12-27 *__Subjonctif__ *vs* __indicatif__ *vs* __infinitif.__ Reliez les éléments de façon à faire des phrases complètes. Faites tous les changements qui s'imposent (subjonctif, indicatif ou infinitif). Ajoutez **que** ou **ce que** si nécessaire. Quand il y a plusieurs possibilités, indiquez-les.

MODÈLE: *Il faut… / Vous partez demain. → Il faut que vous partiez demain.

1. Je regrette… / Vous partez demain.

2. Je ne veux pas… / Vous partez demain.

3. Je tiens à… (*I really want you to*) / Vous partez demain.

4. Vous espérez vraiment… / Vous partez demain?

5. Je ne pense pas… / Vous partez demain.

6. J'espère… / Vous partez demain.

7. Il est impossible… / Vous partez demain.

Le subjonctif   **129**

8. Il s'attend à… / Vous partez demain.

_____

9. Alors, il paraît… / Vous partez demain?

_____

10. Vous pensez… / Vous partirez demain?

_____

12-28 *Récapitulation: subjonctif *vs* indicatif *vs* infinitif.** Traduisez les phrases suivantes. Employez les indications données entre crochets.

1. _I'd like to sleep._ _____

2. _I'd like you to sleep._ [tu] _____

3. _I want him to go._ [s'en aller] _____

4. _I want to go downtown with him._ [aller en ville]

_____

5. _I am so glad she passed her exams._ [réussir]

_____

6. _I am glad I passed my exams._

_____

7. _There is no need for you to call us back._ [Vous… / ne pas avoir besoin]

_____

8. _You only need to fill out the questionnaire._ [Tu… / n'avoir qu'à / le questionnaire]

_____

9. _It's possible that she forgot her appointment._ [son rendez-vous]

_____

10. _It's probable she forgot her appointment._

_____

11. _It would be nice if you talked to her._ [Il serait bon que vous…]

_____

12. _I'm afraid I won't have the answer before tomorrow._ [J'ai peur…]

_____

13. _He's afraid [that] I won't be able to contact them._ [Il a peur… / réussir à les joindre]

_____

14. _I'm looking for a studio with an ocean view._ [un studio qui / avoir vue sur qqch]

_____

15. _He ate before we arrived._

_____

16. _He ate after we arrived._

_____

17. *Tell him about it, so he knows it once and for all.* [Dites-le-lui… / une fois pour toutes]

_____

18. *It is the best novel I've read in a long time.* [roman (m.) / depuis longtemps]

_____

19. *We'll go to Brittany this weekend, unless it rains.* [la Bretagne / pleuvoir]

_____

20. *You need to be careful.* [Il faut que tu…]

_____

21. *I hope he'll get this job.* [obtenir ce poste]

_____

22. *I'd really like him to get this job.* [J'aimerais vraiment]

_____

23. *It seems that he has already left.* [Il semble que…]

_____

24. *I've heard that he has already left.* [Il paraît que…]

_____

25. *I'd rather you told her the news yourself.* [Je préfèrerais… / tu / apprendre la nouvelle]

_____

12-29 *Mise en relief au subjonctif.** Récrivez ces phrases en commençant par **la subordonnée complétive** (**en gras**). Faites tous les changements nécessaires; ajoutez dans la principale les pronoms **le, en** ou **y** indiqués entre crochets.

MODÈLE: *Je vois bien **que tu es furieux**. [le] → Que tu **sois** furieux, je **le** vois bien.

1. Ça se voit tout de suite **qu'elle a un talent extraordinaire**.

_____

2. Ça se voit **qu'ils ont des problèmes de couple**.

_____

3. Je suis certaine **qu'il s'est opposé à cette décision injuste**. [en]

_____

4. Nous espérons **que les deux partis pourront trouver un compromis**. [l']

_____

5. Je suis persuadé(e) **que c'est elle qui le lui a dit**. [en]

_____

6. Je n'ignore pas **qu'il a été nommé ambassadeur**. [l']

_____

7. Il tient beaucoup **à ce que vous participiez à cette réunion**. [y]

_____

8. Je suis vexé(e) (*I'm hurt*) **que tu lui aies raconté cette histoire.** [en]

_____

9. Il reconnaît **qu'il a eu tort.** [le]

_____

10. Je comprends **que tu veux le lui annoncer toi-même.** [le]

_____

12-30 Rédaction. Vous venez d'arriver à l'université et vous avez du mal à vous adapter à votre nouvelle vie d'étudiant(e). Vos grands-parents, avec qui vous vous entendez à merveille, vous écrivent pour vous encourager, vous donner des conseils et des suggestions. Rédigez cette lettre en utilisant le plus possible de verbes ou expressions verbales commandant le subjonctif.

MODÈLES: Nous sommes désolés/ravis/inquiets/fiers… que tu… Nous aimerions que tu… Nous ne voulons pas que tu… Il faut que tu… Il est essentiel que tu… Ne crois pas que nous… Il semble que tu… Attends-toi à ce que…

12-31 *Rédaction. Vos parents se sont absentés tout un week-end. Votre mère vous a laissé, à votre frère et à vous, une liste de tâches à accomplir—plantes à arroser, animaux à nourrir, chien à promener, courrier à relever, journal à chercher, messages à noter, etc. Écrivez cette liste de recommandations. Employez des futurs, des futurs antérieurs, des conditionnels et des subjonctifs, etc.

MODÈLES: Il faut/faudrait que tu ailles… Quand tu auras fini… Après avoir donné à manger au chat, tu n'oublieras pas de…

13
Chapitre Treize
L'infinitif

13-1   Infinitif présent *vs* **infinitif passé.** Complétez les phrases suivantes en mettant le verbe entre parenthèses à l'infinitif présent ou passé, selon le cas. Attention à la place du pronom et à l'accord du participe passé, le cas échéant.

1. *After talking to my mother, I called Laura.* → Après _____ (parler) à ma mère, j'ai appelé Laura.

2. *Before talking to my mother, I called Laura.* → Avant de _____ (parler) à ma mère, j'ai appelé Laura.

3. *She's sorry she disturbed her.* → Elle est désolée de _____ (la déranger).

4. *I'm sorry to disturb you.* → Je suis désolé(e) de _____ (vous déranger).

5. *Thank you for inviting us to your party tomorrow.* → Merci de _____ (nous inviter) à votre soirée de demain.

6. *Thank you for inviting us yesterday.* → Merci de _____ (nous inviter) hier.

7. *She went shopping before going home.* → Elle est allée faire des courses avant de _____ (rentrer) à la maison.

8. *After she was done with her shopping, she went home.* → Après _____ (faire) ses courses, elle est rentrée à la maison.

9. *She regretted that she didn't accompany him.* → Elle a regretté de _____ (ne pas l'accompagner).

10. *She's looking forward to accompanying him.* → Elle se réjouit de _____ (l'accompagner).

13-2   Infinitif actif *vs* **infinitif passif.** Complétez les phrases suivantes en mettant le verbe entre parenthèses soit à l'infinitif **actif** (présent ou passé), soit à l'infinitif **passif** (présent ou passé). Attention à l'accord du participe passé, le cas échéant.

1. *I've just repainted this room.* → Je viens de _____ (repeindre) cette pièce.

2. *After repainting the room, she took a break.* → Après _____ (repeindre) la pièce, elle a fait une pause.

3. *This room has just been repainted.* → Cette pièce vient d' _____ (repeindre).

4. *After being repainted, the room was thoroughly cleaned.* → Après _____ (repeindre), la pièce a été nettoyée à fond.

13-3 **Devoir + infinitif présent *vs* devoir + infinitif passé** (rédactions). Écrivez un premier paragraphe où vous dresserez la liste de toutes les obligations de votre vie privée, estudiantine ou professionnelle. Employez le verbe **devoir** suivi d'un **infinitif présent**. Transposez ensuite ce paragraphe en mettant tous les infinitifs au **passé**. Attention à l'accord du participe passé, le cas échéant.

MODÈLE: *(a) La semaine qui vient (*This coming week*), je dois absolument **aller** à la bibliothèque, **trouver** un sujet de thèse, en **parler** à mon professeur…

*(b) D'ici la fin de la semaine prochaine (*By the end of next week*), je dois absolument **être allé(e)** à la bibliothèque, **avoir trouvé** un sujet de thèse, en **avoir parlé** à mon professeur…

13-4 **L'infinitif à la place d'un nom.** Transformez les phrases suivantes de façon à remplacer le nom **en gras** par l'infinitif présent qui lui correspond logiquement.

1. **Le choix** d'une carrière n'est pas toujours très facile. → _____ une carrière n'est pas toujours très facile.

2. J'adore **la natation**. → J'adore _____.

3. **Tes pleurs** ne serviront à rien. → _____ ne te servira à rien.

4. **La fumée** est mauvaise pour la santé. → _____ est mauvais pour la santé.

5. Il a horreur **des disputes**. → Il a horreur de _____.

6. J'aime beaucoup **les bains** de mer. → J'aime beaucoup _____ dans la mer.

7. Nous n'avons plus de **nourriture**. → Nous n'avons plus rien à _____.

8. **Le mensonge** est un vilain défaut. → _____ est un vilain défaut.

9. Elle adore **la couture** et **la création** de vêtements → Elle adore (a) _____ et

   (b) _____ des vêtements.

10. Je suis nul(le) en **cuisine**. → Je ne sais pas _____.

11. Ils ont de très mauvaises **manières**. → Ils n'ont aucun _____.

12. Je ne comprends pas pourquoi la **destruction** de ce vieux quartier est soi-disant inévitable. → Je ne comprends pas pourquoi il est soi-disant inévitable de _____ ce vieux quartier.

13-5 **L'infinitif à la place d'un impératif.** Reformulez les phrases suivantes en mettant les **impératifs** (**en gras**) à l'infinitif présent.

MODÈLE: *Lisez attentivement la notice. → **Lire** attentivement la notice.

1. **Éteignez** la lumière en sortant.

   _____

2. Pour les réservations de groupe, **téléphonez** au moins une semaine à l'avance.

   _____

3. **Prévoyez** des vêtements chauds pour l'excursion.

   _____

4. **Adressez-vous** à la gardienne de l'immeuble.

   _____

5. **Ne buvez rien** après minuit.

   _____

6. **Ne venez** que sur rendez-vous.

_____

7. Personnes de moins de dix-huit ans, **abstenez-vous**.

_____

13-6 L'impératif à la place de l'infinitif. Reformulez les phrases suivantes en remplaçant les **infinitifs** par des impératifs à la 2ᵉ personne du pluriel.

1. **Ne répondre** qu'à l'une des deux questions.

_____

2. Attention danger: **ne pas se pencher** par la fenêtre!

_____

3. **Entreposer** les poubelles à l'endroit prévu.

_____

4. En cas d'incendie, **ne pas prendre** l'ascenseur.

_____

5. **Faire** mijoter (*simmer*) pendant trente minutes.

_____

6. **Ne pas s'asseoir** dans ce fauteuil.

_____

7. **Prendre** un comprimé quatre fois par jour.

_____

13-7 Nom, adjectif ou **adverbe + infinitif.** Complétez les phrases suivantes en ajoutant la préposition **de** ou **à**, suivant le cas.

1. Il sera content _____ retrouver ses amis.
2. Vous êtes les premiers _____ arriver.
3. Nous n'aurons pas le temps _____ manger.
4. Elle passe tout son temps _____ naviguer sur l'Internet.
5. Vous avez eu raison _____ insister.
6. J'aurais une question _____ vous poser.
7. Pour faire ce travail, il te faut une machine _____ calculer.
8. C'est énervant _____ ne pas pouvoir les comprendre.
9. C'est agréable _____ porter du lin en été.
10. Le lin est agréable _____ porter en été.
11. Je n'ai rien _____ vous dire.
12. Avec ces nouveaux skis, il y a moins de risques _____ se casser une jambe.
13. Il est plus (a) _____ plaindre qu' (b) _____ blâmer.
14. Nous étions étonnés _____ ne pas avoir vu Céline à la réception l'autre soir.

13-8 Nom, adjectif ou **adverbe** + **infinitif.** Complétez les phrases suivantes en ajoutant la préposition **de** ou **à**, suivant le cas.

1. Nous avons besoin _____ vous parler.

2. La chambre _____ coucher est magnifique.

3. Il est toujours le dernier _____ comprendre.

4. Nous avons beaucoup _____ faire en ce moment.

5. Elle n'a aucune envie _____ sortir ce soir.

6. J'ai mis deux jours _____ rédiger cette demande de bourse.

7. Il n'est pas facile _____ vivre avec elle.

8. Elle n'est pas facile _____ vivre.

9. Je suis ravi(e) _____ avoir fait votre connaissance.

10. Il est important _____ savoir que les banques seront fermées demain.

11. Les banques seront fermées demain; c'est bon _____ savoir: il vaut mieux y aller aujourd'hui pour encaisser (*cash*) votre chèque.

12. Est-ce que je pourrais emprunter ta machine _____ coudre (*sewing machine*)?

13. Les portions sont énormes dans ce restaurant: il y a toujours trop _____ manger.

14. Je ne suis pas sûr(e) _____ rentrer pour dîner ce soir.

15. Il paraît que cette maison est _____ vendre.

13-9 Verbe + **infinitif sans préposition.** Complétez les phrases suivantes de manière logique par un infinitif présent de votre choix. Employez quinze infinitifs différents.

1. Je n'ai pas d'argent sur moi: est-ce que tu peux m'en _____?

2. Ce matin, le sol était tellement gelé que j'ai failli _____.

3. Veux-tu aller à la piscine? —Ce serait avec plaisir mais je ne sais pas _____.

4. Ces musiciens sont extraordinaires: vous devez absolument aller les _____!

5. Est-ce que tu sais si le facteur est passé? —Je ne sais pas, je vais _____.

6. Ne restons pas dans ce quartier dangereux: il vaut mieux _____.

7. Si seulement il articulait ses mots, on comprendrait mieux ce qu'il veut _____.

8. Je peux vous déposer chez vous? —C'est gentil, mais je préfère _____.

9. Au secours! Je viens de voir un voleur _____ chez moi!

10. Ma voisine est très permissive: elle laisse ses enfants _____ n'importe quoi à la télévision.

11. Ce détective est très avisé (*astute*): il sent le danger _____ avant même que les autres (ne) s'en rendent compte.

12. Cela faisait une heure que les enfants, tout excités, regardaient la neige _____.

13. Chut! Ne fais pas de bruit: j'écoute Sinatra _____ ma chanson préférée.

14. Comment? Une fois de plus, tu n'as pas entendu ton réveil _____?

15. Elle est remontée _____ son manteau.

13-10 *Verbe + infinitif (avec *ou* sans préposition).** Complétez les phrases suivantes en ajoutant la préposition **de** ou **à**, si nécessaire.

1. Aide-moi (a) _____ choisir: je n'arrive pas (b) _____ me décider entre ces deux vins; à ton avis, lequel dois-je (c) _____ prendre?

2. Quand vous serez en France, il faudra bien (a) _____ vous habituer (b) _____ parler français toute la journée.

3. Il vient _____ rentrer.

4. Je ne l'ai pas entendu _____ rentrer.

5. Il faudrait qu'on se décide _____ rentrer.

6. Elle préfère _____ ne pas le déranger pendant qu'il travaille.

7. Je ne pense pas _____ les avoir remercié(e)s pour leur cadeau; il faut absolument que je le fasse.

8. Nous avons aidé nos amis _____ déménager le week-end passé.

9. Nous les avons vu(e)s _____ arriver en courant.

10. Voici _____ quoi manger pour deux jours.

11. Souviens-toi (a) _____ aller (b) _____ chercher du pain pour ce soir.

12. J'hésite beaucoup _____ leur parler de cela.

13. Je n'ose pas trop _____ leur parler de cela.

14. J'évite _____ leur parler de cela.

15. J'espère _____ leur parler de cela demain.

16. Je dois _____ leur en avoir parlé, mais je ne m'en souviens pas.

13-11 *Verbe + infinitif (avec *ou* sans préposition).** Complétez les phrases suivantes en ajoutant la préposition **de** ou **à**, si nécessaire.

1. Des circonstances graves ont obligé Nicolas _____ rentrer chez lui.

2. Est-ce lui qui les a incité(e)s _____ écrire cette lettre?

3. Il s'agit _____ travailler si tu veux être premier de classe.

4. Je leur ai promis _____ ne rien dire.

5. Marie-Hélène pense _____ arriver demain vers 5 heures.

6. As-tu pensé _____ l'avertir?

7. Il commence _____ faire sombre: allume cette lampe, veux-tu?

8. Il s'est mis (a) _____ pleuvoir si fort que nous avons dû (b) _____ nous arrêter sur le bord de la chaussée (*road*).

9. Le père de Vanessa ne lui a pas permis _____ sortir.

10. Le père de Vanessa ne l'a pas autorisée _____ sortir.

11. En revenant chez moi, j'ai trébuché (*tripped*) et j'ai bien failli _____ tomber.

12. Nous avons décidé _____ rester.

13. Nous les avons finalement décidés _____ rester.

14. Il a demandé (*He demanded*) _____ passer avant tous les autres; il est d'une arrogance!

15. Elle m'a demandé (*She asked me*) _____ passer un peu avant les autres parce qu'elle avait un avion à prendre.

16. Ils n'ont pas eu l'autorisation _____ y aller.

17. Ils n'ont pas été autorisés _____ y aller.

18. Elles n'ont pas pu _____ y aller.

19. Je regrette _____ lui avoir dit cela l'autre jour.

20. Je ne me rappelle pas _____ lui avoir dit cela l'autre jour.

13-12 *Récapitulation: préposition + infinitif.** Reformulez les phrases suivantes à l'infinitif présent ou passé, selon le cas, en les faisant précéder des éléments entre crochets (voir les modèles ci-dessous). Si nécessaire, ajoutez la préposition **à** ou **de**, selon le cas. Lorsque plusieurs réponses sont possibles, indiquez-les.

MODÈLES: • Elle joue du hautbois. [Elle aime…] → Elle aime jouer du hautbois.
• Rentrez! [Dépêchez-vous…] → Dépêchez-vous de rentrer!
• Elle n'a pas rappelé. [Elle regrette…] → Elle regrette de ne pas avoir rappelé *ou* de n'avoir pas rappelé.

1. Elle ne cuisine pas. [Elle ne sait pas…]

_____

2. Nous aurons nos amis à dîner samedi soir. [Nous nous réjouissons…]

_____

3. Ils prendront des vacances cet été. [Ils ont renoncé…]

_____

4. J'ai fait sa connaissance récemment. [J'ai eu le plaisir…]

_____

5. Toi seule as compris mon problème. [Tu es la seule…]

_____

6. Tu réponds à ton père sur ce ton? [Comment, tu oses…]

_____

7. Christina, tu viendras avec nous? [Christina, tu veux bien…]

_____

8. Je ramasserai les feuilles mortes cet après-midi. [Aide-moi…]

_____

9. Finissez-en! [Hâtez-vous…]

_____

10. Je me promenais dans l'obscurité. [Je n'avais pas peur…]

_____

11. Les oiseaux gazouillent dans le cerisier. [Écoute…]

_____

12. Elle réussira dans la vie. [Elle veut…]

_____

13. Elle a eu une excellente note. [Elle est ravie…]

_____

14. Appelle-moi dès ton retour! [Promets-moi…]

_____

15. Elle étudie l'économie. [Elle continue…]

_____

13-13 *Infinitif *vs** subjonctif.** Récrivez les phrases suivantes selon les modèles ci-dessous. Remplacez les mots **en gras** soit par un infinitif (présent ou passé), soit par un subjonctif (présent ou passé). Faites tous les autres changements qui s'imposent. Ajoutez **que** devant les subjonctifs ou une **préposition** devant les infinitifs, si nécessaire.

MODÈLES: • Je n'**ai** pas **pu** vous rejoindre; j'en suis navré(e). ➞ Je suis navré(e) de ne pas avoir pu *ou* de n'avoir pas pu vous rejoindre. [NE DITES PAS: J'en suis navré(e) de ne pas avoir pu *ou* de n'avoir pas pu…]
   • Il ne **pourra** pas nous rejoindre: j'en suis navré(e). ➞ Je suis navré(e) qu'il ne puisse pas nous rejoindre.

1. Nous n'**avons** pas le temps d'aller au cinéma avec vous: nous en sommes désolé(e)s.

_____

2. Elle n'a pas **eu** le temps d'aller au cinéma avec nous: nous en sommes désolé(e)s.

_____

3. Tu **as** raison? J'en doute.

_____

4. Tu **as eu** raison: en es-tu certain?

_____

5. J'**étais** en retard: j'en étais furieux.

_____

6. Tu **es** toujours en retard: j'en suis furieux.

_____

7. Je **suis** obligé(e) de revenir demain: cela m'ennuie.

_____

8. Nous ne nous **lèverons** pas trop tard: cela vaut mieux. [Il vaut mieux que…]

_____

9. Nous nous **lèverons** tôt: ça ne nous dérange pas.

_____

10. Nous nous **lèverons** à quatre heures du matin: nous n'y tenons pas du tout (*we really don't want to*).

_____

13-14 Infinitif *vs* subjonctif. Récrivez les phrases suivantes selon les modèles ci-dessous. Employez soit un infinitif (présent ou passé), soit une proposition subordonnée au subjonctif (présent ou passé). Ajoutez **que** ou **de** si nécessaire.

MODÈLES: • J'ai pris un manteau… / pour… / Je n'ai pas froid. → J'ai pris un manteau pour ne pas avoir froid.
• Je t'ai pris un manteau… / pour… / Tu n'as pas froid. → Je t'ai pris un manteau pour que tu n'aies pas froid.

1. Elle est partie… / sans… / Elle n'a rien dit.

_____

2. Elle partira… / sans… / Je n'aurai pas pu lui dire au revoir.

_____

3. Nous vous appellerons… / avant… / Vous arrivez.

_____

4. Appelez-nous… / juste avant… / Vous arrivez.

_____

5. Appelle-moi… / après… / Tu auras terminé ton entrevue.

_____

6. Nous prendrons le métro… / afin… / Nous évitons les embouteillages (*traffic jams*).

_____

7. Nous prendrons le métro… / pour… / Ça ira plus vite.

_____

8. Je n'ai pas mis mon collier… / de peur… / On me le vole.

_____

9. Je n'ai pas mis mon collier… / de peur… / Je me le fais voler.

_____

10. Je veux bien t'accompagner… / mais à [la] condition… / Toi et moi partons tout de suite.

_____

11. Je veux bien t'accompagner… / mais à [la] condition… / C'est tout de suite.

_____

12. Je leur écrirai… / pour… / Je les remercierai.

_____

13-15 *Infinitif *vs* subjonctif. Traduisez les phrases suivantes. Employez l'infinitif chaque fois que c'est possible. Sinon, employez le subjonctif.

1. *Wash your hands before sitting down at the dinner table.* [Lave-toi… / se mettre à table]

_____

2. *You'll sit down at the table only after you've washed your hands.* [Tu…]

_____

3. *She spent last summer in Tours to improve her French.* [l'été dernier / améliorer]

_____

4. *Don't leave for school without eating!* [Ne va…]

_____

5. *Before you see this movie, you should read the book.* [vous]

_____

6. *He bought his ticket ahead of time to be sure to have a good seat.* [une bonne place]

_____

7. *We won't do this job unless we are paid decently.* [décemment]

_____

8. *We will do this job on condition that you pay us decently.*

_____

9. *They passed their exams without having studied very hard.* [réussir / étudier beaucoup]

_____

10. *She hid her poor grades from her parents for fear that she might be scolded.*
    [mauvaises notes / réprimander]

_____

13-16 Infinitif *vs* indicatif *vs* subjonctif. Dans les phrases suivantes, remplacez les éléments **en gras** par un infinitif présent ou passé. Faites tous les autres changements nécessaires.

1. J'ai entendu une voiture **qui arrivait**. _____

2. Il ne faut pas **qu'on soit** en retard. _____

3. J'ai vu des enfants **qui s'amusaient** sur le toboggan.

_____

4. Je ne suis pas sûr(e) **que je rentrerai** avant midi.

_____

5. Elle sentait la foule **qui la poussait** de tous côtés.

_____

6. Tiens, c'est bizarre! Je croyais **que j'avais laissé** mon sac ici.

_____

7. Il écoutait les vagues **qui se brisaient** avec fracas sur la digue (*jetty*).

_____

8. Je pensais **que je ferais** ce voyage avec toi.

_____

9. Nous avons regardé les gens **qui patinaient**.

_____

10. Dites-leur **qu'ils nous envoient** des cartes postales.

_____

11. Connaissez-vous quelqu'un sur qui **vous puissiez compter**?

_____

12. Il pense **qu'il aura terminé** ce projet la semaine prochaine.

_____

13. Savez-vous où **vous pourrez trouver de l'aide**?

_____

14. Es-tu certain **que tu as déjà vu** ce film?

_____

15. Après **qu'ils auront défait** leur valises, ils iront déjeuner.

_____

13-17 *Subjonctif *vs* indicatif *vs* infinitif.** Complétez les phrases suivantes selon le modèle. Mettez le verbe subordonné au subjonctif, à indicatif ou à l'infinitif, selon le cas. Ajoutez **que** ou une **préposition**, si nécessaire. Quand il y a plusieurs possibilités, indiquez-les.

MODÈLE: *Vous voulez… / Vous retrouverez du travail. → Vous voulez retrouver du travail.

1. Je souhaite… / Vous retrouverez du travail.

_____

2. Vous espérez… / Vous retrouverez du travail?

_____

3. Il se doute bien… / Vous avez retrouvé du travail.

_____

4. Heureusement… / Vous avez retrouvé du travail.

_____

5. Il est heureux… / Vous avez retrouvé du travail.

_____

6. Vous êtes content… / Vous avez retrouvé du travail?

_____

7. Il est essentiel… / Vous retrouverez du travail.

_____

8. Vous vous attendez… / Vous retrouverez du travail?

_____

9. Il est probable… / Vous retrouverez du travail.

_____

10. Il est peu probable… / Vous retrouverez du travail.

_____

11. Je vous encourage… / Vous trouverez du travail.

_____

12. Nous sommes soulagé(e)s (*relieved*)… / Vous avez retrouvé du travail.

_____

13. Vous feriez mieux… / Vous retrouverez du travail.

_____

14. Je vous aiderai… / Vous retrouverez du travail.

_____

15. Je vous conseille… / Vous retrouverez du travail.

_____

16. Vous êtes mal placé(e/s)… / Vous retrouverez du travail.

_____

17. Pour vous, il est bien sûr important… / Vous retrouverez du travail le plus vite possible.

_____

13-18 *Récapitulation.* Traduisez les phrases suivantes. Employez les éléments entre crochets. Indiquez toutes les possibilités.

  1. *My parents are thinking of coming back next week.*

_____

  2. *I love to take walks.* [adorer / se promener] _____

  3. *She is afraid of going out alone at night.* _____

  4. *That's funny! I thought I had taken my umbrella.* [Tiens, c'est drôle! Je croyais…]

_____

  5. *It's dumb to have told her that!* [C'est bête…]

_____

  6. *It may be dumb to say, but it's true.* [C'est peut-être bête… / c'est la vérité]

_____

  7. *She is sorry she forgot her appointment.* [Elle est désolée…]

_____

  8. *It's lucky that you don't have to get up too early tomorrow morning.* [Heureusement que tu…]

_____

  9. *They're sorry they were detained for so long.* [Ils regrettent… / retenir]

_____

  10. *It's not easy to memorize this scene.* [Il n'est pas facile… / mémoriser]

_____

  11. *This scene is not easy to memorize.*

_____

  12. *I told them not to worry.* [s'en faire]

_____

13. *I remember having seen that movie someplace.* [se souvenir de]

_____

14. *Do you have apartments for rent, by any chance?* [Auriez-vous…]

_____

15. *I'm sorry I didn't write to you earlier.* [Je regrette… / t'écrire]

_____

16. *After having been imprisoned for one year, the convict was finally released.*
[emprisonner / le détenu a été libéré]

_____

17. *I need an ironing board.* _____

18. *They hope to be done around four o'clock.* [Ils… / finir]

_____

19. *This dish is easy to prepare.*

_____

20. *It's not easy to prepare this dish.* [Il…]

_____

14

Chapitre Quatorze

L'expression de la condition

14-1 Si + présent. Complétez les phrases suivantes de façon logique en mettant les verbes aux temps et modes indiqués entre crochets.

1. S'il pleut, on… [verbe au présent]

   _____

2. S'il pleut, je… [verbe au futur]

   _____

3. S'il pleut, … [verbe à l'impératif]

   _____

4. S'il pleut cet après-midi, vous… [verbe au conditionnel présent—suggestion]

   _____

14-2 Si + présent. Traduisez les phrases suivantes. Employez les éléments donnés entre crochets.

1. *If you need a printer, you can use mine.* [Si tu… / imprimante (f.) / se servir de]

   _____

2. *If it's okay with you, I'll borrow your car this afternoon.* [Si ça… / ne pas trop te déranger / t'emprunter la voiture]

   _____

3. *If they don't answer your e-mail this morning, you should call them.* [S'ils… / votre courriel]

   _____

4. *If you really want to see this movie, go see it!* [Si vous…]

   _____

14-3 Si + passé composé. Complétez les phrases suivantes de façon logique en mettant les verbes aux temps et modes indiqués entre crochets.

1. Si tu n'as pas encore mangé, … [verbe à l'impératif]

   _____

2. Si tu n'as pas encore mangé, tu… [verbe au présent]

   _____

3. Si tu n'as pas encore mangé, je… [verbe au futur proche]

   _____

4. Si tu n'as pas encore mangé, tu... [verbe au conditionnel—conseil]

_____

5. Si tu n'as pas entendu ce que je te disais, c'est que tu... [verbe à l'imparfait]

_____

6. Si tu n'as pas compris ce qu'il disait, c'est que tu... [verbe au passé composé]

_____

14-4 Si + passé composé. Traduisez les phrases suivantes. Employez les éléments donnés entre crochets.

1. *If you still haven't understood these equations, you must get some help.* [Si tu... / toujours pas / équation (f.) / se faire aider]

_____

2. *If you still haven't understood these equations, you should get a tutor.* [tu / engager un tuteur]

_____

3. *If he did not vote, it was his right* [son droit]

_____

4. *She must have been held up by something if she couldn't join us tonight.* [avoir un empêchement / rejoindre]

_____

5. *She probably did something bad if her parents grounded her.* [se conduire mal / priver qqn de sortie]

_____

6. *If you haven't registered for this course yet, do it today!* [Si tu... / s'inscrire à un cours]

_____

14-5 Conséquence au futur. Complétez les phrases suivantes de façon logique en mettant les verbes au futur (simple ou proche ou antérieur).

1. Si je suis trop fatigué(e) ce soir, je...

_____

2. Si tu as oublié leur adresse, nous...

_____

3. Si elle tombe malade, elle...

_____

4. S'ils ont pris l'avion, ils...

_____

5. S'il avait de la fièvre ce matin, il...

_____

14-6   Conséquence à l'impératif. Complétez les phrases suivantes de façon logique en mettant les verbes à l'impératif.

    1. Si tu es trop fatiguée ce soir, …

    _____

    2. Si vous avez oublié leur adresse, …

    _____

    3. Si tu as froid, …

    _____

    4. Si tu as pris la décision de quitter Philippe, eh bien…

    _____

    5. Si sa fièvre continue, …

    _____

14-7   Conséquence au conditionnel (suggestion). Complétez de façon logique par des suggestions au conditionnel présent.

    1. Si tu es si fatigué(e) ce soir, … _____

    2. Si vous avez oublié leur adresse, … _____

    3. Si tu as faim, … _____

    4. Si tu as décidé d'aller en France cet été, … _____

    5. S'il était déjà de mauvaise humeur ce matin, … _____

14-8   *Hypothèses au présent. Complétez les phrases suivantes de façon logique en ajoutant un verbe au présent dans la subordonnée commençant par **si**.

    1. Si vous… _____, nous viendrons vous chercher à la gare.

    2. Je veux bien t'accompagner si… _____

    3. Rappelle-moi immédiatement si… _____

    4. Si cela… _____, pourriez-vous peut-être m'aider à remplir ce formulaire?

14-9   *Hypothèses au passé composé. Complétez les phrases suivantes de façon logique en ajoutant un verbe au passé composé dans la subordonnée commençant par **si**.

    1. Si… _____, il devrait revenir bientôt.

    2. Si… _____, il est sûrement arrivé à l'heure.

    3. Je peux t'expliquer ce passage si tu… _____.

    4. Vous pourrez venir chercher votre billet demain au guichet si vous… _____.

    5. Si… _____, avoue-le!

14-10 *Si + imparfait (**habitude** ou **description**).** Complétez les phrases suivantes en mettant les verbes entre parenthèses aux temps et modes qui conviennent.

1. *If he was the one who used to keep these documents, tell him to find them as soon as possible; I need them!*
→ Si c'était lui qui gardait ces documents, _____ (lui dire) de les retrouver le plus vite possible: j'en ai besoin!

2. *If they didn't want to take the train, why didn't they rent a car?* → S'ils ne voulaient pas prendre le train, pourquoi est-ce qu'ils _____ (ne pas louer) une voiture?

3. *If, as a child, you already liked science fiction, you're going to love this novel.* → Si, enfant, tu aimais déjà la science fiction, tu _____ (adorer) ce roman.

4. *If we didn't feel like cooking, we used to* or *would go out for sushi.* → Si nous n'avions pas envie de faire la cuisine, nous (4) _____ (sortir) manger des sushis.

5. *If I had some free time, I used to* or *would hang out at this bookstore.* → Si j'avais du temps libre, j' _____ (aller) toujours flâner dans cette librairie.

6. *If she had such a bad toothache when she woke up, why doesn't she call the dentist right away?* → Si elle avait aussi mal aux dents en se réveillant, pourquoi est-ce qu'elle _____ (ne pas appeler) le dentiste tout de suite?

14-11 *Si + imparfait (**habitude** ou **description**).** Traduisez les phrases suivantes. Employez les éléments donnés entre crochets.

1. *If he had to study for his exams, he used to* or *would lock himself up in his room all day.* [réviser pour ses examens / s'enfermer à clef]

   _____

2. *If we had saved up enough money, we used to* or *would buy ourselves theater tickets.* [s'acheter]

   _____

3. *If he was a Republican, why did he vote for the Democrats?*

   _____

4. *If he was at the demonstration, he will be able to tell us about it.* [manifestation (f.)]

   _____

5. *If you were that tired this morning, try to go to bed a little earlier tonight.* [Si tu… / aller se coucher]

   _____

6. *If you had difficulty sleeping last night, you should take a sleeping pill tonight.* [Si tu… / s'endormir / somnifère (m.)]

   _____

14-12 **Récapitulation: conditions réelles.** Complétez les phrases suivantes en mettant les verbes entre parenthèses à la forme correspondant aux mots **en gras**.

1. *If they were unhappy, they never* ***showed*** *it.* → S'ils étaient malheureux, ils _____ (ne jamais le montrer).

2. *If I needed some money, my grandparents* ***would*** *always* ***give*** *me some.* → Si j'avais besoin d'argent, mes grands-parents m'en _____ (donner) toujours.

3. *If you promised them to be there in an hour, **hurry up**!* → Si tu leur as promis d'être là dans une

heure, _____ (se dépêcher)!

4. *If he didn't like rock music in his youth, he **will like** it even less as he grows older!* → S'il n'aimait pas la

musique rock dans sa jeunesse, il l' (4) _____ (aimer) encore moins en vieillissant!

5. *If they haven't raised enough money for their campaign, they **should** forget the whole thing!* → S'ils n'ont

pas collecté assez d'argent pour leur campagne, ils _____ (devoir) y renoncer!

6. *If they left New York at 7 in the evening, they **won't be** here until midnight!* → S'ils ont quitté New York à

7 heures du soir, ils ne _____ (être) pas là avant minuit!

7. *If you bet on that team, you **were** right: they won!* → Si vous avez parié sur cette équipe,

vous _____ (avoir) raison: ils ont gagné!

8. *He must have been hungry if he **ate** a whole chicken!* → Il devait avoir faim s'il _____

(manger) un poulet tout entier!

9. *If you don't dress more warmly, you **risk** catching a cold and you **will be sorry** for it.* → Si tu ne t'habilles

pas plus chaudement, tu (a) _____ (risquer) d'attraper un rhume et tu

(b) _____ (s'en repentir).

10. *If you **didn't call** them ahead of time, you shouldn't go over to their house now; it's too late.* → Si tu

(a) _____ (ne pas les prévenir) à l'avance, tu (b) _____ (ne pas devoir) aller

chez eux maintenant; il est trop tard.

14-13 **Irréel du présent (si + imparfait / conditionnel dans la principale).** Complétez les phrases
suivantes en mettant les verbes entre parenthèses à la forme correspondant aux mots *en gras*.

1. *If I were president, I **would govern** differently.* → Si j'étais président, je _____ (gouverner)

différemment.

2. *No doubt about it: If he had connections, he **would succeed**, because he certainly has talent!* → C'est sûr:

s'il avait des relations, il _____ (réussir) parce qu'il a certainement du talent!

3. *Let's face it: If he had more talent, he **would have succeeded** a long time ago!* → Voyons les choses en

face: s'il avait davantage de talent, il _____ (réussir) il y a longtemps!

4. *If she were a nicer person, she **would have been invited** more often.* → Si elle était plus gentille, on

l' _____ (inviter) plus souvent.

5. *If only you spoke English better, you **could work** in a great many countries.* → Si seulement vous parliez

mieux l'anglais, vous _____ (pouvoir) travailler dans un grand nombre de pays.

14-14 **Irréel du passé (avec si + plus-que-parfait / conditionnel dans la principale).** Complétez les
phrases suivantes en mettant les verbes entre parenthèses à la forme correspondant aux mots *en gras*.

1. *If she had listened to her parents, she **would not be** in such a mess right now.* → Si elle avait écouté ses

parents, elle _____ (ne pas être) dans un tel pétrin en ce moment.

2. *If you **hadn't written** to your grandparents, they would have been disappointed.* → Si tu

_____ (ne pas écrire) à tes grands-parents, il auraient été déçus.

3. *If we had known, we **would have acted** differently.* → Si nous avions su, nous _____ (agir) autrement!

4. *They **would be able** to buy that house today if they had saved a little in the past.* → Ils _____ (pouvoir) acheter cette maison aujourd'hui s'ils avaient un peu économisé dans le passé.

5. *I **would have forgiven** you if you had told me the truth right away.* → Je t' _____ (pardonner) si tu m'avais dit la vérité tout de suite.

14-15 Irréel (présent et passé). Complétez les phrases suivantes en mettant les verbes entre parenthèses aux temps et modes qui conviennent.

1. Si j' _____ (être) toi, je ne refuserais pas une offre pareille!

2. Si j' _____ (être) à ta place il y a deux mois, je n'aurais pas refusé leur offre!

3. Si elle te disait qu'elle partait à Vancouver pour toute une année, comment est-ce que tu _____ (réagir)? Tu serais d'accord?

4. Si elle t'avait dit qu'elle partait à Vancouver pour toute une année, comment est-ce que tu _____ (réagir)? Tu aurais été d'accord?

5. Si nous annulions le voyage, la compagnie aérienne _____ (ne pas nous rembourser): mieux vaut donc ne pas l'annuler.

6. Si nous _____ (annuler) notre dernier voyage deux jours avant le départ, la compagnie aérienne ne nous aurait pas remboursé(e)s: nous avons donc bien fait de ne pas l'annuler.

7. S'il (a) _____ (ne pas pleuvoir) ce matin, je (b) _____ (aller) à mon cours à pied, mais il pleuvait à verse, alors j'ai pris le métro.

8. S'il (a) _____ (ne pas pleuvoir) en ce moment, j' (b) _____ (aller) à mon cours à pied, mais il pleut à verse, alors je crois que je vais prendre le métro.

14-16 Irréel (présent et passé). Complétez les phrases suivantes en mettant les verbes entre parenthèses aux temps et modes qui conviennent.

1. Si Jean avait été un peu plus débrouillard, il nous _____ (trouver) un hôtel plus près de la gare.

2. Si tu (a) _____ (faire) un peu plus attention à ce que je te disais tout à l'heure, nous (b) _____ (ne pas rater) la sortie d'autoroute.

3. Si tu (a) _____ (faire) un peu plus attention à ce que je te dis, tu (b) _____ (se tromper) moins souvent.

4. Si seulement elle s'appliquait un peu plus, elle _____ (obtenir) de bien meilleures notes.

5. Si elle s'était appliquée un peu plus, elle _____ (obtenir) de bien meilleures notes aux derniers examens.

6. S'il n'avait pas fait de biologie, il _____ (ne pas pouvoir) faire sa médecine.

7. Heureusement que tu n'as pas lâché (*quit*) tes études: si tu les (a) _____ (lâcher), tes parents (b) _____ (être) très déçus.

8. Julie serait furieuse si j' _____ (oublier) son anniversaire!

14-17 *Irréel (**présent** et **passé**).** Transformez les phrases selon les modèles ci-dessous. Faites tous les changements nécessaires.

MODÈLES:
- Il pleut, alors nous n'allons pas à la plage, mais… → …s'il ne pleuvait pas, nous irions à la plage.
- Il a plu *ou* pleuvait, alors nous ne sommes pas allés à la plage, mais… → …s'il n'avait pas plu, nous serions allés à la plage.

1. Sa voiture est en panne, alors elle ne la prend pas pour aller au travail, mais…

   _____

2. Sa voiture était en panne, alors elle ne l'a pas prise pour aller au travail, mais…

   _____

3. Il n'a pas le temps, alors il ne viendra pas avec nous, mais…

   _____

4. Il n'a pas eu le temps le week-end passé, alors il n'est pas venu avec nous, mais…

   _____

5. Il n'a pas d'argent, alors il ne prend pas l'avion, mais…

   _____

6. Il n'avait pas d'argent, alors il n'a pas pris de taxi, mais…

   _____

7. Ce livre n'est pas à moi, alors je ne peux pas te le prêter, mais…

   _____

8. Je n'avais pas mon nouveau numéro de portable, alors je ne le lui ai pas donné, mais…

   _____

14-18 *Irréel (**présent et passé**).** Transformez les phrases selon les modèles de l'exercice précédent. Faites tous les changements nécessaires.

1. Aline est malade aujourd'hui, alors elle n'ira pas à l'école, mais…

   _____

2. Aline est malade, alors elle n'est pas allée à l'école ce matin, mais…

   _____

3. Hier, Aline était malade, alors elle n'est pas allée à l'école, mais si hier…

   _____

4. La maison était mal située, alors ils ne l'ont pas achetée, mais…

   _____

5. Je n'avais pas faim, alors je n'ai rien mangé, mais…

   _____

6. Il ne fait pas beau, alors nous ne partons pas en excursion, mais…

   _____

7. Elle n'aura pas de vacances, alors elle n'ira pas voir ses parents, mais…

   _____

8. Je n'ai pas étudié, alors j'ai eu une mauvaise note, mais…

   _____

14-19 *Irréel du présent et du passé.** Complétez les phrases suivantes en écrivant un petit paragraphe avec quatre ou cinq verbes au **conditionnel** (présent ou passé, selon le cas).

    1. Si j'étais multimillionnaire…

    _____

    _____

    _____

    2. Si je pouvais aller à Paris…

    _____

    _____

    _____

    3. Si j'étais maire de ma ville…

    _____

    _____

    _____

    4. Si les attaques terroristes du 11 septembre 2001 n'avaient pas eu lieu…

    _____

    _____

    _____

    5. Si Hitler avait gagné la guerre…

    _____

    _____

    _____

14-20 *Récapitulation: subordonnées introduites par <u>si</u>.** Complétez les phrases suivantes en mettant les verbes entre parenthèses aux temps et modes qui conviennent.

    1. Si j' _____ (être) elle, je n'accepterais pas cette situation.

    2. Je viendrai te voir demain si je _____ (pouvoir) sortir un peu plus tôt que d'habitude.

    3. Si tu aimes tant ce film, eh bien _____ (aller) le revoir avec tes copains!

    4. Passe me voir demain si tu _____ (avoir) le temps, d'accord?

    5. Si, dans leur jeunesse, mes grands-parents _____ (ne pas être) extrêmement pauvres, ils n'auraient jamais immigré aux États-Unis.

    6. S'il faisait beau, nous _____ (faire) du ski, mais c'est impossible parce qu'il ne cesse de pleuvoir!

    7. S'il avait fait beau, nous _____ (faire) du ski, mais nous n'avons pas pu parce qu'il n'a cessé de pleuvoir le week-end dernier.

    8. Si on nous avait dit la vérité, nous _____ (prendre) une décision toute différente.

    9. Si j'étais toi, je _____ (prendre) le train pour aller à Lyon demain.

    10. Si nous n'avions pas pu prendre le train, il _____ (falloir) louer une voiture.

11. Si je peux, je vous _____ (appeler) demain pour prendre rendez-vous.

12. Si j'étais vous, j' _____ (aller) visiter le musée Marmottan: vous y trouverez de splendides Monet.

14-21 *Récapitulation: subordonnées introduites par <u>si</u>. Traduisez les phrases suivantes. Employez les indications données entre crochets.

1. *If he refuses, what will she do?* [employez une question par inversion]

   _____

2. *If he refused, what would she do?* [question par inversion]

   _____

3. *If he had refused, what would she have done?* [question par inversion]

   _____

4. *If you don't leave right away, you'll be late!* [Si tu…]

   _____

5. *If it rains tomorrow, we'll watch a DVD.*

   _____

6. *If I had some money, I'd go to Morocco.* [le Maroc]

   _____

7. *If we had known, we would have taken another road.*

   _____

8. *If he asks you for your e-mail address again, tell him it's none of his business.* [te redemander / adresse électronique / ça ne le regarde pas]

   _____

9. *If you have finished reading that novel, could you lend it to me?* [Si tu…]

   _____

10. *If you invited her and showed her the city, she would be delighted.* [Si vous… / lui faire visiter / ravi]

    _____

14-22 *Récapitulation: subordonnées introduites par <u>si</u>. Traduisez les phrases suivantes. Employez les indications données entre crochets.

1. *If she had been nicer to him, he wouldn't have left her.*

   _____

2. *If I see him, I'll tell him you are looking for him.* [vous / chercher]

   _____

3. *Come join us if you can.* [vous / rejoindre]

   _____

4. *He would have sent her an SMS (Short Messaging System) if he had had his cell phone.* [envoyer un texto]

   _____

5. *If she isn't careful, she'll have problems.*

_____

6. *If she hadn't been careful, she would have had problems.*

_____

7. *Janine would not be a lawyer today if her father hadn't encouraged her.*

_____

8. *If you go to the post office, could you mail this letter for me?* [est-ce que tu... / me mettre cette lettre à la boîte]

_____

9. *They would have bought that studio if it had been a little less expensive.* [Ils...]

_____

10. *If you don't like red [wine], open a bottle of white.* [Si tu / le rouge / déboucher]

_____

14-23 *Si: condition *vs* interrogation indirecte.* Traduisez les phrases suivantes. Employez les indications données entre crochets.

1. *I wonder if she will be there.* [se demander] _____

2. *I will call you if I can.* [t'appeler] _____

3. *I don't know if we'll be done before dinner.* [terminer]

_____

4. *If we're free next weekend, we'll visit Dijon.*

_____

5. *I didn't know if they had already visited Dijon.* [s'ils]

_____

6. *He doesn't know if they'll agree.*

_____

7. *If they disagreed, they would tell him.*

_____

14-24 Locutions avec le <u>si</u> de condition. Complétez par une phrase logique de votre invention.

1. Il m'a regardé(e) comme si...

_____

2. J'ai bien aimé cette pièce, même si...

_____

3. Ne me dérangez pas, sauf si...

_____

4. Si au moins tu... _____, tu n'aurais pas tous ces problèmes!

5. Si jamais vous... _____, passez-moi un coup de fil et je viendrai avec vous.

14-25 *__Autres façons d'exprimer la condition ou l'hypothèse.__ Complétez les phrases suivantes à l'aide d'une des neuf locutions suivantes, selon le cas:

> au cas où / en cas de / pourvu que / tant que / à [la] condition que / à [la] condition de / en admettant que / dans la mesure où / sinon

N'utilisez ces locutions qu'<u>une seule fois</u>.

1. Ajoute deux couverts (*table setting*) _____ Marc et Antoine viendraient dîner ce soir.
2. Je veux bien te prêter 100 euros, _____ tu me les rendes avant la semaine prochaine.
3. N'arrive surtout pas en retard, _____ ton père sera fâché.
4. Tu y arriveras, mais uniquement _____ étudier sérieusement.
5. _____ ce candidat corresponde à ce que nous cherchons, quel salaire lui offrirait-on?
6. _____ on soit ensemble, le reste importe peu!
7. _____ on est ensemble, le reste importe peu!
8. _____ panne, appuyez sur le bouton rouge.
9. C'est un stage que je vous recommande _____ il vous permettra d'acquérir une expérience pratique dont vous avez absolument besoin.

14-26 __Juxtaposition de deux propositions au conditionnel.__

A. Remplacez les mots **en gras** par une subordonnée introduite par **si**. Faites tous les changements nécessaires.

1. **Tu leur aurais raconté cette histoire**, ils ne t'auraient pas cru(e).

   _____

2. **Vous leur feriez une petite visite**, ils seraient ravis.

   _____

3. **Elle aurait pris la peine de lire les instructions**, elle ne se serait pas trompée.

   _____

B. Remplacez les mots **en gras** par une phrase au conditionnel. Faites tous les changements nécessaires.

4. **Si le système d'alarme n'avait pas marché**, la maison aurait été cambriolée.

   _____

5. **Si les trains n'étaient pas en grève**, nous serions allé(e)s visiter Rouen.

   _____

6. **Si tu t'étais réveillé(e) plus tôt**, tu serais arrivé(e) à l'heure.

   _____

14-27 *__Récapitulation générale: hypothèse__ et **condition**. Complétez par des phrases logiques de votre invention.

1. Viens me chercher au cas où…

   _____

2. Si elle aimait tant les langues étrangères…

   _____

3. Attention, ne pas avaler. Tenir loin de la portée des enfants (*Keep away from children*). En cas de…

_____

4. Si ce beau temps continue…

_____

5. J'arriverai à m'en sortir financièrement tant que…

_____

6. L'agent de police nous a regardé(e)s comme si…

_____

7. Si on les avait averti(e)s une semaine auparavant…

_____

8. Ne lui réponds pas, sinon…

_____

9. Mon travail me plaît dans la mesure où…

_____

10. S'il n'a pas encore compris…

_____

11. Je t'aiderai à écrire ta lettre de candidature (*cover letter*) à [la] condition que…

_____

12. Il aura bientôt fini s'il…

_____

13. S'ils sont absents pour deux semaines…

_____

14. Tu m'en aurais parlé plus tôt, je…

_____

15. Ce pantalon est parfait pour toi, à condition de…

_____

15

Chapitre Quinze

Du discours direct au discours indirect au passé

15-1 **Phrases déclaratives: transposition au discours indirect au passé.** Reliez les éléments ci-dessous pour en faire des phrases complètes au discours indirect au passé. Apportez tous les changements nécessaires.

MODÈLE: • Elle m'a dit: «Je ne suis pas libre samedi.» → Elle m'a dit qu'elle n'était pas libre samedi.

Elle m'a dit:
1. «Nina revient cet après-midi.»
2. «Paul passera ce soir.»
3. «Marianne est partie jeudi.»
4. «Il faut qu'il revienne nous voir le plus vite possible.»
5. «J'aimerais faire la grasse matinée (*sleep late*).»
6. «Benoît appellera dès qu'il aura ses résultats.»
7. «Je viens de déménager.»
8. «Je vais déménager prochainement.»
9. «À cette époque-là, je n'avais pas encore terminé mes études.»
10. «J'irai déjeuner une fois que j'aurai fini mon travail.»

15-2 **Phrases déclaratives: transposition au discours indirect au passé.** Reliez les deux phrases de façon à transformer le discours direct en discours indirect au passé. Faites tous les changements nécessaires.

1. Il lui a juré: «C'est la pure vérité!»

   _____

2. Elle a toujours dit: «Cela finira mal!»

   _____

3. J'ai promis à Nicolas: «Je viendrai te chercher chez toi.»

   _____

4. «J'ai réservé nos billets d'avion», a-t-il annoncé à Christiane.

   _____

5. «Je ne suis pas libre ce jour-là», m'a-t-il rappelé.

   _____

6. Elle a avoué à Jérôme: «Sans toi, je vais me sentir bien seule.»

   _____

7. Il pensait: «Je me suis trompé.»

   _____

8. Nous leur avions pourtant bien expliqué: «Il ne faut surtout pas que vous nous attendiez.»

   _____

9. Elle lui a crié: «Je te défends de sortir!»

_____

10. Nous leur avons répondu: «Ça ne vous regarde pas!».

_____

15-3 **Phrases déclaratives: transposition au discours direct.** Transposez les phrases suivantes au discours direct selon le modèle ci-dessous. Faites tous les changements nécessaires. Mettez le verbe introducteur en première position, comme dans le modèle.

MODÈLE: • Il m'a dit qu'il partait samedi. → Il m'a dit: «Je pars samedi.»

1. Rachel m'a averti(e) qu'elle ne pourrait pas arriver avant deux heures.

_____

2. Sébastien a annoncé triomphalement qu'il venait de passer son permis (_driver's license_).

_____

3. La météo avait annoncé que nous allions battre tous les records de froid cette semaine.

_____

4. Virginie m'a répondu qu'elle n'était encore jamais allée à New York mais qu'elle serait ravie d'y aller avec moi.

_____

5. Le petit Ludovic pleurait en disant qu'il ne voulait pas que sa maman s'en aille.

_____

15-4 **Phrases interrogatives: transposition au discours indirect au passé.** Reliez les éléments ci-dessous pour en faire des phrases complètes au discours indirect. Apportez tous les changements nécessaires.

MODÈLES: • Je ne savais pas: «La place est libre?» → Je ne savais pas si la place était libre.
  • Je ne savais pas: «Est-ce que tu y arriveras?» (_Will you make it?_) → Je ne savais pas si tu y arriverais.
  • Je ne savais pas: «Comment va-t-il?» → Je ne savais pas comment il allait.

Je ne savais pas:
1. «Pourquoi insiste-t-il tellement?»
2. «Est-ce qu'il aura assez de temps?»
3. «Finira-t-il par comprendre?»
4. «Que faut-il faire?»
5. «Comment a-t-elle réussi à dénicher (_find_) ce petit hôtel?»
6. «Tu aimerais sortir ce soir?»
7. «Qu'est-ce qui l'intéresse, à part le sport?»
8. «Qu'est-ce qu'elle a acheté comme voiture?»
9. «Quand partiront-ils?»
10. «Avec qui en ont-ils parlé?»

15-5 **Phrases interrogatives: qui _vs_ ce qui _vs_ ce que/qu'.** Reliez les deux phrases de façon à transformer le discours direct en discours indirect au passé. Faites tous les changements nécessaires et éliminez, le cas échéant, le pronom neutre signalé **en gras** dans le texte.

1. Il s'est demandé: «Qui a appelé?»

_____

2. «Qu'est-ce qui ne va pas?» m'a-t-il demandé.

_____

3. «Qu'est-ce que tu vas faire?» Tu ne nous l'as pas encore dit.

_____

4. «Qu'est-ce qui vous gêne tant dans tout cela?» Vous ne nous l'avez pas expliqué.

_____

5. «Que veulent-ils?» Est-ce que vous le leur avez demandé?

_____

6. «Qu'avez-vous fait à Noël?» Racontez-le-nous.

_____

7. «Qui d'autre doit venir?» On ne nous l'a pas dit.

_____

8. «Que va-t-il arriver?» On ne nous l'a pas dit.

_____

9. «Que désirez-vous boire?» m'a demandé la serveuse.

_____

10. «Que s'est-il passé?» Personne ne le savait exactement.

_____

15-6 **Phrases interrogatives: transposition au discours indirect au passé.** Reliez les deux phrases de façon à transformer le discours direct en discours indirect au passé. Faites tous les changements nécessaires et éliminez, le cas échéant, le pronom neutre signalé **en gras** dans le texte.

1. Leurs parents leur ont demandé: «Avez-vous envie de partir en colonie de vacances (*summer camp*)?»

_____

2. [S'adressant à nous] Il a voulu savoir: «Qu'avez-vous prévu pour dimanche après-midi?»

_____

3. J'ai demandé au marchand d'art: «Combien voulez-vous pour ce tableau?»

_____

4. Après l'explosion, tout le monde est sorti dans la rue en se demandant: «Qu'est-ce qui est arrivé?»

_____

5. Nous voulions savoir: «Quelles sont leurs intentions?»

_____

6. «Est-ce que le concert a été annulé?» J'aurais voulu le savoir.

_____

7. Il m'a demandé: «Comment vas-tu t'en tirer (*manage/fend for yourself*)?»

_____

8. «Qui paiera les dégâts?» Tout le monde se le demandait.

_____

9. «À qui dois-je m'adresser (*turn to*)?» Elle ne **le** savait pas.

_____

10. Nous nous étions demandé: «Est-ce qu'elle retrouvera rapidement du travail?»

_____

15-7 **Phrases interrogatives: transposition au discours indirect au passé.** Reliez les deux phrases de façon à transformer le discours direct en discours indirect au passé. Faites tous les changements nécessaires et éliminez, le cas échéant, le pronom neutre signalé **en gras** dans le texte.

1. Ma mère m'a demandé: «Qu'est-ce que tu veux pour ton anniversaire?»

_____

2. «Où est-ce que j'ai mis mes clefs?» Mon père ne s'**en** souvenait plus.

_____

3. J'ai demandé à ma sœur: «Tu es malade?»

_____

4. Elle nous a demandé: «Que voudriez-vous faire jeudi soir?»

_____

5. Mon père a demandé à mon oncle: «Quand reviendras-tu?»

_____

6. J'ai demandé à Lisa: «Quel bus faut-il que je prenne pour aller chez toi?»

_____

7. Mes grands-parents m'ont écrit pour savoir: «Vas-tu bientôt venir nous voir?»

_____

8. Mon père a demandé à mon frère: «Mais enfin, de quoi te plains-tu!?»

_____

9. «Est-ce qu'Alain et toi allez vous marier?» Tu ne nous **l'**as pas encore dit.

_____

10. «Quel âge peut-elle bien avoir?» Je me **le** suis souvent demandé.

_____

15-8 **Phrases interrogatives: transposition au discours direct.** Transposez les phrases suivantes au discours direct selon le modèle ci-dessous. Faites tous les changements nécessaires. Mettez le verbe introducteur en première position, comme dans le modèle.

MODÈLE: • Je leur ai demandé s'ils partaient tout de suite. → Je leur ai demandé: «Est-ce que vous partez tout de suite? *ou* Vous partez tout de suite?»

1. Elle a voulu savoir ce que devenait Nicole ces jours-ci.

_____

2. J'ai demandé à l'agent de police où se trouvait la gare.

_____

3. Ils nous ont demandé si nous aimerions les rejoindre ce week-end.

   _____

4. Je ne lui ai pas demandé comment il fallait que je m'y prenne (*how I had to go about it*).

   _____

5. Ma copine Michèle m'a demandé si je pourrais sortir au cinéma avec elle une fois que j'aurais fini de manger.

   _____

15-9 **Impératifs: transposition au discours indirect au passé.** Faites précéder chacune des phrases suivantes par **Il m'a dit de** ou **Il nous a dit de**, suivant le cas, de façon à créer une phrase complète au discours indirect. Employez uniquement **l'infinitif**. Faites tous les autres changements nécessaires.

MODÈLES: • Tais-toi! → Il **m'**a dit de me taire.
• Taisez-vous! → Il **nous** a dit de nous taire.

1. Assieds-toi! _____

2. Ne vous levez pas! _____

3. Réponds poliment! _____

4. Ne me regardez pas comme ça! _____

5. Aie un peu de patience avec elle. _____

6. Rappelez-nous le plus vite possible. _____

7. Ne vous disputez pas! _____

8. Ne te fâche pas contre elle. _____

9. Approchez-vous. _____

10. Sois à l'heure! _____

15-10 **Impératifs: transposition au discours indirect au passé.** Reliez les deux phrases de façon à transformer le discours direct en discours indirect au passé. Employez **uniquement l'infinitif**. Faites tous les changements nécessaires.

1. Je lui ai recommandé: «N'oublie pas de fermer la porte à clef en sortant.»

   _____

2. Le professeur a conseillé à ses étudiants: «N'attendez pas le dernier moment pour effectuer vos recherches!»

   _____

3. Ma grand-mère m'a dit: «Sonne et entre!»

   _____

4. Alexandre a dit à sa fille: «Sois un peu plus raisonnable, voyons!»

   _____

5. Elle a supplié le dentiste: «Surtout, ne me faites pas trop mal!»

   _____

15-11 *Impératifs: transposition au discours indirect au passé.** Reliez les deux phrases de façon à transformer le discours direct en discours indirect au passé. Employez l'**infinitif** *et* le **subjonctif**. Faites tous les changements nécessaires.

1. Il m'a demandé: «Prévenez-moi.»
   _____

2. J'ai proposé à Leila: «Faisons un peu de tennis.»
   _____

3. Elle avait recommandé à ses amis: «Prenez l'autre route.»
   _____

4. Il avait dit à Marc: «Attends-moi au café du coin.»
   _____

5. «Ne me quitte pas!» avait-il supplié Mélanie.
   _____

6. Elle a conseillé à Pierre: «Mets une autre cravate.»
   _____

7. Ils ont demandé à leur professeur: «Expliquez-nous ce passage.»
   _____

8. Il lui a suggéré: «Récrivez votre introduction.»
   _____

15-12 **Phrases exprimant un ordre: transposition au discours direct.** Transposez les phrases suivantes au discours direct selon le modèle ci-dessous. Faites tous les changements nécessaires. Mettez le verbe introducteur en première position, comme dans le modèle.

MODÈLE: *Il m'a dit de partir tout de suite. → Il m'a dit: «Pars *ou* Partez tout de suite.»

1. Il nous a suggéré d'aller visiter le musée d'Orsay.
   _____

2. Il a demandé qu'on ne le fasse pas trop attendre.
   _____

3. Il nous a dit de ne pas nous en faire (*not to worry*).
   _____

4. Elle leur avait recommandé de ne pas trop s'éloigner.
   _____

5. Sa mère lui a demandé de l'aider un peu.
   _____

15-13 **Récapitulation: transposition au discours direct.** Transposez les phrases suivantes au discours direct. Faites tous les changements nécessaires. Mettez le verbe introducteur en première position.

1. La maîtresse d'école a ordonné aux enfants de se taire.
   _____

2. J'ai voulu savoir ce qui s'était passé.

_____

3. Mon frère et ma meilleure amie nous ont surpris lorsqu'ils nous ont annoncé qu'ils allaient se marier.

_____

4. Daniel se demandait ce qu'il ferait quand il aurait fini ses études.

_____

5. Mes amis ont proposé de partager les frais d'essence.

_____

6. Nous nous demandions ce que nous allions faire cet été.

_____

7. Je me suis juré que je ne retournerais plus jamais dans cet hôtel minable (*lousy*).

_____

8. Elle a reconnu qu'elle s'était trompée.

_____

9. Sans trop y croire, il a annoncé qu'il venait de gagner le gros lot (*jackpot*)!

_____

10. Je voulais simplement savoir si le pique-nique prévu pour dimanche était maintenu.

_____

15-14 Subordonnées multiples. Transposez les phrases suivantes au discours indirect au passé. Faites tous les changements nécessaires. N'oubliez pas, si besoin est, de répéter la conjonction **que/qu'**, la préposition **de/d'** et/ou d'inclure les **pronoms et adverbes interrogatifs** appropriés.

MODÈLE: • Il leur a dit: «Vous pouvez partir, je n'ai plus besoin de vous.» ➜ Il leur a dit **qu'**ils pouvaient partir, **qu'**il n'avait plus besoin d'eux. (*He told them, "You can go, I don't need you any more."* ➜ *He told them that they could go, [that] he didn't need them any more.*)

1. Il a dit: «Je ne sortirai pas: je suis trop fatigué.»

_____

2. Ils m'ont demandé: «Où donc avez-vous appris le français? Est-ce que vous l'étudiez depuis longtemps?»

_____

3. Elle a dit à ses enfants: «Arrêtez de vous chamailler (*bicker*) et finissez vos devoirs!»

_____

4. Elle a dit à Daniel: «Tu as tort et je n'apprécie guère le ton sur lequel tu me parles.»

_____

5. Il m'a demandé: «Est-ce que tu es heureuse? Tu ne regrettes pas trop ta décision?»

_____

6. Il a prié ses parents: «S'il vous plaît, envoyez-moi mon équipement de ski et n'oubliez pas mon anorak.»

_____

15-15 *Subordonnées multiples.** Transposez les phrases suivantes au discours indirect au passé selon le modèle de l'exercice ci-dessus. Faites tous les changements qui s'imposent. N'oubliez pas de répéter la préposition **de/d'** ou la conjonction **que/qu'** si nécessaire, et/ou d'inclure les **pronoms et adverbes interrogatifs** appropriés.

1. Son meilleur ami lui a dit: «Tu travailles trop; tu vas tomber malade si tu continues comme ça!»

   _____

   _____

2. Les parents de Sophie ont insisté pour savoir: «Qu'est-ce que tu as fait tout l'après-midi? Avec qui étais-tu? Pourquoi ne nous as-tu rien dit?»

   _____

   _____

   _____

3. Ils ont dit à leurs enfants: «Cessez de faire les fous et allez nous attendre dans le jardin.»

   _____

   _____

4. Elle m'a dit: «Je partirai lundi, mais je ne sais pas encore à quelle heure exactement.»

   _____

5. Lucien m'a téléphoné pour me dire: «Paul a eu un grave accident; il sera opéré dès qu'on l'aura transporté à l'hôpital.»

   _____

   _____

   _____

6. Vous nous aviez pourtant indiqué: «Nous serions intéressés par votre proposition et sommes prêts à discuter avec vous des conditions financières.»

   _____

   _____

7. Il m'a répondu: «Je vais la voir dans vingt minutes: je lui demanderai de passer te prendre tout à l'heure.»

   _____

   _____

8. Ma mère m'avait demandé: «Que feras-tu là-bas? Connais-tu au moins quelqu'un à qui t'adresser en cas de besoin?»

   _____

   _____

   _____

9. Il ne savait pas: «Que dois-je faire et comment dois-je m'y prendre (*go about it*)?»

   _____

   _____

10. Guillaume s'est exclamé: «Mais Caroline est adorable! C'est bien dommage pour moi qu'elle ait déjà un copain…»

    _____

    _____

15-16 *Subordonnées de type mixte.** Transposez les trois passages suivants au discours indirect au passé. Faites tous les changements nécessaires, en éliminant notamment tout ce qui appartient au discours oral. Employez, au besoin, des verbes introducteurs supplémentaires indiqués entre crochets.

1. Amélie a crié à son petit frère: «Oh là là! Mais fais attention! Ne cours pas si vite, sinon tu vas tomber!»

    _____

    _____

    _____

2. Le clochard (*homeless man*) demandait aux passants d'une voix plaintive: «S'il vous plaît messieurs dames, vous n'auriez pas une petite pièce? J'ai faim: je n'ai rien mangé depuis longtemps.»

    _____

    _____

    _____

3. Il m'a dit: «Allez! Réveille-toi, prends ta douche et habille-toi; tu es toujours en retard!» [ajouter en grommelant (*grumbling*).]

    _____

    _____

    _____

15-17 *Subordonnées de type mixte.** Transposez ce texte au discours indirect au passé. Faites tous les changements nécessaires. Éliminez notamment tout ce qui appartient au discours oral. Employez les verbes introducteurs suivants, dans l'ordre indiqué:

demander / vouloir aussi savoir / s'exclamer / avertir / faire comprendre

(1) Le célèbre commissaire Maigret a interrogé le détenu: «Bon alors, quel est ton vrai nom? Où habites-tu? Depuis combien de temps vis-tu à Paris? (2) Tu as un complice?» (3) Le détenu s'est exclamé: «Ah mais je suis innocent, moi! Je ne parlerai que devant mon avocat.» (4) Maigret, irrité, l'a averti: «Oh, ne fais pas le malin avec moi! Je sais bien que le hold-up de la Banque de France, c'est toi qui en es l'auteur! (5) Bon, écoute, si tu passes aux aveux, tu auras une remise de peine (*a lighter sentence*).»

_____

_____

_____

_____

_____

_____

_____

_____

_____

15-18 *Changements dans les expressions de temps et de lieu.** Traduisez les phrases suivantes, puis mettez-les au discours indirect au passé. Faites tous les changements nécessaires, en particulier dans les expressions de temps et de lieu. Employez les mots entre crochets.

1. *She told me back then [à l'époque], "I met him last year."*

   _____

   _____

2. *Later, she confessed to me, "I did see someone strange sitting here, at this table." [avouer / voir effectivement]*

   _____

   _____

3. *Hadn't John told Sarah, "I'm now working in Vancouver."?* [employez la question par inversion]

   _____

   _____

4. *They had suggested to me, "Come back the day after tomorrow." [Ils… / proposer]*

   _____

   _____

5. *She had told me, "Mark left three days ago."*

   _____

   _____

6. *I had warned my parents, "I am going out tonight." [avertir]*

   _____

   _____

7. *She had asked me, "Call me today."*

   _____

   _____

8. *Jim had wondered, "Why did she arrive yesterday and not the day before?" [se demander]*

   _____

   _____

9. *They had promised us, "We'll contact you in three days."*

   _____

   _____

10. *They had asked me, "Are you coming back tomorrow or next week?"*

    _____

    _____

15-19 *Transposition de dialogue.** Reconstituez le dialogue suivant en le transposant au discours indirect au passé. Faites tous les changements nécessaires en éliminant notamment tout ce qui appartient au discours oral. Employez les verbes introducteurs indiqués entre crochets.

1. Cendrine: «Jacques, allons manger au restaurant ou dans une crêperie si tu préfères.» [proposer]

2. Jacques (légèrement agacé: *slightly annoyed*): «Oh écoute non, franchement, je préfère rester à la maison, nous sortons trop souvent, ce n'est pas bon pour la santé.» [répondre / faire remarquer (*point out*)]

3. Cendrine, vexée: «Si tu t'inquiètes tant pour ta santé, tu ferais mieux d'arrêter de fumer et de faire un peu de sport! D'ailleurs, je n'ai pas l'intention de faire la cuisine!» [riposter en disant (*to fight back by saying*) / lancer (*to speak angrily*)]

4. Jacques, ahuri (*flabbergasted*): «Mais enfin voyons Cendrine, qu'est-ce qui ne va pas? Pourquoi tu te fâches comme ça? Je ne voulais pas te critiquer, c'était juste une constatation, comme ça, en passant… Bon écoute, c'est moi qui la ferai, la cuisine, ce soir!» [demander / assurer / ajouter pour finir]

_____

_____

_____

_____

_____

_____

_____

_____

15-20 *Transposition de dialogue.** Reconstituez le dialogue suivant en le transposant au discours indirect au passé. Faites tous les changements nécessaires en éliminant notamment tout ce qui appartient au discours oral. Employez les verbes introducteurs indiqués entre crochets.

1. Véronique: «Allô Karine? Comment vas-tu? Ça fait une éternité qu'on ne s'est pas vues!» [appeler qqn pour lui demander / ajouter]

2. Karine: «Je me porte comme un charme. Et toi, qu'est-ce que tu deviens? Vous êtes toujours ensemble, Julio et toi?» [répondre / demander]

3. Véronique: «Oui, c'est toujours le grand amour entre nous! Mais je m'inquiète un peu depuis quelque temps parce qu'il veut émigrer au Canada.» [s'exclamer / avouer tout de même]

4. Karine (stupéfaite): «Ah bon! Au Canada? Julio? Mais pourquoi ça, au nom du ciel? Il n'est pas heureux à Paris?» [demander]

5. Véronique (après quelques hésitations): «Euh, si, enfin non, pas tout à fait. En fait Julio a décidé de fonder une école de tango à Montréal et m'a demandé de partir là-bas avec lui.» [expliquer]

6. Karine (abasourdie): «Ça alors! J'espère que tu ne vas pas tout lâcher pour suivre ton bel Hidalgo!… Pense à ta carrière, à tes amis, à ta famille!» [dire / supplier]

7. Véronique: «Ah là là, je ne sais pas trop ce que je vais faire, ce n'est pas une décision facile tu sais, mais Montréal me fait rêver depuis longtemps… Oh là là, écoute, il est tard, il faut que je me sauve, j'ai rendez-vous avec Julio justement… Je te rappellerai. Bon, allez, je t'embrasse, à bientôt.» [répondre / se rendre compte tout à coup / dire au revoir en lui promettant]

_____

_____

_____

_____

_____

_____

_____

_____

_____

_____

_____

_____

_____

_____

_____

_____

_____

15-21 *Rédactions

A. Vous avez été témoin d'une altercation entre deux automobilistes lors d'un léger accrochage (_fender bender_) à un carrefour, en pleine heure de pointe (_rush hour_). Vous racontez cette scène à des amis sous forme de discours indirect au passé. (1 page)

B. Vous organisez une sortie avec des amis pour le week-end prochain. Votre amie Lydia vous téléphone pour savoir à l'avance ce que vous ferez. Rapportez cette conversation à une tierce personne sous forme de discours indirect au passé. (1 page)

16

Chapitre Seize

De la transposition à la narration au passé
Temps rares et littéraires

16-1 Transposition au passé. Transposez les phrases suivantes au passé. Faites tous les changements nécessaires et indiquez toutes les possibilités.

1. Est-ce qu'il a déjà appelé?

   _____

2. Si tu étais plus gentil(le), il serait plus généreux.

   _____

3. Il pleut des trombes (*raining buckets*) ce matin.

   _____

4. Est-ce qu'il faut faire une réservation?

   _____

5. Ils viennent de m'avertir qu'ils arriveront un peu en retard.

   _____

6. Il arrive vers midi. _____

7. Il arrive toujours vers midi. _____

8. J'espère qu'elle passera (*come by*) nous dire bonjour.

   _____

9. Nous allons t'appeler. _____

10. Il aimerait manger plus tôt. _____

16-2 Transposition au passé. Transposez les phrases suivantes au passé. Faites tous les changements nécessaires et indiquez toutes les possibilités.

1. Je ne peux pas payer mon sandwich parce que j'ai oublié mon porte-monnaie.

   À midi… _____

2. Nous venons de terminer nos examens.

   _____

3. Si j'étais toi, j'inviterais Michel et son frère.

   _____

4. Je suis persuadé(e) qu'ils seront rentrés avant la pluie.

   _____

5. Je sais qu'ils pourront nous aider!

   _____

6. Quand mes grands-parents ont fini de manger, ils regardent toujours les informations à la télévision.

   _____

7. Il dit qu'une fois qu'il aura trouvé du travail, il cherchera un appartement.

   _____

8. Le samedi, pendant que Michel fait les courses, Hélène s'occupe toujours des enfants.

   _____

9. Samedi, pendant que Michel fait les courses, Hélène s'occupe des enfants.

   _____

10. Il est important que je me mette au travail le plus tôt possible.

   _____

16-3 **Transposition au passé.** Transposez les phrases suivantes au passé. Faites tous les changements nécessaires et indiquez toutes les possibilités.

1. Ils se connaissent déjà? _____

2. Je sais qu'ils viennent de s'acheter une nouvelle voiture.

   _____

3. Je n'ai pas l'impression qu'il reviendra de si tôt.

   _____

4. Je crois qu'ils vont bientôt rentrer.

   _____

5. Nous nous sommes couché(e)s tôt parce que nous avons mal dormi hier. [la veille]

   _____

6. Elle se demande ce que vous ferez.

   _____

7. Si nous avions deux semaines de vacances, nous partirions à Rome.

   _____

8. Mes parents regrettent que nous ne soyons pas resté(e)s plus longtemps.

   _____

9. Leur enfant grandit beaucoup en quelques mois.

   _____

10. Cet enfant a beaucoup grandi depuis qu'il va à l'école.

   _____

16-4   Transposition au passé. Transposez les phrases suivantes au passé. Faites tous les changements nécessaires et indiquez toutes les possibilités.

1. En général, elle comprend ce qu'on lui dit.

   _____

2. Je ne sais pas si vous avez compris ce qu'elle vient de dire.

   _____

3. Je pense que nous aurons fini avant midi.

   _____

4. Il croit toujours qu'il va gagner à la loterie.

   _____

5. Il dit qu'il nous rejoindra dès qu'il aura terminé son cours.

   _____

6. On annonce à la radio que le président donnera une conférence de presse.

   _____

7. J'aimerais te parler de quelque chose de confidentiel.

   _____

8. Il est onze heures et plusieurs milliers de gens sont déjà là pour la manifestation qui doit commencer à midi.

   _____

9. Nous essayons de leur téléphoner depuis ce matin, mais c'est tout le temps occupé.

   _____

10. Des sources proches du gouvernement affirment que la police vient de mettre la main sur les coupables (mettre la main sur = *to arrest*).

   _____

16-5   La narration au passé. Transposez ce texte au passé en mettant les verbes **en gras** aux temps qui conviennent. Faites tous les changements nécessaires. Attention à l'accord du participe passé et à la place des adverbes, le cas échéant.

Journal de Samba, jeune Sénégalais étudiant à Sciences Po

Il (1) **est** neuf heures du soir: il n'y (2) **a** rien d'intéressant à la télévision, j'(3) **ai** très soif et je me (4) **sens** un peu seul, alors je (5) **sors** prendre une bière dans un café du quartier. Là, j' (6) **aperçois** mon amie Suzanne qui (7) **boit** un verre avec des amis. Elle (8) me **voit** et m' (9) **invite** à les rejoindre. (10) Ce **sont** tous des étudiants comme moi, en train de discuter de leurs projets de vacances. La plupart d'entre eux ne (11) **savent** pas encore très bien ce qu'ils (12) **feront**. Benoît (13) **dit** qu'il (14) **aimerait** bien aller au Maroc mais Suzanne lui (15) **fait** remarquer qu'il (16) **fait** trop chaud là-bas en été: elle (17) **veut** aller en Norvège visiter les fjords et il (18) **est** évident qu'elle (19) **compte** sur Benoît pour qu'il (20) **vienne** avec elle. Lui ne (21) **semble** guère emballé (*thrilled*) par cette idée. Il (22) **dit** qu'il (23) **verra**, que ça (24) **dépendra** d'un tas de choses. Pour ne pas trop blesser Suzanne qui (25) **a pris** un petit air triste tout à coup, Benoît (dont la nouvelle petite amie (26) **habite** dans un studio juste au-dessus du mien) (27) **se lance** dans une histoire cousue de fil blanc (*a cock-and-bull story*). Il (28) **explique** que ses parents lui (29) **ont fait** la morale: il (30) **faut** absolument qu'il (31) **soit reçu** (*pass*) à ses examens, sinon il n' (32) **aura** pas de vacances du tout, et nul (*hopeless*) comme il l' (33) **est**, il (34) **risque** de passer toutes ses vacances à Paris. Bien entendu, Suzanne (35) **ne croit pas** un mot de ce qu'il (36) **dit** et comme Benoît (37) **voit** qu'elle (38) **va** lui faire une scène d'une minute à l'autre, il s' (39) **esquive** (*slips away*) en prétextant qu'il (40) **est** tard et qu'il (41) **doit** se lever tôt demain pour assister à son cours de droit constitutionnel. Après son départ précipité, comme Suzanne (42) **a** l'air de broyer du noir (*seems to be down in the dumps*), je (43) **reste** un peu avec elle pour lui changer les idées. Bien sûr, je me (44) **garde** bien de lui révéler que la nouvelle copine de Benoît (45) **est** ma voisine du dessus: Suzanne (46) me **poserait** des tas de questions indiscrètes auxquelles je ne (47) **veux** pas répondre. Je ne (48) **tiens** pas le moins du monde à être mêlé à leurs histoires. Vers une heure du matin, (49) je **raccompagne** Suzanne chez elle. Au moment de la quitter, je lui (50) **dis**, l'air de ne pas y toucher (*in a seemingly detached manner*), que j' (51) **ai** des ancêtres scandinaves, que mon norvégien (52) **est** un peu rouillé (*rusty*) mais que si elle (53) **a** besoin de compagnie pendant ses vacances, il y (54) **a** toujours moyen de s'arranger, entre copains bien sûr, et sans aucune obligation. Elle (55) **se met** à rire en me disant que (56) je **suis** le meilleur ami du monde. On (57) **se fait** la bise en se promettant qu'on (58) **ira** voir un film samedi soir. Quand je (59) **rentre**, il (60) **est** près de deux heures du matin. Au-dessus de mon studio, tout (61) **est** calme et je (62) **m'endors** presque immédiatement.

16-6   La narration au passé. Transposez ce texte au passé en mettant les verbes **en gras** aux temps qui conviennent. Faites tous les changements nécessaires. Attention à l'accord du participe passé.

Il était une fois…

Quand mes arrière-grands-parents, Giacomo et Giovanna, (1) **immigrent**, ils (2) **viennent** tous deux d'avoir vingt ans. Giacomo, qui (3) **est** maçon, (4) **trouve** très vite du travail dans la construction. Giovanna, qui (5) **a** des mains de fée, (6) **s'établit** comme couturière. En cinq ans, ils (7) **ont** trois enfants: mon grand-père, Luigi, qui (8) **naît** en 1921, puis des jumelles, qui (9) **viennent** au monde deux ans plus tard. Quand mon grand-père (10) **a** (*turns*) dix-sept ans, mon arrière-grand-mère, qui (11) **est** très catholique, (12) **insiste** pour qu'il (13) **devienne** prêtre. En effet, lors de la traversée en bateau entre la Sicile et l'Amérique, le navire sur lequel ils (14) **ont réussi** à obtenir deux toutes petites places sur un coin de matelas, (15) **a essuyé** une terrible tempête. Affolée, Giovanna, qui (16) **croit** que le bateau (17) **va** sombrer corps et biens (*sink*) d'un moment à l'autre, (18) **a promis** à la Vierge Marie que, si Giacomo et elle (19) **arrivent** à bon port à New York, leur premier-né (20) **entrera** dans les ordres (*religious orders*) et (21) **deviendra** prêtre ou religieuse. Malheureusement pour elle, mon grand-père Luigi (22) **est** une forte tête (*rebel*); surtout, il n' (23) **a** pas le plus petit atome de vocation religieuse. Il (24) **refuse** donc net, ce qui (25) **occasionne** des scènes terribles entre lui et sa mère. Comme elle (26) **insiste** en pleurant et en invoquant la Vierge et tous les saints du Paradis, Luigi, excédé, (27) **finit** par quitter la maison et (28) **s'engage** dans une usine où il (29) **travaille** pendant près de trois ans. En 1941, quand les États-Unis (30) **entrent** en guerre, il (31) **est** appelé sous les drapeaux. Il (32) **se réconcilie** avec sa mère juste avant que sa division ne (33) **soit** envoyée en Sicile. Là, après quelques tentatives infructueuses, il (34) **réussit** à contacter ceux de sa famille qui (35) **sont restés** attachés à la terre et à ses traditions. Comme Luigi (36) **a** toujours **parlé** italien avec ses parents et ses sœurs, il (37) **renoue** sans problème avec ses oncles et ses tantes, ainsi qu'avec tous ses cousins. À la fin de la guerre, lorsqu'il (38) **est** démobilisé, Luigi (39) **entre** à l'université où il (40) **fait** de brillantes études de philosophie et de religion. Après son doctorat, il (41) **épouse** une belle cousine qu'il (42) **a rencontrée** en Sicile pendant la guerre. Il (43) **commence** sa carrière de jeune professeur à New York, puis en 1970, il (44) **est** nommé à Milan où il (45) **occupe** pendant très longtemps une chaire en histoire des religions. Au moment de sa retraite, mon grand-père Luigi (46) **achète** une grande villa en Sicile, dans le village natal de ses parents, où toute la famille (47) **se retrouve** encore chaque année.

16-7 La narration au passé. Transposez ce texte au passé en mettant les verbes **en gras** aux temps qui conviennent. Attention à l'accord du participe passé.

La journée de Michel, mari de Marielle (voir chapitre 1, exercice 1-9)

Ce matin, en partant, Marielle (1) me **rappelle** qu'elle ne (2) **sera** pas de retour avant onze heures parce qu'elle (3) **a** une réunion suivie d'un dîner avec des clients importants. Comme Janine et Pierre (4) **doivent** venir dîner le lendemain, elle m' (5) **a dressé** une longue liste de choses à faire. D'abord, je (6) **vais** chercher sa robe noire chez le teinturier—elle (7) **a mis** le ticket bien en vue sur la table dans l'entrée—et pendant que j'y (8) **suis**, je leur (9) **laisse** mes chemises et mon costume d'été, comme Marielle me l' (10) **a suggéré**. Ensuite, je (11) **passe** chez le boucher et je lui (12) **commande** un carré d'agneau (*rack of lamb*). Marielle m' (13) **a demandé** de prendre du porc, mais moi, je n' (14) **aime** pas tellement ça… (15) Je **dis** au boucher qu'on (16) **passera** prendre la commande demain en fin de matinée. Comme ils (17) **ont** de beaux pâtés, j'en (18) **prends** une tranche. Avec un verre de rouge et une baguette, ce (19) **sera** mon déjeuner, et tant pis si Marielle (20) **se plaint** que ça la (21) **fait** grossir. De toute façon, d'ici qu'elle (22) **soit rentrée** ce soir, il n'y en (23) **aura** plus, de ce délicieux pâté. En revenant, je (24) **m'arrête** au marché et j' (25) **achète** tous les légumes que Marielle (26) **a mis** sur sa liste. Pendant que je (27) **regarde** si je (28) **peux** trouver une barquette de framboises qui (29) **convienne** à madame—il (30) **faut** dire que Marielle (31) **est** adorable mais un peu difficile sur certaines choses—je (32) **tombe** (*run into*) sur mon ami Lucas qui (33) **est** dessinateur comme moi. Comme il (34) **habite** (*Since he lives*) le quartier, nous (35) **allons** prendre un café et nous (36) **nous mettons** à discuter politique. Vers une heure, je (37) **rentre**. Au moment où (38) je **suis** en train de ranger mes emplettes (*shopping*), je (39) **me rends** compte que j' (40) **ai oublié** de passer à la pâtisserie pour commander le dessert, alors je (41) **ressors** vite parce que je (42) **sais** que si je ne le (43) **fais** pas, Marielle (44) **piquera** une crise (*throw a fit*)… Ah, les femmes! Après mon repas, que (45) je **mange** sur le pouce (*quickly*) à la table de la cuisine, (46) je **lis** le journal et je (47) **retourne** à mes illustrations. Marielle m' (48) **a demandé** de nettoyer le frigidaire et de ranger l'appartement, mais il ne (49) **faut** pas exagérer: en inspectant les lieux, (50) je **trouve** que le frigidaire et l'appartement (51) **sont** suffisamment propres et bien rangés. De toute façon, le soir, la saleté ne (52) **se verra** pas. Comme Marielle ne (53) **revient** pas pour dîner, (54) je **finis** le pâté et la bouteille de vin du déjeuner. Ensuite (55) je **regarde** un vieux film à la télévision. Quand Marielle (56) **rentre** vers onze heures et demie, je (57) **dors** déjà à poings fermés devant le poste allumé. Elle (58) me **réveille** et (59) me **raconte** quelque chose, mais (60) je **suis** tellement dans les vapes[1] (*out of it*) que je ne me (61) **rappelle** plus un seul mot de ce qu'elle (62) me **dit**… Ce matin, on (63) **se croise** au moment où elle (64) **part** au travail: elle (65) **a** l'air de mauvaise humeur. Je (66) **me demande** pourquoi…

16-8 La narration au passé. Complétez le petit texte suivant en mettant les verbes entre parenthèses aux temps qui conviennent. Faites tous les changements nécessaires. Attention à l'accord du participe passé et à la place des adverbes, le cas échéant.

Meurtre sanglant dans une petite ville de province

Hier, en début d'après midi, une rixe (*brawl*) (1) _____ (mettre) aux prises deux bandes rivales

de voyous (*hooligans*). Les protagonistes, qui (2) _____ (sembler) se connaître,

(3) _____ (commencer) par s'insulter, puis ils (4) _____ (sortir) leurs poings

et la bagarre (5) _____ (éclater) en pleine heure de pointe (*rush hour*). Deux jeunes gens

armés d'un couteau (6) _____ (agresser) un jeune homme de vingt-quatre ans. Ils lui

---

[1] «Être dans les vapes» appartient au français familier. L'expression signifie être dans les vapeurs du sommeil, de la fatigue ou de l'alcool, etc.

(7) _____ (asséner: *to strike*) plusieurs coups mortels. La victime (8) _____ (s'écrouler) sur le trottoir en perdant son sang. La compagne du jeune homme, une jeune femme de vingt ans, (9) _____ (s'échapper) en hurlant. Frustrés de ne pas pouvoir la rattraper, les agresseurs (10) _____ (s'en prendre: *to go after*) au chien de la victime, un épagneul inoffensif qu'ils (11) _____ (assommer: *to knock out*) à coups de barre de fer. Selon les témoins, tout (12) _____ (se dérouler: *to happen*) très vite. Alertée par l'un d'eux, la police (13) _____ (ne pas avoir) le temps d'intervenir pour prévenir le drame. La victime (14) _____ (être) transportée d'urgence par ambulance au centre hospitalier où elle (15) _____ (décéder: *to die*) peu après son arrivée. On (16) _____ (retrouver aussi) le cadavre du chien qui (17) _____ (être) mort (*had died*) de ses blessures. La police (18) _____ (immédiatement installer) un périmètre de sécurité fermant la rue principale à la circulation. Le centre de la ville (19) _____ (rester) bloqué tout l'après-midi, ce qui (20) _____ (causer) de gros embouteillages (*traffic jams*). Très vite, des centaines de badauds (*onlookers*) (21) _____ (se masser) sur les trottoirs. Chacun (22) _____ (se mettre) à raconter sa version des faits et plusieurs hypothèses (23) _____ (être) avancées, sans qu'aucune (24) _____ (ne pas pouvoir) être confirmée. Certaines personnes (25) _____ (essayer) d'interroger les policiers pour savoir ce qui (26) _____ (se passer réellement) mais les agents (27) _____ (rester) muets. Ils (28) _____ (faire) de leur mieux pour disperser la foule et rétablir l'ordre. Depuis lors, un communiqué de presse nous (29) _____ (apprendre) qu'une bagarre (*fight*) survenue la veille au soir entre deux bandes de dealers serait à l'origine de la rixe meurtrière d'hier après-midi. La police continue son enquête. Jusqu'à aujourd'hui, on (30) _____ (ne... toujours pas retrouver) les meurtriers ni la jeune fille qui (31) _____ (accompagner) la victime.

(D'après un fait divers du journal *24 heures*, mardi 9 mars 2004, p. 23)

16-9   ***Narration au passé.** Complétez le petit texte suivant en mettant les verbes entre parenthèses aux temps qui conviennent. Faites tous les changements nécessaires. Attention à l'accord du participe passé et à la place des adverbes, le cas échéant.

Mémorables agapes

Il y a cinq jours, c' (1) _____ (être) la Saint-Sylvestre et ma famille et moi (2) _____ (devoir) réveillonner (*were supposed to spend the night*) avec des amis. À neuf heures du soir, nous (3) _____ (arriver) chez un premier couple d'amis. Là, nous (4) _____ (boire) du champagne à gogo tout en dégustant des amuse-bouche maison (*homemade appetizers*). Pendant ce temps, un des invités (5) _____ (jouer) du piano pour créer une ambiance: j' (6) _____ (reconnaître) l'air fétiche du Sorcier d'Oz, dans une interprétation jazzy. Puis les adolescents (7) _____ (quitter) la fête pour se rendre à leur propre réveillon. Nous (8) _____ (aller) chez nos voisins où (9) _____ (devoir) se poursuivre la suite des opérations. Les maîtres de maison (10) _____ (bien préparer) la fête: un feu de cheminée et une table joliment décorée (11) _____ (attendre) les invités. Alors les choses sérieuses (12) _____ (commencer). Après les fruits de mer (*seafood*), nous (13) _____ (déguster) une macédoine de légumes, tout cela sur un rythme largo: en effet, entre les huîtres, les crabes et les écrevisses (*crayfish*), nous (14) _____ (se lever) pour danser un paso doble, un slow ou une valse lente. Soudain quelqu'un (15) _____ (s'écrier): «Il va être minuit!» Alors tout le monde (16) _____ (s'arrêter), la fourchette ou le pied en l'air, et (17) _____ (se mettre) à compter à rebours: «Cinq, quatre, trois, deux, un, zéro! Bonne année!» On (18) _____ (s'embrasser), et bien sûr, on (19) _____ (déboucher) d'autres bouteilles de champagne. Les petits enfants, qui (20) _____ (rester) avec les adultes, (21) _____ (être) ravis de l'effusion générale. Alors nous (22) _____ (attaquer) le plat de résistance: des magrets de canard, que le maître de maison, stoïque, (23) _____ (faire) griller dehors, par un froid… de canard (*freezing cold*)! La garniture (24) _____ (consister) en des fagots d'asperges et des champignons sauvages. Bien des plaisanteries et des chansons plus tard, un magnifique plateau de fromages, qu'un des couples d'invités (25) _____ (offrir) pour l'occasion, (26) _____ (annoncer) enfin le moment des desserts. Pour terminer dignement ce premier repas de l'année, nos hôtes, qui (27) _____ (tout prévoir) et (28) _____ (ne laisser) aucun détail au hasard, nous (29) _____ (présenter) de magnifiques plateaux de petits fours aux formes et aux couleurs plus tentantes les unes que les autres! Ah, mes aïeux, quelles agapes mémorables! Il nous (30) _____ (falloir) (*it took us*) deux jours pour retrouver notre forme coutumière, mais convenons que cette inauguration de l'année nouvelle en (31) _____ (valoir) bien la peine!

16-10 Narration au passé. Complétez le petit texte suivant avec les **participes passés** de verbes qui conviennent. Faites les accords nécessaires. Dans certains cas, plusieurs verbes sont possibles. Aidez-vous des auxiliaires et, le cas échéant, des prépositions, pour trouver les verbes manquants.

Escapade parisienne

Émilie a (1) _____ le train de nuit pour aller à Paris passer une journée. Elle a (2) _____ à ses parents pour leur dire qu'elle était bien (3) _____. Comme elle avait faim, elle est (4) _____ au café du coin, bien déterminée à profiter immédiatement de son séjour dans la capitale. Après avoir (5) _____ un café au lait et (6) _____ un croissant, elle a donc (7) _____ de visiter Paris tout de suite. Elle s'est (8) _____ immédiatement vers le Quartier latin. À midi, elle a (9) _____ Odile, une amie d'enfance devenue parisienne, à laquelle elle avait (10) _____ rendez-vous au café de Flore. Après un déjeuner de croque-madame, les deux jeunes filles sont (11) _____ à pied au musée d'Orsay pour y voir une exposition sur Courbet. Il leur a (12) _____ bien sûr faire la queue pendant une demi-heure, mais cela en valait la peine: Émilie était ravie car elle avait (13) _____ des études sur la peinture et s'intéressait à Courbet. Elle ne voulait pas repartir sans avoir (14) _____ *L'Atelier du peintre*, son plus célèbre tableau. Comme il restait encore du temps avant l'heure du dîner, elle et son amie ont (15) _____ de faire une promenade en bateau-mouche sur la Seine, autre façon de découvrir la ville. Une heure plus tard, après être (16) _____ sous une trentaine de ponts, elles sont (17) _____ à l'embarcadère. Alors Odile a (18) _____ Émilie chez elle, à Bastille. Là, elles ont vite (19) _____ d'une omelette aux fines herbes car il ne fallait surtout pas rater l'ouverture de *Carmen*, opéra pour lequel on leur avait (20) _____ de très bonnes places. Vraiment, cette journée-là a (21) _____ parmi les meilleures qu'ait jamais (22) _____ Émilie.

16-11 *Passé simple.* Mettez tous les verbes entre parenthèses au **passé simple**.

1. Le coup (a) _____ (partir) tout seul (*The rifle went off by itself*) sans atteindre le lapin qui (b) _____ (détaler) dans les fourrés (*who ran off in the thickets*).

2. Napoléon Bonaparte (a) _____ (naître) en 1769 à Ajaccio; il (b) _____ (mourir) en 1821 à Sainte Hélène.

3. Le public _____ (applaudir) avec enthousiasme le soliste qui avait merveilleusement joué.

4. Il (a) _____ (s'arrêter), médusé (*flabbergasted*), et (b) _____ (attendre) que les manifestants cessent de le huer.

5. Bien des éleveurs de bétail (*cattle growers*) aux États-Unis et au Canada (a) _____ (être) obligés de se rendre à l'évidence: certaines de leurs bêtes étant atteintes de la maladie de la vache folle, on (b) _____ (devoir) les abattre (*they had to be slaughtered*).

6. Au lendemain du référendum, le premier ministre _____ (démissionner) à la demande de son propre parti.

16-12 *Passé simple.* Mettez tous les verbes entre parenthèses au **passé simple**.

1. Lorsqu'on lui (a) _____ (poser) la question, il ne (b) _____ (savoir) que répondre et (c) _____ (rester) bouche bée (*stood aghast*) pendant plus d'une minute.

2. Ils ne (a) _____ (pouvoir) se résoudre à vendre leur propriété et (b) _____ (finir) par s'endetter.

3. Le lendemain de cet incident, nous (a) _____ (avoir) la surprise de voir arriver Madame de Tournais. Au dîner, elle nous (b) _____ (annoncer) le mariage de sa fille avec le marquis de Laumes.

4. Quand ils (a) _____ (arriver), on leur (b) _____ (faire) fête, ce qui les (c) _____ (remettre) d'excellente humeur.

5. La conduite de son fils lui (a) _____ (paraître) si inexcusable qu'il ne (b) _____ (vouloir) d'abord pas y croire; il (c) _____ (ne pas en dormir) de la nuit et le lendemain matin, il avait le visage abattu d'un père en proie aux plus cruels tourments.

6. Quand les enfants (a) _____ (apercevoir) leur mère, ils (b) _____ (courir) à elle pour l'embrasser.

16-13 *Passé simple *vs* passé antérieur.* Mettez les verbes entre parenthèses au **passé simple** ou au **passé antérieur**, selon le cas. Attention au choix de l'auxiliaire, à l'accord du participe passé ainsi qu'à la place de l'adverbe, le cas échéant.

1. Une fois qu'il (a) _____ (ouvrir) la malle qu'on lui avait amenée, il (b) _____ (découvrir) qu'elle contenait des livres rares, des couverts en argent et une cassette de bijoux.

2. Après que présidents et ministres (a) _____ (longuement délibérer) et (b) _____ (se mettre) d'accord sur toutes les conditions, ils (c) _____ (signer) le traité de paix qui mettait fin à sept ans d'une guerre sanglante.

3. Aussitôt qu'elle (a) _____ (entrer) à leur service, elle (b) _____ (chercher) par tous les moyens à s'attirer les faveurs de ses maîtres.

4. Après que le notaire (a) _____ (finir) de lire le testament et que Jeanne (b) _____ (recevoir) la confirmation que son père l'avait bel et bien déshéritée au profit de son frère, elle (c) _____ (pousser) un cri terrible et (d) _____ (tomber) sans connaissance sur le tapis.

16-14 *Narration au passé simple.* Complétez le petit texte suivant en mettant les verbes entre parenthèses aux temps qui conviennent (passé simple, imparfait, plus-que-parfait, selon le cas).

L'Alsace

In 1918, Alsace became French again. → En 1918, l'Alsace (1) _____ (redevenir) française. *It had become German in the nineteenth century, after the fall of the Second Empire in 1870.* → Elle (2) _____ (devenir) allemande au dix-neuvième siècle, après la chute du second Empire en 1870. *Many Alsatians had not seen their French relatives in years.* → De nombreux Alsaciens (3) _____ (ne pas voir) leurs parents français depuis des années. *Now, Germany was to annex Alsace again in 1940, only to give it back to France once again a few years later, in 1945.* → Or, l'Allemagne (4) _____ (devoir) de nouveau annexer l'Alsace en 1940, mais pour la rendre une fois de plus à la France quelques années plus tard, en 1945. *So, in seventy five years, the province had been claimed no fewer than four times by both neighbors!* → Ainsi, en soixante-quinze ans, la province (5) _____ (être) revendiquée non moins de quatre fois par les deux pays voisins!

(D'après le *Petit Larousse Illustré*, Paris 1980)

16-15 **Narration au passé simple.** Complétez le petit texte suivant en mettant les verbes entre parenthèses aux temps qui conviennent (passé simple, passé antérieur, imparfait, plus-que-parfait, selon le cas).

Napoléon Ier

Napoléon Bonaparte (1) _____ (naître) le 15 août 1769 en Corse, cette île méditerranéenne que Gênes (2) _____ (vendre) à la France quelques années plus tôt. Il (3) _____ (être) le second d'une famille de huit enfants. Physiquement, c' (4) _____ (être) un personnage petit par la taille mais qui ne (5) _____ (manquer) pas de charme et encore moins d'autorité. Il (6) _____ (participer) à la Révolution française en tant que Jacobin. Devenu général, ses exploits en Italie le (7) _____ (rendre) célèbre. En novembre 1799, une fois qu'il (8) _____ (prendre) le pouvoir par un coup d'État militaire, il (9) _____ (s'assurer) le titre de consul. En 1802, il (10) _____ (devenir) consul à vie, et en 1804, il

(11) _____ (se faire) sacrer empereur des Français. Napoléon Ier (12) _____ (créer) la France moderne: il (13) _____ (fixer) le Code civil, (14) _____ (réformer) l'éducation, (15) _____ (consolider) le franc. Malheureusement, Napoléon (16) _____ (ne pas cesser) de faire la guerre à l'Europe des rois. Après qu'il (17) _____ (remporter) une série de grandes victoires, notamment contre les Prussiens et les Autrichiens, à partir de 1812, il (18) _____ (subir) de cuisantes défaites. En avril 1814, il (19) _____ (abdiquer) et les Anglais l' (20) _____ (exiler) à l'île d'Elbe. En mars 1815, il (21) _____ (réussir) à s'enfuir et à regagner la France: ce (22) _____ (être) les Cent-Jours. Sa chance (23) _____ (aller) être de courte durée: il (24) _____ (avoir) à affronter une nouvelle coalition. Quand les Anglais et les Prussiens lui (25) _____ (infliger) une défaite retentissante à Waterloo, il (26) _____ (devoir) abandonner le pouvoir une seconde fois. Les Anglais l' (27) _____ (envoyer) à l'île de Sainte-Hélène où il (28) _____ (mourir) le 5 mai 1821. Il (29) _____ (laisser: *was leaving*) un fils, le petit roi de Rome, qui (30) _____ (devoir: *was going to*) mourir jeune, et une veuve, Marie-Louise d'Autriche, qu'il (31) _____ (épouser) en 1810, après avoir répudié Joséphine de Beauharnais car celle-ci (32) _____ (ne pas pouvoir) lui donner d'enfants.

(D'après le *Petit Larousse Illustré*, Paris 1980)

16-16 **Narration au passé simple.** Complétez le petit texte suivant en mettant les verbes entre parenthèses aux formes qui conviennent (passé simple, imparfait, plus-que-parfait, conditionnel ou subjonctif).

Le passage à l'euro

Le 1er janvier 2002, la France, comme ses partenaires européens, (1) _____ (changer) de monnaie: le franc (2) _____ (faire) place à l'euro; il (3) _____ (vivre donc) 644 ans! En usage depuis 1360, sous le règne du roi Jean le Bon, le franc (4) _____ (rendre) hommage aux Francs, les ancêtres du royaume: c' (5) _____ (être) donc un véritable symbole que la France (6) _____ (perdre)! Il faut savoir en effet que le franc, pendant des siècles, (7) _____ (ne pas être) la seule monnaie et que c'est la Révolution française qui (8) _____ (mettre) fin au système monétaire complexe basé sur le denier, le sou et la livre: il (9) _____ (falloir) attendre 1795 pour que le franc, basé sur le système décimal, (10) _____ (devenir) la monnaie nationale; on (11) _____ (commencer) alors à frapper des centimes tandis que, progressivement, on (12) _____ (retirer) les autres monnaies. Le franc n'est plus (*no longer exists*), mais qui, en 1360, eût deviné [subjonctif plus-que-parfait ou conditionnel 2e forme: *would have guessed*] qu'il (13) _____ (voir) (*would see*) l'aube du troisième millénaire (*the dawn of the third millenium*)?

(D'après Jérôme Jambu, «Le franc est mort, vive l'euro!», *L'Histoire*, janvier 2002, n° spécial 261, pp. 25-26.)

16-17 **Narration au passé: rédactions**

A. Vous passez votre troisième année universitaire à Paris. Vous écrivez un long courriel à vos amis dans lequel vous leur donnez de nombreux détails sur votre vie en France—votre famille d'accueil, vos études, les amis que vous vous êtes faits, etc. Mettez les événements principaux au **passé composé** et employez tous les autres temps qui conviennent, suivant le contexte. (1-2 pages)

B. *Choisissez une figure historique que vous admirez et présentez sa biographie. À la place du passé composé, employez le **passé simple**. Employez tous les autres temps et modes qui conviennent, suivant le contexte. (1-2 pages)

16-18 *Style oral (**passé composé** et **surcomposé**) *vs* style soutenu (**passé simple** et **antérieur**).
Donnez l'équivalent des phrases suivantes en mettant les verbes **en gras** au passé simple ou au passé antérieur, selon le cas. Faites tous les changements nécessaires.

1. *When he finally understood that they had made fun of him, he never showed himself again.* → Quand il **a eu** enfin **compris** qu'on s'était moqué de lui, il ne **s'est** plus **montré**.

    _____

    _____

2. *After they met him, they realized that they had been mistaken about him.* → Après qu'ils **ont eu fait** sa connaissance, ils **ont réalisé** qu'on les avait trompés à son sujet.

    _____

    _____

3. *After Madame de Langlois learned that her daughter had secretly married the young man she had met barely eight days earlier, she had a nervous breakdown and was admitted to a clinic.* → Après que Madame de Langlois **a eu appris** que sa fille avait épousé en secret le jeune homme qu'elle avait rencontré à peine huit jours auparavant, elle **a fait** une dépression nerveuse et **est entrée** en clinique.

    _____

    _____

    _____

4. *No sooner had Tom Thumb scattered the pieces of bread he had been collecting for weeks than flocks of birds flew in and ate them all.* → À peine le petit Poucet avait-il semé les bouts de pain qu'il avait mis de côté depuis des semaines, que les oiseaux **sont accourus** et les **ont** tous **mangés**.

    _____

    _____

    _____

5. *He had barely uttered his angry words, words unlike anything he had ever said before, when he almost immediately regretted them.* → Il n'avait pas plus tôt prononcé des paroles violentes, des paroles comme il n'en avait jamais dites, qu'il les **a** aussitôt **regrettées**.

    _____

    _____

6. *As soon as the news was known, it spread like wildfire.* → Aussitôt que la nouvelle **a été connue**, elle **s'est répandue** comme une traînée de poudre.

    _____

    _____

7. *Once they got away from the downtown traffic jams, they were able to drive faster.* → Une fois qu'ils **ont été sortis** des embouteillages du centre de la ville, ils **ont pu** rouler beaucoup plus vite.

    _____

    _____

8. *After the Perbuatan eruption destroyed the Indonesian island of Krakatoa in 1883, the tidal wave that it had generated crossed the Indian and the Atlantic oceans, and magnificent sunsets could be observed for almost two years.* → Après que l'éruption du Perbuatan **a eu détruit** l'île indonésienne de Krakatoa en 1883, le raz-de-marée qu'il avait engendré **a traversé** l'océan indien et l'océan atlantique, et l'on **a pu** observer de magnifiques couchers de soleil pendant près de deux ans.

_____

_____

_____

_____

16-19 ***Style oral: passé composé *vs* passé surcomposé.** Mettez les verbes entre parenthèses au **passé composé** ou **surcomposé**, selon le cas. Attention au choix de l'auxiliaire, à l'accord du participe passé et à la place de l'adverbe et des pronoms, le cas échéant.

1. Les instructions étaient horriblement compliquées, mais une fois que j' (a) _____ (comprendre) ce que je devais faire, j' (b) _____ (pouvoir) me mettre au travail sans problème.

2. Lorsque notre professeur (a) _____ (finir) de corriger nos travaux, il nous les (b) _____ (rendre) avec ses commentaires.

3. Aussitôt que madame Chehbouni (a) _____ (refermer) derrière elle la porte de la classe, sa petite Malika (b) _____ (se mettre) à pleurer à chaudes larmes en réclamant sa maman.

4. Quand mon frère (a) _____ (terminer) ses études, mon oncle lui (b) _____ (immédiatement proposer) de travailler dans son entreprise.

5. Ce n'est qu'une fois que le train (a) _____ (partir), emportant leurs vieux amis, que Jacques et Lucile (b) _____ (réaliser) qu'ils ne les reverraient probablement plus.

16-20 ***Style soutenu: passé simple *vs* passé antérieur.** Même exercice, mais employez cette fois-ci le **passé simple** ou **antérieur**, selon le cas.

1. Les instructions étaient horriblement compliquées, mais une fois que j' (a) _____ (comprendre) ce que je devais faire, je (b) _____ (pouvoir) me mettre au travail sans problème.

2. Lorsque notre professeur (a) _____ (finir) de corriger nos travaux, il nous les (b) _____ (rendre) avec ses commentaires.

3. Aussitôt que madame Chehbouni (a) _____ (refermer) derrière elle la porte de la classe, sa petite Malika (b) _____ (se mettre) à pleurer à chaudes larmes en réclamant sa maman.

4. Quand mon frère (a) _____ (terminer) ses études, mon oncle lui (b) _____ (immédiatement proposer) de travailler dans son entreprise.

5. Ce n'est qu'une fois que le train (a) _____ (partir), emportant leurs vieux amis, que Jacques et Lucile (b) _____ (réaliser) qu'ils ne les reverraient probablement plus.

17

Chapitre Dix-sept
Les pronoms relatifs

17-1 Qui *vs* **que/qu'.** Reliez les phrases suivantes de façon à faire de la proposition entre parenthèses une subordonnée relative introduite par **qui** ou **que/qu'**. Faites tous les autres changements nécessaires, notamment l'accord du participe passé, le cas échéant.

MODÈLES: • J'ai vu une dizaine de policiers. (Ils portaient des rollers [*roller skates*].) ➜ J'ai vu une dizaine de policiers qui portaient des rollers.
   • Les policiers… (ils portaient des rollers…) étaient nombreux ce soir-là. ➜ Les policiers qui portaient des rollers étaient nombreux ce soir-là.

1. J'attends une livraison (*delivery*). (Cette livraison devrait arriver ce matin.)

   _____

2. C'est une vieille voiture. (On m'a prêté cette voiture.)

   _____

3. Pour demain, analysez le poème. (Ce poème se trouve à la page quinze.)

   _____

4. Le petit restaurant… (nos amis ont découvert ce petit restaurant…) est absolument charmant.

   _____

5. Ce sont des amis. (Ces amis vivent à Washington.)

   _____

6. Elle lui a fait une remarque. (Il n'a pas du tout apprécié cette remarque.)

   _____

7. J'ai retrouvé les documents. (Tu avais égaré [*misplaced*] ces documents.)

   _____

8. Je crois que le documentaire… (je suis allée voir ce documentaire…) t'intéresserait.

   _____

9. Elle sort avec un garçon. (Elle a rencontré ce garçon pendant les vacances.)

   _____

10. J'ai vu Daniel et Leila. (Ils m'ont demandé de tes nouvelles.)

   _____

17-2 Qui *vs* **que/qu'.** Complétez les phrases suivantes par le pronom relatif qui convient.

1. L'automne est la saison _____ je préfère.

2. Faites attention aux enfants _____ jouent dans la rue.

3. Il n'a toujours pas reçu la lettre _____ je lui avais envoyée il y a deux semaines.

4. N'allez surtout pas vous baigner dans ces eaux sombres _____ sont pleines d'alligators!

5. Admire les belles roses _____ Julien m'a offertes pour mon anniversaire!

6. Ce musicien célèbre a composé un opéra _____ on n'a encore jamais joué.

7. Je vais te faire entendre un morceau de musique _____ te plaira sans doute.

8. As-tu retrouvé la bague _____ tu avais perdue?

9. Toute ville a un monument _____ honore les soldats morts pour la patrie.

10. Ne croyez pas toutes les histoires rocambolesques (*incredible*) _____ elle vous raconte: elle est mythomane!

17-3 **Qui *vs* que/qu'.** Complétez les phrases suivantes par le pronom relatif qui convient.

1. L'église _____ vous voyez sur votre gauche date du treizième siècle.

2. Comment s'appelle l'actrice (a) _____ joue le rôle principal dans le film (b) _____ nous avons vu hier soir?

3. Le portable (a) _____ j'ai acheté hier est un modèle (b) _____ vient de sortir.

4. J'aimerais te présenter un jeune Américain (a) _____ est de passage à Paris; c'est un étudiant (b) _____ mes amis ont rencontré lorsqu'ils étaient à New York et (c) _____ s'ennuie un peu car il ne connaît encore personne à Paris.

5. Les voisins ont un chien _____ aboie tout le temps.

6. J'aime beaucoup le roman _____ tu m'as offert.

17-4 **Qui *vs* que/qu'.** Traduisez les phrases suivantes. Employez les mots entre crochets.

1. *You're the one who's wrong!* [C'est toi… / avoir tort]

   _____

2. *We're the ones who will come by to pick you up.* [C'est nous… / passer te prendre]

   _____

3. *The movie I saw is with Gérard Depardieu.*

   _____

4. *I'm the one who told you that.* [C'est moi… / dire cela]

   _____

5. *The question you're asking me is difficult.* [vous]

   _____

6. *It's a printer that doesn't work properly.* [ne pas bien marcher]

   _____

7. *They have a daughter called Aisha.*

   _____

8. *You're the ones who have to get up early tomorrow morning.* [C'est vous… / devoir]

   _____

9. *The train that just arrived is going to Lyon.*

_____

10. *The train that we took left on time.*

_____

17-5 **Qui** *vs* **que/qu'.** Complétez les phrases suivantes par une proposition subordonnée relative de votre invention.

  1. C'est quelqu'un qui…

  2. Ce n'est pas quelqu'un que…

  3. La voiture que nous…

  4. La voiture qui…

17-6 **Dont.** Reliez les phrases suivantes de façon à faire de la proposition entre parenthèses une subordonnée relative introduite par **dont**. Faites tous les autres changements nécessaires.

  MODÈLES: • Apporte-moi les livres. (J'ai besoin de ces livres. *ou* J'en ai besoin.) → Apporte-moi les livres dont j'ai besoin.
  • Les livres… (j'ai besoin de ces livres *ou* j'en ai besoin…) ne sont pas à la bibliothèque. → Les livres dont j'ai besoin ne sont pas à la bibliothèque.
  • Il a perdu un livre rare! (La bibliothèque ne possédait qu'un seul exemplaire de ce livre. *ou* La bibliothèque n'en possédait qu'un seul exemplaire.) → Il a perdu un livre rare dont la bibliothèque ne possédait qu'un seul exemplaire!

  1. Où ai-je mis le stylo? (Je me servais de ce stylo *ou* Je m'en servais tout à l'heure.)

  _____

  2. Je t'ai apporté l'article. (Je t'avais parlé de cet article. *ou* Je t'en avais parlé.)

  _____

  3. Il s'est acheté un tout nouvel ordinateur. (Il n'est pas du tout satisfait de son nouvel ordinateur. *ou* Il n'en est pas du tout satisfait.)

  _____

  4. C'est une personnalité (*a well-known person*) du monde politique. (Nous entendons beaucoup parler de cette personnalité *ou* d'elle ces temps-ci.)

  _____

  5. Malheureusement, les voisins… (le chien des voisins *ou* leur chien aboie tout le temps…) habitent juste au-dessus de chez nous.

  _____

  6. Ils ont joué l'œuvre d'un compositeur moderne. (Je n'ai pas retenu son nom.)

  _____

  7. Chloé… (son frère est dans le même cours que toi…) est très amie avec Françoise.

  _____

  8. Je te donnerai mes patins (*skates*). (Je ne me sers plus de ces patins. *ou* Je ne m'en sers plus.)

  _____

9. C'est quelqu'un de bizarre. (Je me méfie un peu de lui.)

_____

10. C'est un magnifique piano. (Il ne joue, hélas, que rarement de ce piano. *ou* Il n'en joue, hélas, que rarement.)

_____

17-7 **Que/qu'** *vs* **dont.** Complétez les phrases suivantes par le pronom relatif qui convient.

1. L'article (a) _____ je te parlais se trouve dans le *New York Times* (b) _____ j'ai laissé pour toi sur la table du salon.

2. Les étudiants _____ les passeports ne sont pas en règle ne pourront pas obtenir leur permis de séjour (*visa*).

3. Mais si, souviens-toi: Mathieu est l'ami _____ je t'ai présenté l'autre jour.

4. Mais si, souviens-toi: Mathieu est l'ami _____ je t'ai présenté les parents l'autre jour.

5. Je viens de finir un roman _____ j'ai beaucoup aimé.

6. Je viens de finir un roman _____ j'ai surtout aimé le personnage principal.

7. C'est un humoriste _____ le spectacle très controversé a été annulé.

8. C'est un humoriste _____ tout le monde connaît en France.

9. C'est un accident _____ nous aurions dû prévoir.

10. C'est un accident _____ nous ne sommes pas responsables.

17-8 **Que/qu'** *vs* **dont.** Complétez les phrases suivantes par le pronom relatif qui convient.

1. Voici un restaurant _____ on nous a dit beaucoup de bien: voulez-vous qu'on l'essaie?

2. Fais-moi une liste des denrées (*staples*) _____ il te faut: j'irai te les acheter.

3. Les tourterelles (*doves*) sont des oiseaux _____ la fidélité est légendaire.

4. Ils nous a fait faire le tour de son ranch _____ il est très fier.

5. Es-tu vraiment satisfait du travail _____ le jardinier a fait hier?

6. Il y a eu un incendie au petit cinéma _____ mes amis possèdent en ville.

7. Il y a eu un incendie au petit cinéma _____ mes amis sont les propriétaires.

8. Le petit cinéma _____ il s'agit appartient à des amis.

9. Ce voyage a été long et fatigant: il ne m'a pas procuré (*didn't give me*) le plaisir _____ j'en attendais.

10. Elle a déjà oublié toutes les belles promesses _____ elle avait faites!

17-9 **Qui** *vs* **que/qu'** *vs* **dont.** Traduisez les phrases suivantes. Employez les mots entre crochets.

1. *I don't know the people who are sitting at the table over there.*

_____

2. *There are other problems that she isn't even aware of.* [être conscient]

_____

3. *There are problems that she prefers to ignore.* [ignorer]

_____

4. *It's a recipe I found on the Web.* [sur l'Internet]

_____

5. *It's a dish whose recipe I found on the Web.* [un plat]

_____

6. *I love the way she sings.* [J'aime…]

_____

7. *It's a song I love.* [chanson (f.) / aimer beaucoup]

_____

8. *It's a song that always reminds me of you.* [faire penser à toi]

_____

9. *It's a song whose melody is haunting.* [envoûtant]

_____

10. *Once you've heard it, it's a song whose melody you cannot forget.* [Une fois qu'on l'a entendue, …]

_____

17-10 **Qui** *vs* **Que/qu'** *vs* **dont.** Complétez les phrases suivantes par une proposition subordonnée relative de votre invention.

   1. J'ai rencontré quelqu'un dont…

   2. J'ai rencontré quelqu'un que/qu'…

   3. J'ai rencontré quelqu'un qui…

   4. Ils viennent d'acheter la maison dont…

   5. Ce sont des gens dont…

   6. Dans ce passage, montrez la façon dont…

17-11 **Où** (*where* vs *when*). Reliez les phrases suivantes de façon à faire de la proposition entre parenthèses une subordonnée relative introduite par **où**. Faites tous les autres changements nécessaires.

   MODÈLES: • C'est un café. (Je viens prendre un sandwich dans ce café de temps en temps.) → C'est un café où je viens prendre un sandwich de temps en temps.
   • Le café… (je prends un sandwich dans ce café de temps en temps…) se trouve au coin de la rue Vavin. → Le café où je prends un sandwich de temps en temps se trouve au coin de la rue Vavin.
   • La Tour Montparnasse n'existait pas encore en ce temps-là. (Mon grand-père vivait dans le 14ᵉ arrondissement en ce temps-là.) → La Tour Montparnasse n'existait pas encore au temps où mon grand-père vivait dans le 14ᵉ arrondissement.

   1. C'est un restaurant. (On mange d'excellents fruits de mer dans ce restaurant. *ou* On y mange d'excellents fruits de mer.)

_____

   2. Nous sommes allé(e)s à une soirée. (Nous avons rencontré beaucoup de gens à cette soirée.)

_____

3. C'est une petite plage agréable et tranquille. (Nous venons souvent nous y baigner.)

_____

4. La bombe a explosé à ce moment-là. (Les écoliers sortaient de l'école juste à ce moment-là.)

_____

5. Le Café de Flore est un endroit célèbre. (Les existentialistes s'y retrouvaient.)

_____

6. Nous avons pris l'avion un jour. (Il y avait une terrible tempête de neige ce jour-là.)

_____

7. Nous vivons à une époque… (Nous dépendons de plus en plus de la communication électronique à notre époque.)

_____

8. Ils sont passés par des rues étroites et tortueuses (*narrow, winding streets*). (Ils se sont perdus dans ces petites rues.)

_____

9. Voici une jolie terrasse. (Nous pourrons y déjeuner tranquillement.)

_____

10. Ils avaient un minuscule jardin. (Ils y faisaient pousser des légumes et des fleurs.)

_____

17-12 *Que/qu'* *vs* **où.** Complétez les phrases suivantes par le pronom relatif qui convient.

1. Dès le jour _____ il a commencé à aller à l'école, Rachid s'est développé avec une rapidité étonnante.

2. Maintenant _____ tu as sept ans, tu es grand: tu as atteint l'âge de raison.

3. L'école primaire _____ j'enseigne se trouve dans un coin perdu d'Auvergne.

4. La fois (a) _____ nous avons fait sa connaissance, c'est bien la seule fois (b) _____ elle nous a paru gaie.

5. Il a perdu son emploi au moment _____ il en avait le plus besoin.

6. Voici la ville _____ j'ai passé mon enfance.

7. Paris est la ville _____ j'aime le plus au monde.

8. C'est là _____ j'ai passé mon enfance.

9. Soyez prudents, faites attention aux endroits par _____ vous passerez.

10. Vu l'état _____ il est (*Given the state he's in*), il ne pourra pas participer à la compétition de natation (*swim meet*) cet après-midi.

17-13 *Que/qu'* *vs* **où.** Complétez les phrases suivantes par le pronom relatif qui convient.

1. Venez: je vais vous montrer la voiture _____ nous venons d'acheter.

2. La dernière fois _____ on s'est vu(e)s, tu rentrais tout juste de voyage, je crois.

3. Ce n'est pas là _____ vous devez aller, monsieur: le bureau des étrangers est dans l'autre bâtiment.

4. Le jour _____ nous nous sommes rencontré(e)s, il y avait des grèves de métro à Paris.

5. Tu verras: là _____ j'habite, c'est un peu petit mais très bien situé.

6. Mon appartement est tout près d'un parc (a) _____ je vais souvent me promener, surtout maintenant (b) _____ il fait beau!

7. La première fois (a) _____ je suis venu(e) dans le quartier (*neighborhood*), il faisait gris et triste, je crois même que c'était un jour (b) _____ il avait un peu neigé, mais en me promenant, j'ai déniché un café (c) _____ je suis entré(e) pour me réchauffer. J'ai engagé la conversation avec la patronne qui m'a donné des tuyaux (*information*) sur le quartier.

8. À présent _____ je suis du quartier, tout le monde me connaît et j'ai l'impression d'avoir toujours vécu ici.

9. La fois _____ je lui ai parlé, elle m'a dit qu'elle était en instance de divorce (*in the middle of a divorce*).

10. Savez-vous par _____ il faut passer pour arriver à ce village?

11. Du moment _____ elle est financièrement indépendante, elle peut faire ce qu'elle veut.

12. Dès le moment _____ il a commencé à pleuvoir, les pigeons se sont envolés.

17-14 **Récapitulation: qui** *vs* **que/qu'** *vs* **dont** *vs* **où.** Complétez les phrases suivantes par le pronom relatif qui convient.

1. Elle est arrivée au moment _____ on ne l'attendait plus.

2. Ne mangez pas les huîtres _____ ne s'ouvrent pas: elles risquent de ne pas être bonnes.

3. J'adore la collection _____ ce couturier a présentée cette année.

4. Elle a fini par nous présenter son petit ami _____ elle nous avait tant parlé.

5. Perrault, les frères Grimm, Andersen… tous ces auteurs ont écrit des livres _____ les histoires continuent à captiver les enfants d'aujourd'hui.

6. Là _____ l'attentat a eu lieu, il y a maintenant un monument à la mémoire des victimes.

7. Tant pis pour les gens _____ arrivent en retard! Ils devront attendre la fin du premier acte pour pouvoir se placer.

8. Dès l'instant _____ elle commence à parler, on ne peut plus placer un mot!

9. Tu veux lui faire un beau cadeau? Eh bien, offre-lui l'accessoire de peinture _____ il rêve depuis si longtemps: un chevalet! (*easel*)

10. On a promis une récompense aux personnes _____ aideront la police à retrouver le voleur.

17-15 Récapitulation: qui *vs* **que** *vs* **dont** *vs* **où.** Reliez les phrases suivantes par le pronom relatif qui convient. Faites tous les changements nécessaires.

C'est un parc…
1. Je l'aime beaucoup.
2. J'y fais du jogging de temps en temps.
3. Il se trouve sur la rive gauche.
4. Les arbres de ce parc sont magnifiques.

C'est quelqu'un…
5. Tu devrais faire sa connaissance.
6. Tu apprécierais beaucoup cette personne.
7. Cette personne apprécierait tes talents.

C'est un jour…
8. Ce jour ne me convient pas.
9. Je ne suis pas libre ce jour-là.
10. Je me souviendrai de ce jour toute ma vie.

17-16 Récapitulation: qui *vs* **que/qu'** *vs* **dont** *vs* **où.** Complétez les phrases suivantes par le pronom relatif qui convient.

1. C'est une fille _____ il a rencontrée l'autre soir chez des amis.

2. C'est la physique _____ intéresse Philippe, pas la chimie.

3. Tu as vu la manière _____ Magali a répondu à Jean-Pierre?

4. Mais qui est cette fille _____ Lucien ne cesse de regarder?

5. Nous devrions donner la télévision _____ nous ne nous servons pas à quelqu'un qui n'en a pas.

6. Malheureusement, ils ont rappelé à un moment _____ j'étais absent(e).

7. Ce n'est pas la première fois _____ on me pose cette question.

8. La fois _____ on m'a posé cette question, je n'ai vraiment [pas] su que répondre.

9. Ils rentrent d'un voyage en Chine (a) _____ ils sont très contents. Ça a été une expérience (b) _____ les a tellement enthousiasmés qu'ils sont prêts à y retourner.

10. Je suis allé(e) flâner dans une librairie (a) _____ je suis tombé(e) sur un roman (b) _____ j'ai tant aimé le début que je l'ai acheté, pensant que ce serait un livre (c) _____ te plairait à toi aussi.

11. L'hôtel _____ nous sommes descendus (*stayed*) était modeste mais convenable.

12. Il s'agit d'un documentaire _____ a été tourné dans un village en Auvergne.

13. Il me semble que c'est quelqu'un (a) _____ j'ai déjà vu quelque part: n'est-ce pas la dame (b) _____ le fils habite juste au-dessus de chez nous?

14. Je crois bien que les gens _____ étaient assis à la table à côté de nous étaient québécois.

15. Tu te souviens de la merveilleuse excursion (a) _____ nous avons faite ensemble? —Oui, c'est une excursion (b) _____ je me souviendrai toujours!

17-17 **Récapitulation: qui *vs* que/qu' *vs* dont *vs* où.* Traduisez les phrases suivantes en utilisant un pronom relatif simple. Employez les mots entre crochets.

1. *The drama club is one of the many clubs that we have in high school.* [Le club d'art dramatique est l'un…]

   _____

2. *The drama club is one of the many activities that are offered after classes in high school.* [offert / après les cours]

   _____

3. *The drama club, of which I am the treasurer, meets once a week.* [la trésorière / se réunir]

   _____

4. *Tuesday is the day when the drama club meets.*

   _____

5. *This is not the first time that I attend the drama club.* [aller à]

   _____

6. *The drama club will perform a play which everyone has heard of.* [donner / une pièce / entendre parler de]

   _____

7. *High school students who attend the drama club are usually very creative.* [Les lycéens… / faire partie de / en général / créatif]

   _____

8. *Of all the parts that she played, Shakespeare's Juliet is the one that she is most proud of.* [De tous les rôles / la Juliette de Shakespeare / être le plus fière de]

   _____

9. *Those who will attend our next play won't be disappointed!* [Ceux… / assister / être déçu]

   _____

17-18 **Récapitulation: Qui *vs* que/qu' *vs* dont *vs* où.** Complétez les phrases suivantes par une proposition subordonnée relative de votre invention.

1. C'est une ville qui…

2. C'est une ville que…

3. C'est une ville où…

4. C'est une ville dont…

5. C'est là que…

6. C'est l'heure où…

7. Maintenant que…

8. Voici la brochure dont…

9. Voici une brochure qui…

10. L'été est une saison où…

17-19 **Préposition** + **qui** *ou* **lequel/laquelle, lesquels/lesquelles.** Reliez les phrases suivantes de façon à faire de la proposition entre parenthèses une subordonnée relative introduite par une **préposition** + **qui** ou **lequel/laquelle**, etc. Faites tous les autres changements nécessaires, notamment les contractions avec **à** et **de**, le cas échéant. Lorsque deux réponses sont possibles, indiquez-les.

MODÈLES:
- C'est un souvenir. (Je tiens beaucoup à ce souvenir.) → C'est un souvenir auquel je tiens beaucoup (*that's very dear to me*).
- Le souvenir… (j'y tiens le plus…) est la photo de mon grand-père. → Le souvenir auquel je tiens le plus [ET NON ~~auquel j'y tiens le plus~~] est la photo de mon grand-père.

1. L'employé… (je me suis adressé à cet employé *ou* à lui…) a été très aimable avec moi.

   _____

2. Nous avons fait un voyage. (Nous avons visité une région admirable au cours de ce voyage.)

   _____

3. Nadia est une amie. (Je ferais n'importe quoi pour elle.)

   _____

4. Nadia est quelqu'un. (Je fais du ski avec elle de temps en temps.)

   _____

5. La vieille dame… (j'étais assis(e) à côté d'elle dans l'avion…) était bavarde comme une pie (*magpie*).

   _____

6. Les amis… (nous nous trouvions parmi eux hier soir…) nous ont raconté des choses passionnantes.

   _____

7. Comment s'appelle la place? (Cet obélisque se trouve au milieu de cette place.)

   _____

8. La valise… (elle avait jeté tous ses vêtements dans cette valise…) risquait à tout instant de s'ouvrir.

   _____

9. Vous n'auriez pas dû prendre le chemin. (Vous êtes passé(e)s par ce chemin.)

   _____

10. L'ami… (je lui ai parlé l'autre jour…) m'a dit qu'il faisait du droit (*was attending law school*).

    _____

17-20 ***Qui**, etc. *vs* **préposition** + **qui/lequel**, etc. Complétez les phrases suivantes avec le pronom relatif simple ou composé qui convient. Ajoutez une **préposition si nécessaire** et n'oubliez pas de faire les contractions avec **à** et **de**, le cas échéant. Lorsque deux réponses sont possibles, indiquez-les. Traduisez les mots entre crochets, le cas échéant.

1. Les enfants ont un chien _____ ils jouent souvent.

2. C'est un livre _____ vous trouverez de magnifiques reproductions.

3. C'est un nouvel ordinateur fantastique _____ [*without which*] je ne pourrais pas fonctionner.

4. Je viens de voir un film _____ m'a beaucoup plu.

5. Dans un coin, il y avait une petite table _____ elle avait posé un vase avec des fleurs.

6. Le plus jeune de mes frères s'est beaucoup attaché à un autre garçon _____ il a rencontré en colonie de vacances l'été passé.

7. Le passage _____ je me réfère [*that I'm referring to*] se trouve dans le chapitre dix.

8. Rappelle-moi ton numéro de téléphone _____ j'ai complètement oublié de noter.

9. La maison _____ je pense est située au coin de la rue, à droite.

10. La maison _____ je te parle est située au coin de la rue, à droite.

11. Ce sont des détails _____ elle attache beaucoup trop d'importance.

12. On nous a donné un jeune chien _____ a peur de nos deux chats.

13. Il y a une semaine, je suis allée à une conférence _____ j'ai rencontré Michel.

14. C'est un écrivain _____ j'ai la plus grande admiration.

15. Ses collègues lui ont offert un cadeau _____ elle ne s'attendait pas.

16. J'ai acheté une carte postale _____ représente la Tour Eiffel.

17. Attention! Ce sont des disques compacts _____ je tiens beaucoup.

18. C'est une chanson _____ j'ai oublié les paroles.

19. Ce sont des amis _____ j'écris régulièrement.

20. J'ai oublié un livre dans le café _____ j'ai déjeuné hier avec Mélanie.

17-21 ***Qui**, etc. *vs* **préposition** + **qui** *ou* **lequel/laquelle**, etc. Reliez les phrases suivantes par le pronom relatif simple ou composé qui convient. Faites tous les autres changements nécessaires. Lorsque deux réponses sont possibles, indiquez-les.

C'est un roman…
1. Je l'aime énormément.
2. On en a beaucoup parlé dans les journaux.
3. L'auteur y brosse un portrait fascinant de l'Amérique des années soixante-dix.
4. Ils en ont fait un film.
5. Il m'a beaucoup plu.
6. L'auteur y a consacré (*devoted*) dix ans de sa vie.
7. Son auteur a gagné plusieurs prix littéraires.
8. La critique a été très élogieuse au sujet de ce roman.
9. L'auteur a reçu le Prix Goncourt pour ce roman.
10. Il vient de gagner un prix littéraire.

C'est un auteur…
11. Tout le monde parle de lui depuis quelque temps.
12. La critique l'a salué comme le meilleur écrivain de sa génération.
13. J'ai fait sa connaissance il y a dix ans.
14. J'ai été invité(e) chez lui en tant que journaliste.
15. Il m'avait invité(e) chez lui.
16. Il a donné une conférence de presse hier soir.
17. *Le Monde* lui a consacré un article de deux pages.
18. On l'enseignera bientôt dans toutes les universités.
19. Le département de littérature lui a écrit pour l'inviter à faire une conférence.
20. Je l'admire beaucoup.

17-22 *Celui/celle,* etc. + **pronom relatif.** Traduisez les phrases suivantes. Employez les mots entre crochets. Indiquez toutes les possibilités.

1. *Look at my new watch; it's the one Mark gave me.* [Regarde…]

   _____

2. *The one she's mad at is her brother Philip.* [être fâché contre qqn]

   _____

3. *My cell phone is the one that's over there on the table.* [portable (m.) / se trouver]

   _____

4. *Could you bring me another pencil? The one I was using broke.* [Pourrais-tu… / crayon (m.) / se servir / se casser]

   _____

5. *Where did you put my dictionary, the one I was working with just now?* [Où est-ce que tu… / tout à l'heure]

   _____

6. *Of all your CDs, the ones I like best are these two.* [De tous tes CD / préférer]

   _____

7. *Which friend are you talking about: the one whose sister just finished medical school?* [De quel ami est-ce que tu… / finir sa médecine]

   _____

8. *I'll wear my blue sweater; it's the one that goes best with these pants.* [porter / pull (m.) / aller le mieux]

   _____

17-23 *Qui,* etc. *vs* <u>ce</u> **qui,** etc. Complétez les phrases suivantes par **qui, que/qu'** ou **dont,** suivant le cas. Ajoutez le pronom démonstratif **ce,** si nécessaire. Lorsque plusieurs réponses sont possibles, indiquez-les.

1. Je lui ai prêté la scie (*saw*) _____ il avait besoin pour couper son bois.

2. Tout _____ est arrivé ces derniers temps ne m'étonne pas.

3. Les efforts _____ a faits la compagnie pour rétablir sa situation financière se sont révélés inutiles.

4. Ils ont été très encourageants, _____ je ne m'attendais pas (*which I didn't expect*). [On dit **s'attendre <u>à</u> qqch.**]

5. _____ je t'ai dit est confidentiel: surtout n'en parle à personne.

6. As-tu trouvé _____ il te faut?

7. Tout _____ je vous demande, c'est de me donner deux jours de plus pour relire ma thèse.

8. Pourquoi ne me dis-tu jamais _____ te tracasse (*what's on your mind*)?

9. Une semaine de vacances au bord de la mer, voilà _____ elle rêve depuis longtemps.

10. Tout _____ s'est passé est de ta faute!

11. Dimanche, la plupart des magasins seront fermés, _____ nous n'avions pas pensé (*which we didn't think of*).

12. J'ai encore quinze euros, mais c'est tout _____ me reste…

13. Ceux _____ n'ont pas pris de rendez-vous devront patienter.

14. Nous avons un problème _____ nous n'avions pas prévu. (*We have a problem that we didn't anticipate.*)

15. Il se trouve que nous avons un énorme problème, _____ nous n'avions pas prévu. (*It so happens that we have a huge problem, **which** we didn't anticipate.*)

17-24 ***Ce qui,** etc. *vs* **celui qui,** etc. Complétez les phrases suivantes par le pronom relatif simple ou composé qui convient, précédé de **ce** ou **celui/celle**, selon le cas, ainsi que d'une **préposition**, si nécessaire.

1. *What I don't understand is why she reacted that way.* ➞ _____ je ne comprends pas, c'est pourquoi elle a réagi de cette manière.

2. *Get me another pair of scissors; the ones I have don't cut properly.* ➞ Apporte-moi une autre paire de ciseaux: _____ j'ai ne coupent pas bien.

3. *My friend Susan, the one whose mother is a doctor, would like to do an internship in a hospital.* ➞ Mon amie Suzanne, _____ la mère est médecin, voudrait effectuer un stage dans un hôpital.

4. *Here is what it's about.* ➞ Voici _____ il s'agit.

5. *What they're opposed to is a gas tax.* ➞ _____ ils s'opposent, c'est une taxe sur l'essence.

6. *Among all the proposals, the one they'll probably oppose is the last one.* ➞ Parmi toutes les propositions, _____ ils s'opposeront probablement est la dernière.

7. *The train was early, which is unusual.* ➞ Le train était en avance, _____ est rare.

8. *Claire, the one who left early, had to catch a train.* ➞ Claire, _____ est partie en avance, avait un train à prendre.

9. *Everything [that's] on this table is 50% off.* ➞ Tout _____ est sur cette table est à moitié prix.

10. *Do you see that little café over there? It's the one where John and I met.* ➞ Tu vois ce petit café là-bas? C'est _____ nous nous sommes rencontrés, Jean et moi.

17-25 ***Les modes dans la proposition relative.** Complétez les phrases suivantes en mettant les verbes entre parenthèses aux temps et modes qui conviennent. Indiquez toutes les possibilités.

1. «Il n'y a que Maille[1] qui m' _____ (aller)» annonce la publicité de la fameuse moutarde.

2. Le cri de l'hyène est un des plus étranges qui _____ (être).

3. Nous allons vous expliquer ce dont il _____ (s'agir).

4. Notre maison a été la première que l'on _____ (construire) dans notre lotissement.

5. Je cherche une étudiante qui _____ (venir) tous les après-midi garder mes enfants.

6. Ne répétez à personne ce que je vous _____ (dire): c'est confidentiel.

7. Il est tellement original qu'il a du mal à trouver quelqu'un avec qui il _____ (s'entendre)!

---

[1] «Maille» est une marque courante de moutarde de Dijon.

8. Ce qu'ils _____ (vouloir) pour leurs fréquents séjours en France, c'est un pied-à-terre à Paris.

9. J'ai repéré un endroit sympathique au bord de la rivière où nous _____ (pouvoir) pique-niquer ce week-end s'il fait beau.

10. Vous êtes bien la seule personne qui _____ (comprendre) ma situation!

17-26 *Dont* vs **de qui/duquel,** etc. Reliez les phrases suivantes de façon à faire de la proposition entre parenthèses une subordonnée relative introduite par **dont** ou **de qui/duquel,** etc. Faites tous les autres changements nécessaires.

1. C'est un article… (Nous avons beaucoup parlé de cet article *ou* Nous en avons beaucoup parlé en classe.)

   _____

2. C'est un article… (Nous avons eu une discussion très animée en classe au sujet de cet article *ou* à son sujet.)

   _____

3. Ils ont pris des vacances. (Au cours de ces vacances, ils ont fait beaucoup de voile.)

   _____

4. Qui étaient les gens…? (Vous avez loué l'appartement de ces gens *ou* leur appartement l'été dernier.)

   _____

5. Mon grand-père était un être généreux et drôle. (Ma grand-mère a été amoureuse de mon grand-père toute sa vie.)

   _____

   _____

6. Mon grand-père était un être généreux et drôle. (Ma grand-mère a toujours été très heureuse auprès de mon grand-père.)

   _____

   _____

7. C'est une région… (Le climat de cette région ne lui convient pas.)

   _____

8. C'est une région… (Elle n'arrive pas à s'habituer au climat de cette région.)

   _____

9. Il ne connaissait même pas la vieille tante… (Il a hérité de cette vieille tante.)

   _____

10. Il ne connaissait même pas la vieille tante… (Grâce à l'héritage de cette veille tante, il a réussi à monter sa nouvelle entreprise [*create his business*].)

    _____

    _____

17-27 *****Préposition + quoi.** Complétez les phrases suivantes par une **préposition** + **quoi**. Ajoutez **ce** si nécessaire. Lorsque plusieurs réponses sont possibles, indiquez-les.

1. *Don't forget your driver's license, otherwise you won't be able to rent a car.* → N'oublie pas ton permis de conduire, _____ tu ne pourras pas louer de voiture.

2. *They never understood what we were fighting for.* → Ils n'ont jamais compris _____ nous nous battions.

3. *I don't have enough to buy a sandwich; can you lend me five euros until tomorrow?* → Je n'ai pas _____ m'acheter un sandwich: peux-tu me prêter cinq euros?

4. *What he didn't think of is that hotels will be full at this time of year.* → _____ il n'a pas réfléchi, c'est que les hôtels seront pleins en cette saison.

5. *What he will never resign himself to is not seeing his children regularly any more.* → _____ il ne se résoudra jamais, c'est de ne plus voir ses enfants régulièrement.

6. *What I've always been able to count on is the unconditional love of my family.* → _____ j'ai toujours pu compter, c'est l'affection inconditionnelle de ma famille.

7. *Matthew is a business executive, but I'm not sure exactly what his responsibilities are.* → Mathieu est cadre dans une entreprise mais je ne sais pas au juste _____ il s'occupe.
   [**s'occuper <u>de</u> qqch**]

8. *Do they have enough* or *something to eat, at least?* → Est-ce qu'ils ont au moins _____ manger?

17-28 *****Récapitulation générale.** Traduisez les phrases suivantes. Employez les mots donnés entre crochets. Attention aux modes.

1. *I misplaced the tool I needed to repair that chair.* [égarer / avoir besoin de / réparer / chaise (f.)]

   _____

2. *The computer I work at usually is not available today.* [travailler sur un ordinateur / disponible]

   _____

3. *I absolutely need to find someone who knows how to solve this problem.* [Il faut absolument que… / savoir résoudre]

   _____

4. *I don't know what you are talking about.* [parler de qqch]

   _____

5. *What she's complaining about is the way employees are treated.* [se plaindre de / on / traiter qqn d'une certaine façon]

   _____

6. *The woman next to whom I was sitting at the concert is the one whose necklace broke in the middle of the second movement.* [La dame… / le collier / au milieu du second mouvement]

   _____

   _____

7. *The girl I met last night is the one whose older sister just had twins.* [rencontrer qqn / avoir des jumeaux]

   _____

8. *Believe me, it isn't the only problem they have right now!* [Crois-moi…]

   _____

9. *All I ask of you is that you call us once you get there.* [je vous… / en arrivant]

   _____

10. *There is really no reason to brag about this!* [se vanter / (idiomatique)]

    _____

11. *I'm looking for someone who would or might be willing to take care of my dog while I'm away.* [vouloir bien s'occuper de / en mon absence]

    _____

    _____

12. *This is an excursion that I am very much looking forward to.* [C'est une excursion… / se réjouir de qqch].

    _____

13. *I've read an article according to which unemployment is going down.* [selon / le chômage / être en train de diminuer]

    _____

14. *Yes, I know, skiing is really expensive; that's one of the reasons I stopped.* [le ski est hors de prix]

    _____

    _____

15. *This is a friend whose help I couldn't have done without.* [C'est une amie… / ne pas réussir]

    _____

18

Chapitre Dix-huit
L'expression du temps

18-1 Vocabulaire. Complétez les phrases suivantes par les expressions correspondant aux mots *en gras*. Indiquez toutes les possibilités.

1. *She only drives to work **every other day**; the rest of the time, she takes the train.* → Pour se rendre au travail, elle ne prend la voiture que _____; le reste du temps, elle prend le train.

2. *They moved **a year ago**.* → Ils ont déménagé _____.

3. ***In the morning**, he starts work very early, but **at night**, he likes to go out until late.* →
   (a) _____, il commence à travailler très tôt mais (b) _____, il aime bien sortir jusque très tard.

4. ***Afternoon shows** are often full of children.* → _____ sont souvent pleines d'enfants.

5. ***On New Year's Day**, my parents threw a huge party for the whole family.* → Pour _____, mes parents ont organisé une grande fête pour toute la famille.

6. *It isn't **this year** but **next year** that she is graduating.* → Ce n'est pas (a) _____ mais (b) _____ qu'elle termine ses études.

7. *Did you like **last night's party**?* → Tu as aimé _____ d'hier?

8. *Do not take this medication more than **twice a day**.* → Ne prenez pas ce médicament plus de deux fois _____.

18-2 Vocabulaire. Complétez le texte suivant par les expressions correspondant aux mots *en gras*. Faites les accords et les changements nécessaires.

What a day! → (1) _____! *I spent **the whole morning** looking for a book published in 1950.* → J'ai passé (2) _____ à chercher un livre publié en 1950. *I finally found it and spent the rest of **the day** reading it and taking notes for a paper for my history class.* → J'ai fini par le trouver et j'ai passé le reste de (3) _____ à le lire et à prendre des notes pour un devoir d'histoire. *Around 6 P.M., I left the library because I was invited to **a party**.* → Vers 6 heures (4) _____, j'ai quitté la bibliothèque parce que j'étais invité(e) à (5) _____. *It's a reception given each **year** at the beginning of the fall semester.* → Il s'agit d'une réception donnée chaque (6) _____ à la rentrée. *Later **that evening**, I went back to my room where I spent a good part of **the night** writing my paper.* → Plus tard (7) _____, je suis retourné(e) dans ma chambre où j'ai passé une bonne partie de (8) _____ à écrire mon devoir.

18-3 Vocabulaire. Complétez les phrases suivantes par les expressions correspondant aux mots *en gras*. Indiquez toutes les possibilités.

1. *Every year, in the summer*, *my family spends a week at my grandparents' house.* →

   (a) _____, (b) _____, ma famille passe une semaine chez mes

   grands-parents.

2. *I am eighteen years old.* → _____.

3. *The day before yesterday*, *I spent the* **day** *studying for my French exam.* → (a) _____,

   j'ai passé (b) _____ à étudier pour mon examen de français.

4. *I haven't seen her* **all morning**. → Je ne l'ai pas vue _____.

5. *Isn't there a flight that leaves* **early in the morning**? → Est-ce qu'il n'y a pas un vol qui part

   _____?

6. *We joined Lisa and Emily* **the following day**; *they were with their parents, who had arrived* **the day**

   before. → Nous avons retrouvé Lisa et Émilie (a) _____; elles étaient avec leurs

   parents, qui étaient arrivés (b) _____.

7. *All these commuter trains come in* **at the same time**. → Tous ces trains de banlieue arrivent

   _____.

8. *I'll call you* **a week from Monday**, *OK?* → Je t'appelle _____, d'accord?

9. *Anya and Aisha? No, they're not far; I saw them* **a short while ago**. → Anya et Aisha? Non, elles ne sont

   pas loin: je les ai vues _____.

10. *I have a* **two-week** *vacation at Easter.* → J'ai _____ de vacances à Pâques.

11. *The murder happened* **the day after** *my arrival;* **two days later**, *they arrested the culprit.* → Le meurtre a

    eu lieu (a) _____ de mon arrivée; (b) _____, ils ont arrêté le coupable.

12. *I smoke* **from time to time**; **sometimes**, *I even buy myself a good cigar.* → Je fume (a)

    _____; il m'arrive même (b) _____ de m'acheter un bon cigare.

13. *See you in a while!* → _____!

14. *You can stay with us* **as long as** *you feel like it.* → Tu peux rester avec nous _____ tu

    en as envie.

15. *From now on*, *I'll go jogging half an hour* **each day**. → (a) _____ j'irai courir une

    demi-heure (b) _____.

18-4 Vocabulaire: antonymes liés à la temporalité. Complétez les phrases suivantes par les expressions correspondant aux mots *en gras*.

1. *Are they* **still** *going out together?* —*No, you know perfectly well that they* **no longer** *see each other!* → Est-

   ce qu'ils sortent (a) _____ ensemble? —Mais non, tu sais bien qu'ils ne se voient

   (b) _____!

2. *I will not allow myself to be surprised like* **last** *time!* **Next** *time, I'll get some information.* → Je ne me

   laisserai pas surprendre comme la (a) _____ fois! La (b) _____ fois, je

   me renseignerai.

3. *Is he still working? —Of course not, he **no longer** works, he is retired!* → Est-il toujours en activité?

—Mais non, il ne travaille _____, il est à la retraite!

4. ***Before** the war of 1870, Alsace belonged to France; **after** the war, it became a part of Germany.* → (a)

_____ la guerre de 1870, l'Alsace appartenait à la France; (b) _____ la guerre,

elle est passée à l'Allemagne.

5. *It's completely baffling: **Last** week, we had a blizzard and **next** week, we are expecting spring weather!* →

C'est à n'y rien comprendre: la semaine (a) _____, nous avons eu un blizzard et la semaine

(b) _____, nous aurons un temps de printemps!

6. *What, she is **not yet** sixteen and she is **already** in college?* → Comment, elle n'a (a) _____

seize ans et elle est (b) _____ en fac?

7. *In my home, we drink champagne **always** as an aperitif, **never** as a dessert wine.* → Chez moi, nous

buvons le champagne (a) _____ en apéritif, (b) _____ au dessert.

8. ***At the beginning** of his term, the president had good ratings, but **at the end**, his popularity fell

considerably.* → (a) _____ de son mandat, le président avait la cote, mais

(b) _____, sa popularité a chuté considérablement.

9. *She started her internship six months **ago**; **in** four months she will have finished it and will be able to look

for a job.* → Elle a commencé son stage (a) _____ six mois; (b) _____ quatre

mois, elle l'aura terminé et pourra chercher du travail.

10. *Are they here **yet**? —No, **not yet**.* → Ils sont (a) _____ là? —Non, (b) _____.

18-5 **Vocabulaire: antonymes liés à la temporalité.** Complétez les phrases suivantes de façon à dire **le
contraire** de l'expression soulignée **en gras**. Faites tous les changements nécessaires. Indiquez toutes
les possibilités.

1. Elle est **déjà** rentrée? —Non, elle _____.

2. Ils **ne** sont **plus** là? —Si, si, ils _____.

3. Est-ce que ta sœur fume **toujours**? —Non, heureusement, elle _____. Elle a arrêté
juste avant Noël.

4. Tu es **déjà** allé(e) à Québec? —Non, je n'y _____.

5. C'était la scène **précédente** qu'il fallait mémoriser? —Non, c'était la _____.

6. C'est **au début** de l'histoire qu'on découvre le cadavre? —Mais non, voyons, c'est _____!

7. Il paraît qu'elle **ne** se plaint **jamais**? —Oh si, si, hélas, elle _____.

8. Les élections ont eu lieu **il y a** deux jours? —Non, elles auront lieu _____.

18-6 **Vocabulaire.** Écrivez des phrases complètes avec les éléments donnés ci-dessous.

1. encore / ne… plus: _____

2. À seize ans…: _____

3. de toute la matinée: _____

4. toujours / ne… jamais: _____

5. en fin de journée: _____

6. la veille au soir: _____

7. dans deux jours: _____

8. déjà / ne… pas encore: _____

9. en même temps: _____

10. désormais: _____

18-7 **Les subordonnées de temps à l'indicatif.** Complétez les phrases suivantes en traduisant les mots *en gras*. Mettez les verbes entre parenthèses aux temps qui conviennent, le cas échéant. Indiquez toutes les possibilités.

1. *She will look for a job **after she graduates**.* → Elle cherchera du travail _____ (terminer) ses études.

2. *Our friends visited us **while they were** in Paris.* → Nos amis nous ont rendu visite _____ (être) à Paris.

3. ***Since he made himself** new friends, he has not been the same.* → _____ (se faire) de nouveaux amis, il n'est plus le même.

4. ***When he got out** of the store, someone shot him.* → _____ (sortir) du magasin, quelqu'un lui a tiré dessus.

5. *She was only sixteen **at the time she started** college.* → Elle n'avait que seize ans _____ (commencer) la fac.

6. *We'll give you a phone call **as soon as we know** something.* → Nous vous téléphonerons _____ (savoir) quelque chose.

7. *These children get car sick **each time they ride** in the car.* → Ces enfants sont malades _____ (faire) de la voiture.

8. ***As long as there's** life, there's hope.* → _____ (y avoir) de la vie, il y a de l'espoir. [dicton]

9. *I will go out for a walk **once** it stops (**or has stopped**) raining.* → J'irai me promener _____ (s'arrêter) de pleuvoir.

10. *She made a spectacular recovery **just when nobody expected it**.* → Elle s'est rétablie de façon spectaculaire _____ (personne / s'y attendre).

18-8 **Les subordonnées de temps au subjonctif.** Complétez les phrases suivantes par la conjonction appropriée correspondant aux mots *en gras*. Mettez les verbes entre parenthèses aux temps (subjonctif présent ou passé) qui conviennent. Indiquez toutes les possibilités.

1. *It's **time** for you to be more responsible.* → Il est (a) _____ tu (b) _____ (prendre) tes responsabilités.

2. *Don't make a decision **before** we tell you to.* → Ne prends pas de décision (a) _____ nous (ne) te le (b) _____ (dire).

3. *We'll wait **until** you have finished your homework.* → Nous attendrons (a) _____ tu (b) _____ (finir) tes devoirs.

4. *By the time the police arrived, the thief had long disappeared.* → (a) _____ la police (sg.)

arrive, le voleur (b) _____ (disparaître) depuis longtemps.

5. *Get yourself a drink while I get ready.* → Servez-vous à boire _____ (finir) de me préparer.

18-9 **Subordonnées de temps: indicatif *vs* subjonctif *vs* infinitif.** Complétez les phrases suivantes par des conjonctions ou des locutions appropriées correspondant aux mots *en gras*. Mettez les verbes entre parenthèses aux temps et aux modes qui conviennent. Ajoutez une préposition devant l'infinitif, si nécessaire. Indiquez toutes les possibilités.

1. *I discovered that little café **one day when** I was taking a walk in the neighborhood.* → J'ai découvert ce

petit café (a) _____ je (b) _____ (se promener) dans le quartier.

2. *Hurry and say good-bye to her **before** she leaves.* → Va vite lui dire au revoir (a) _____ elle

(b) _____ (partir).

3. *She left **after** kissing all her friends goodbye.* → Elle est partie (a) _____

(b) _____ (embrasser) tous ses amis.

4. ***Now that** Julian lives in New York, his parents hardly see him any more.* → (a) _____ Julien

(b) _____ (vivre) à New York, ses parents ne le voient plus beaucoup.

5. *It might be **time** for you to make your reservations if you want to be sure to find a good hotel.* → Il serait

peut-être (a) _____ vous (b) _____ (faire) vos réservations si vous voulez être

sûr(e/s) de trouver un bon hôtel.

6. *I recognized them **as soon as** I saw them.* → Je les ai reconnu(e)s (a) _____ je les

(b) _____ (voir).

7. *They fled **before** the police could identify them.* → Ils se sont enfuis (a) _____ la police

(b) _____ (réussir) à les identifier.

8. *Go straight **until** you see a church on your right; the bank you are looking for is straight across from it.* →

Continuez tout droit (a) _____ vous (b) _____ (apercevoir) une église sur

votre droite: la banque que vous cherchez est juste en face.

9. *The concierge handed me my mail **as** I was going up to my apartment.* → La concierge m'a remis mon

courrier (a) _____ je (b) _____ (monter) chez moi.

10. ***By the time** you get back, the rain will have stopped.* → (a) _____ vous

(b) _____ (être) de retour, la pluie aura cessé.

18-10 **Subordonnées de temps: indicatif *vs* subjonctif *vs* infinitif.** Complétez les phrases suivantes par des conjonctions ou des locutions appropriées correspondant aux mots *en gras*. Mettez les verbes entre parenthèses aux temps et aux modes qui conviennent. Ajoutez une préposition devant l'infinitif, si nécessaire. Indiquez toutes les possibilités.

1. *We'll eat **as soon as** your brother is back or has come back.* → Nous mangerons (a) _____

ton frère (b) _____ (rentrer).

2. *Let's hurry and get there **before** the show has started.* → Dépêchons-nous d'arriver

(a) _____ le spectacle (b) _____ (commencer).

3. **Since** all this construction started, the neighborhood has become very noisy. → (a) _____ on

(b) _____ (entreprendre) ces travaux, le quartier est devenu très bruyant.

4. **Once** you're done doing the dishes, please vacuum the living room. → (a) _____ tu

(b) _____ (finir) de faire la vaisselle, tu seras gentil de passer l'aspirateur au salon.

5. **It's time for us** to get up; it's already past nine o'clock! → _____ nous nous levions: il est

déjà neuf heures passées!

6. I used to enjoy playing soccer **when** I was younger. → J'aimais bien jouer au foot (a) _____

j' (b) _____ (être) plus jeune.

7. Don't forget to feed the cat **before** you go to bed. → N'oublie pas de donner à manger au chat

(a) _____ (b) _____ (aller se coucher).

8. Call me **once** you have decided what you want to do this weekend. → Appelez-moi (a) _____

vous (b) _____ (décider) ce que vous voulez faire ce week-end.

9. **As long as** he still had a job, he was OK. → (a) _____ il avait encore du travail, ça

(b) _____ (aller).

10. **Now that** he's been laid off, I don't know how he's going to manage. → (a) _____ on

l' (b) _____ (licencier), je ne sais pas comment il va s'en sortir.

18-11 Subordonnées de temps: indicatif *vs* subjonctif *vs* infinitif. Mettez les verbes entre parenthèses aux modes et temps qui conviennent. Ajoutez une préposition devant l'infinitif, si nécessaire. Indiquez toutes les possibilités.

1. Après _____ (faire) des courses, Rachel et Noémi sont allées déjeuner.

2. Il lui fit [passé simple] un signe de la main avant qu'elle _____ (disparaître) au bout du chemin.

3. J'écoute souvent de la musique pendant que je _____ (travailler).

4. Attendez-moi, le temps que j' _____ (aller) chercher mon manteau.

5. J'habite chez mes parents en attendant _____ (trouver) un logement.

6. Je répéterai cette sonate jusqu'à ce que je la _____ (savoir) sur le bout des doigts (*perfectly*).

7. Un jour, quand tu _____ (être) plus grand, je te raconterai ce qui s'est passé.

8. Toutes les fois qu'elle _____ (passer) devant chez nous, elle s'arrêtait pour bavarder quelques minutes avec ma mère.

9. Il avait couru à la rencontre de Thérèse aussitôt qu'il l' _____ (apercevoir) sur le quai de la gare.

10. Va vite à la banque avant qu'elle _____ (être) fermée.

18-12 **Subordonnées de temps: récapitulation.* Traduisez les phrases suivantes. Employez les mots entre crochets. Indiquez toutes les possibilités.

1. *Call me as soon as you are back.* [Appelle-moi…]

   _____

2. *The soccer game had barely started when the television broke down.* [Le match de football / tomber en panne]

   _____

3. *I'll make you something to eat before you go off.* [Je te ferai quelque chose à manger / se mettre en route]

   _____

4. *It's time for me to live independently from my parents.* [vivre indépendamment]

   _____

5. *As he was locking his car, he realized he had left his keys inside.* [être en train de verrouiller sa voiture / se rendre compte / à l'intérieur]

   _____

6. *At night, her mother always stays up until she's back home!* [attendre qqn / rentrer]

   _____

7. *We had to leave before we were done eating dinner.* [partir / finir de dîner]

   _____

8. *Once he has made up his mind, no one can make him change it.* [prendre une décision / faire changer d'avis à qqn]

   _____

9. *When you go to Boston and you see her, tell her to send me her new e-mail address.* [dis-lui / adresse électronique]

   _____

10. *By the time we get the answer, it'll be too late.* [avoir une réponse]

    _____

18-13 **In* (dans son sens temporel). Traduisez les phrases suivantes de toutes les manières possibles suivant le sens. Employez les mots entre crochets.

1. *My father graduated from college **in** 1980.* [terminer ses études universitaires]

   _____

2. *I haven't seen any good play **in** a long time.* [une pièce]

   _____

3. *Victor Hugo was born **in** the nineteenth century.*

   _____

4. *Exams take place **in** the spring.* [avoir lieu]

   _____

5. *I'll be there **in** two minutes.* [J'arrive…] _____

6. *Her novels are such a huge success that the latest disappeared from the shelves **in** less than two days.*
[avoir un tel succès / disparaître des rayons]

_____

_____

7. *They haven't been to that restaurant **in** years.*

_____

_____

18-14 ***Ago.*** Traduisez les phrases suivantes de toutes les manières possibles, suivant le sens. Employez les mots entre crochets.

1. *The bombs that went off two days **ago** killed more than two hundred people.* [éclater / faire des victimes]

_____

2. *She finished her [medical] residency a year **ago** already.* [internat (m.)]

_____

_____

3. *They divorced more than two years **ago**.*

_____

_____

18-15 ***For.*** Traduisez les phrases suivantes de toutes les manières possibles suivant le sens.

1. *He's been sick **for** the last two days.*

_____

_____

2. *She danced in this company **for** almost ten years* [près de dix ans].

_____

3. *Sophie went to London **for** the weekend.*

_____

4. *Gaëtan has been unable to play hockey **for** two months.* [jouer au hockey]

_____

_____

18-16 ***Since.*** Traduisez les phrases suivantes de toutes les manières possibles. Employez les mots entre crochets.

1. *Ever **since** he met her, he has been feeling very happy.* [rencontrer qqn / être heureux]

_____

_____

2. *It's been years **since** I have spoken French.* [parler français]

_____

_____

3. *It had been ten years **since** they had gotten married.* [se marier]

_____

4. *We've been waiting in line **since** nine o' clock.* [faire la queue]

_____

18-17 **Il y a** *ou* **Cela (Ça) fait.** Traduisez les phrases suivantes en utilisant **il y a** *ou* **cela (ça) fait** <u>uniquement</u>. Ajoutez **que**, si nécessaire. Employez les mots entre crochets.

1. *I started my doctorate two years **ago**.* [mon doctorat]

_____

2. *I've been working on my doctorate **for** two years.* [travailler à qqch]

_____

3. *I haven't had a vacation **in** two years.* [prendre des vacances]

_____

4. *It's been two years **since** I started my doctorate.*

_____

5. *It's been two years **since** I saw her.*

_____

18-18 *****Il y a/avait** *ou* **Cela (Ça) fait/faisait.** Traduisez les phrases suivantes en utilisant **il y a/avait** *ou* **cela (ça) fait/faisait** <u>uniquement</u>. Ajoutez **que**, si nécessaire. Indiquez toutes les possibilités.

1. *I saw this movie two weeks **ago**.*

_____

2. *I haven't talked to her **in** a long time.*

_____

3. *It's been ages **since** she has been to Paris.* [longtemps]

_____

4. *He has been absent **for** three days.*

_____

5. *It had been two weeks **since** she had started her new job, and she was delighted about it.* [être ravi de qqch]

_____

18-19 *****Depuis.** Traduisez les phrases suivantes en utilisant <u>uniquement</u> **depuis**. Ajoutez **que** si nécessaire. Employez les mots entre crochets. Indiquez toutes les possibilités.

1. *I've seen her only twice **since** she moved.* [ne… que / déménager]

_____

2. *He left only ten minutes **ago**.*

_____

3. *It has been raining **for** two days.* [pleuvoir]

_____

4. *I haven't skied **for** a long time.* [skier]

_____

5. *It's been two years **since** he had a real job.*

_____

18-20 *Récapitulation.** Complétez les phrases suivantes. Traduisez les mots entre crochets, le cas échéant. Indiquez toutes les possibilités.

1. Ce tableau est dans notre famille _____ toujours.

2. _____ deux jours que j'attends une réponse.

3. Les éboueurs (*sanitation workers*) ont fait la grève _____ plus d'une semaine.

4. _____ elle est arrivée en France, elle a fait d'énormes progrès en français.

5. (a) _____ à peine six mois qu'ils s'étaient rencontrés et (b) _____ [*since then*], ils étaient devenus inséparables.

6. Elle a réussi à finir ses études _____ trois ans.

7. Ils sont partis (a) _____ tout un mois et ne reviendront donc que (b) _____ trois semaines.

8. _____ Moyen Âge, la plupart des gens ne savaient ni lire ni écrire.

9. Ils ont dû attendre _____ plus d'une heure avant de voir le médecin.

10. Il m'a téléphoné _____ une semaine à peu près, juste pour me dire bonjour.

11. Je regrette, monsieur Richard ne pourra pas vous recevoir ce jour-là: il est absent _____ une semaine, jusqu'au 10 juin.

12. (a) _____ printemps et (b) _____ été, les touristes envahissent l'abbaye du Mont-Saint-Michel.

18-21 **Récapitulation: il y a, cela/ça fait, depuis, en, dans, pendant,** etc. Complétez les phrases suivantes en mettant les verbes entre parenthèses aux temps et modes qui conviennent. Indiquez toutes les possibilités.

1. Cela faisait des années que nous _____ (ne pas/plus retourner) en Provence.

2. Ils _____ (acheter) leur maison de campagne il y a deux ans.

3. J'aimerais que tu _____ (revenir) d'ici une heure.

4. Vous _____ (compter) rester à Paris pour combien de temps?

5. Attends-moi, j' _____ (arriver) dans cinq minutes.

6. Le film _____ (commencer) d'ici cinq minutes.

7. On nous _____ (annoncer) la nouvelle il y a cinq minutes.

8. Il y _____ (avoir) bientôt deux ans qu'ils sont mariés.

9. Cela ne faisait que deux ans qu'il _____ (étudier) l'anglais mais il le parlait déjà très bien.

10. Il y a une semaine qu'il _____ (faire) gris et froid; nous aimerions bien un peu de soleil!

18-22 *****Récapitulation:** *for, ago* et **since.** Traduisez les phrases suivantes de toutes les façons possibles. Employez les mots entre crochets.

    1. *He's been in a great mood **since** yesterday.* [être de très bonne humeur]

    _____

    2. *She's had a headache **for** two days.* [avoir mal à la tête]

    _____

    3. *They divorced three years **ago**.* [divorcer]

    _____

    4. *We stayed there **for** three days.* [rester là-bas]

    _____

    5. *It's been two years **since** it really snowed in this region.* [vraiment neiger]

    _____

18-23 *****Récapitulation:** *for, ago* et **since.** Traduisez les phrases suivantes de toutes les façons possibles. Employez les mots entre crochets.

    1. *They have lived here **for** ten years.* [habiter]

    _____

    2. *They lived in California **for** two years.* [vivre]

    _____

    3. *They worked hard **for** two weeks.* [travailler très dur]

    _____

    4. *They left **for** two weeks.*

    _____

    5. *They left Paris ten years **ago**.* [quitter]

    _____

    6. *They have been living here **since** 1994.* [vivre]

    _____

    7. ***Since** they have been living in Lyon [i.e., they still live there], they have spoken fluent French.* [vivre / parler couramment]

    _____

    8. *It's been a long time **since** I visited Versailles.* [visiter]

    _____

    9. *It's been a long time **since** I finished my degree.* [terminer ses études]

    _____

    10. *It has been raining nonstop **for** two days.* [pleuvoir (participe passé: plu) sans arrêt]

    _____

    11. *It hasn't rained **for/in** two days.*

    _____

18-24 La concordance des temps à l'indicatif et au subjonctif. Complétez les phrases suivantes en mettant les verbes entre parenthèses aux temps et modes correspondant aux mots *en gras*. Indiquez toutes les possibilités.

1. *I think that his plane **is arriving** now.* → Je crois que son avion _____ (arriver).

2. *I think that his plane **has just arrived**.* → Je crois que son avion _____ (arriver).

3. *I thought that plane always **arrived** at three o'clock?* → Je croyais que cet avion _____ (arriver) toujours à trois heures?

4. *I think that his plane **arrived** at 4 o'clock.* → Je crois que son avion _____ (arriver) à quatre heures.

5. *I thought that his plane **had arrived** at three o'clock.* → Je croyais que son avion _____ (arriver) à trois heures.

6. *I think that his plane **is going to arrive** on time.* → Je crois que son _____ (arriver) à l'heure.

7. *I doubt that he **is** very happy.* → Je doute qu'il _____ (être) très heureux.

8. *I'm surprised that he **gave** you his private number.* → Je suis surprise qu'il t' _____ (donner) son numéro privé.

9. *I am afraid that he **will have** a nervous breakdown.* → Je crains qu'il _____ (faire) une dépression nerveuse.

10. *It's too bad you **did not come** to the party last night.* → C'est dommage que tu _____ (ne pas venir) à la fête hier soir.

19

Chapitre Dix-neuf

Le passif

19-1   **Transposition au passif.** Mettez les phrases suivantes à la voix passive en respectant les temps, les modes et la logique. Faites tous les changements nécessaires. Attention notamment aux accords.

1. Jean Renoir a réalisé ces deux films.

   _____

2. Une jeune collègue remplacera Michèle pendant son congé de maternité.

   _____

3. Il faudrait qu'on termine la réunion avant six heures.

   _____

4. Mon agent de voyage avait pourtant réservé mon billet d'avion.

   _____

5. On va complètement rénover le bâtiment.

   _____

6. Nos amis viennent d'acheter cette maison.

   _____

7. C'est la première fois que ce quotidien chinois publie des chiffres officiels sur la peine de mort.

   _____

8. Une fois qu'on aura installé le câble, vous pourrez vous brancher sur la Toile (*Web*) sans aucun problème.

   _____

9. Le télescope *Spitzer* aurait détecté une dixième planète.

   _____

10. C'est idiot qu'on ne vous ait pas averti(e)s.

    _____

19-2   **Transposition au passif.** Mettez les phrases suivantes à la voix passive en respectant les temps, les modes et la logique. Faites tous les changements nécessaires. Attention notamment aux accords.

1. Un kamikaze a tué plus de dix personnes.

   _____

2. Cette mauvaise nouvelle m'a perturbé(e).

   _____

3. On vous accueillera à bras ouverts.

_____

4. Il n'aime pas qu'on le dérange tôt le matin.

_____

5. Ils n'avaient pas encore terminé les travaux de réfection (_renovations_).

_____

6. Il est curieux que _Le Figaro_ publie un tel article.

_____

7. L'armée a toujours soutenu ce gouvernement.

_____

8. Vous croyez que l'assurance me remboursera ces frais médicaux?

_____

9. Les Dufour nous ont reçu(e)s très gentiment.

_____

10. On a réélu le président russe à 71% des voix.

_____

19-3 *__Transposition au passif.__ Mettez les phrases suivantes à la voix passive en respectant les temps, les modes et la logique. Faites tous les changements nécessaires. Attention notamment aux accords.

1. Un agent immobilier a fait l'état des lieux (_inventory of fixtures_) avant la prise en location.

_____

2. Vespucci avait découvert l'Amérique avant Christophe Colomb.

_____

3. Mon ordinateur sauvegarde automatiquement tout ce que j'écris.

_____

4. Durant sa visite à l'étranger, plusieurs gardes du corps accompagneront le président de la République.

_____

5. Selon les derniers rapports, l'éruption volcanique aurait détruit tout un quartier de la ville.

_____

6. Avant de procéder aux travaux (_start work_), il faut que toutes les parties acceptent le projet.

_____

7. On n'a toujours pas éradiqué la tuberculose.

_____

8. D'après ce que je comprends, on acceptera uniquement les dix premiers candidats au concours de la magistrature.

_____

9. On arrêta [passé simple] le voleur sans trop de difficultés.

_____

10. La police se félicite que le FBI ait retrouvé les coupables.

_____

19-4 **Actif** *vs* **passif.** Dans les phrases suivantes, indiquez si le verbe **en gras** est à la voix passive (conjugaison avec **avoir**) ou à la voix active (conjugaison avec **être**). Indiquez également le temps du verbe.

1. Elle **est sortie** dimanche après-midi car elle voulait prendre l'air.
2. Une fois que la viande **est sortie** du réfrigérateur, il faut la consommer rapidement.
3. Le piano à queue a dû **être descendu** au rez-de-chaussée par toute une équipe.
4. De Paris, il **est descendu** à Aix-en-Provence en TGV.
5. Nous ne dînerons pas avant que tout le monde (ne) **soit rentré**.
6. Tous les soirs, avant le dîner, les jouets devaient **être rentrés** par les enfants.
7. J'avais huit ans lorsque je **suis monté(e)** à cheval pour la première fois.
8. Les nouveaux meubles de notre chambre viennent d'**être montés** par les livreurs.
9. La terre de ce champ **est retournée** après chaque récolte.
10. Affolée par la vie parisienne, elle **est retournée** dans son village un mois après l'avoir quitté.

19-5 **Transposition à la voix active.** Mettez les phrases suivantes à la voix active en respectant les temps et les modes. Faites tous les changements nécessaires.

1. Lors des dernières émeutes (*riots*), de nombreuses vitrines (*windows*) ont été brisées par des délinquants.

_____

2. La plupart des magasins ont été pillés (*looted*) et des marchandises valant plusieurs centaines de milliers d'euros ont été volées.

_____

3. Plus de deux mille personnes ont été interpellées (*questioned*) par la police pour possession de drogue ou d'armes.

_____

4. Les contrôles vont être encore intensifiés dans les gares et les aéroports.

_____

5. Nous craignons que de nouveaux forages pétroliers (ne) soient autorisés par le gouvernement actuel.

_____

6. Le programme de centrales nucléaires n'aurait jamais dû être relancé.

_____

7. Il est important que des alternatives à l'énergie nucléaire soient proposées par les organisations écologiques.

_____

8. Toutes ses chansons seront diffusées sur MTV.

_____

19-6 *__Transposition à la voix active.__* Mettez les phrases suivantes à la voix active en respectant les temps et les modes. Faites tous les changements nécessaires.

1. Il vient d'être mis en examen (*indicted*).

   _____

2. La connaissance (*knowledge*) de deux langues vivantes (*modern languages*) sera exigée (*required*) à ce concours.

   _____

3. Ne nous éloignons pas trop (*Let's stay nearby*): nous allons être appelé(e)s d'un instant à l'autre (*any moment*).

   _____

4. Elle est vivement (*greatly*) encouragée par l'enthousiasme de ses professeurs.

   _____

5. Pourquoi faut-il que, souvent, les enfants les plus petits soient harcelés par les plus grands? (*Why, often, do younger children have to be harassed by older ones?*)

   _____

6. Ayant été avertis (*warned*) de la chute (*fall*) imminente des valeurs boursières (*stocks and shares*) par de mystérieux courtiers (*brokers*), certains hommes d'affaires vendirent leurs actions (*shares*) juste avant le krach (*crash*).

   _____

7. Pour être apprécié du public, le candidat présidentiel doit posséder un certain charisme (*charisma*).

   _____

8. La thèse selon laquelle Zola aurait été asphyxié est très convaincante (*convincing*).

   _____

9. Zola a sûrement été assassiné par des gens qui lui en voulaient (*who wished him ill*).

   _____

10. Les pneus (*tires*) de cette voiture devraient être changés: ils sont tout lisses (*smooth*)!

    _____

19-7 **Agent du passif: par *vs* de.** Complétez les phrases suivantes par la préposition **par** ou **de**, suivant le cas.

1. Nous avons été dérangé(e)s tout l'été _____ des travaux de ravalement (*renovations*).

2. Les employés ont été informés de la fermeture imminente de l'usine _____ lettre recommandée.

3. Mes études coûtent si cher que mes parents sont accablés _____ dettes.

4. L'avenue était bordée _____ magnifiques érables (*maples*).

5. Les analyses ont été effectuées _____ un laboratoire spécialisé.

6. La table de la salle à manger avait été recouverte _____ une somptueuse nappe en damas (*damask table cloth*).

7. Le dîner sera suivi _____ un concert de musique de chambre.

8. Plusieurs vols en partance (*bound for*) pour New York ont été annulés _____ le ministre des transports pour des raisons de sécurité.

9. Le vainqueur de la compétition a été félicité _____ les membres du jury à l'unanimité.

10. Les gens ont été frappés _____ stupeur devant la gravité de l'attentat.

19-8 *Agent du passif: par *vs* de.** Complétez les phrases suivantes par la préposition **par** ou **de**, suivant le cas.

1. *The fox didn't have the slightest chance to make it, for it was surrounded by a ferocious pack.* → Le renard n'avait plus aucune chance de s'en sortir car il était entouré _____ une meute féroce (*pack of ferocious hounds*).

2. *This old man had the good fortune to be surrounded by the affection of his family until the end of his life.* → Ce vieillard a eu la chance d'être entouré _____ l'affection des siens jusqu'à la fin de sa vie.

3. *When we saw Lea again, we were struck by how pale she was.* → Quand nous avons revu Léa, nous avons été frappé(e)s _____ sa pâleur.

4. *They were panic-stricken when they learned about their daughter's accident.* → Ils furent frappés _____ panique en apprenant l'accident de leur fille.

5. *Towards 1860, French vineyards were contaminated by a disease.* → Vers 1860, les vignobles français furent atteints _____ maladie.

6. *The summit of Mount Everest was reached in 1953 by Hillary and Tensing.* → Le sommet de l'Everest a été atteint en 1953 _____ Hillary et Tensing.

7. *It's a cock-and-bull story!* or *Your story sticks out a mile!* → Toute votre histoire est cousue _____ fil blanc!

8. *The most beautiful pieces of the Dior collection are always sewn by particularly skilled seamstresses.* → Les plus belles pièces de la collection Dior sont toujours cousues _____ des couturières particulièrement adroites.

9. *She decided to tell the truth because she was seized by remorse.* → Comme elle était prise _____ remords, elle décida de dire la vérité.

10. *Autumn storms broke out and, in no time, the city was flooded.* → Des orages d'automne éclatèrent et, en un rien de temps, la ville fut prise _____ les flots.

19-9 *Agent du passif: par *vs* de.** Traduisez les phrases suivantes. Employez soit **par**, soit **de** devant l'agent du passif, suivant le cas. Employez les mots entre crochets.

1. *The minister's decision has been strongly criticized by the media.* [critiquer fortement / les médias]

_____

2. *The room had been decorated with multicolored balloons.* [La salle… / ballons multicolores]

_____

3. *The living room had been decorated by a famous Italian artist.* [Le salon… / célèbre artiste]

_____

4. *My grandmother was loved by all her neighbors and friends.*

_____

5. *The castle has been bought by a private firm.* [racheter / entreprise (f.)]

_____

6. *The castle was surrounded by a moat.* [entourer / douves (f. pl.)]

_____

7. *We were surrounded by a menacing crowd.* [foule (f.)]

_____

8. *Each dossier will be read by one or two people.* [dossier (m.)]

_____

9. *During the invasion, the museum's collection was ransacked by a gang of thieves.* [saccager / bande (f.) / voleur (m.)]

_____

10. *He's an important political figure who is known by everyone in the United States.* [C'est une personnalité importante du monde politique…]

_____

19-10 *Comment traduire le passif anglais?** Traduisez les phrases suivantes en les mettant au passif, si possible. Sinon, utilisez la voix active. Employez les mots entre crochets. Indiquez toutes les possibilités.

1. *I'm worried that the budget might be slashed again.* [avoir peur / couper à nouveau le budget]

_____

_____

2. *We've been told not to worry.* [s'inquiéter]

_____

_____

3. *This painting was sold to an American museum for many millions of dollars.* [vendre / plusieurs millions de dollars].

_____

_____

4. *This museum was given a very valuable painting.* [d'une très grande valeur]

_____

_____

_____

5. *I've been told by your mother that you just graduated from college.* [ta mère / finir ses études]

_____

_____

6. *This magnificent landscape was painted by Monet.* [paysage (m.) / peindre]

_____

_____

7. *We were told the news by friends.* [la nouvelle]

_____

_____

8. *She was given a raise.* [augmentation (f.)]

_____

_____

9. *This house was built by a famous architect.* [illustre architecte]

_____

_____

10. *She was interviewed on the phone by the director.* [interviewer au téléphone]

_____

_____

19-11 *Comment traduire le passif anglais?** Traduisez les phrases suivantes en les mettant au passif, si possible. Sinon, utilisez la voix active. Employez les mots entre crochets. Indiquez toutes les possibilités.

1. *Why is it that she was chosen and not I?* [Pourquoi est-ce elle qui… / choisir / et pas moi]

_____

_____

2. *The situation was explained to her in detail.*

_____

_____

3. *What should I do to be taken seriously?* [Que dois-je… / prendre quelqu'un au sérieux]

_____

_____

4. *She was given a beautiful ring for her birthday.* [une magnifique bague]

_____

_____

_____

5. *The results of the primary elections have just been posted on the Web.* [le premier tour de scrutin / afficher / la Toile]

_____

_____

6. *We were given an appointment for tomorrow.*

_____

7. *When was this decision taken?* [employez la question par inversion]

_____

_____

8. *It's too bad she was held up.* [C'est dommage / retenir]

_____

_____

9. *My passport was stolen.*

_____

_____

10. *They were mugged by two individuals who took their money.* [tabasser *ou* se faire tabasser / individu / leur prendre]

_____

_____

19-12 *Comment traduire le passif anglais?** Traduisez les phrases suivantes en les mettant au passif, si possible. Sinon, utilisez la voix active. Employez les mots entre crochets. Indiquez toutes les possibilités.

1. *Her fears were unfounded.* [peur (f.) / infondé]

_____

2. *In 1903, the Nobel prize for physics was won by Pierre and Marie Curie.* [le prix Nobel de physique / remporter]

_____

_____

3. *We have been warned by the weather forecast that we may have a blizzard the day after tomorrow.* [prévenir / la météo / un blizzard]

_____

_____

4. *We have been warned that there might be thunderstorms during the evening.* [orage (m.)]

_____

_____

5. *So far, my calls haven't been returned.* [rester sans réponses]

_____

_____

6. *In this small town, children are given a first-rate education.* [dispenser / une éducation de tout premier ordre]

_____

_____

_____

7. *This house was built in six weeks.* [bâtir]

_____

_____

8. *Every week, she is given French lessons by a college senior.* [une étudiante de dernière année]

_____

19-13 Verbes pronominaux à sens passif. Transformez les phrases suivantes selon le modèle. Faites tous les changements nécessaires.

MODÈLE: • On ne dit pas cela/ça. → Cela/Ça ne se dit pas.

1. On aperçoit ces phares de très loin. _____

2. On a vendu cette toile de Matisse pour un million d'euros.

   _____

3. On emploie beaucoup le cumin dans la cuisine indienne.

   _____

4. On entendait souvent cette chanson à la radio.

   _____

5. On mange normalement le caviar en hors d'œuvre.

   _____

6. On porte beaucoup de noir le soir. → Le noir _____

7. On fera les vendanges (*grape harvest*) plus tôt que d'habitude cette année.

   _____

8. On comprend ça! _____

9. Il est amoureux et on le remarque! → Il est amoureux et _____

10. Il est de Marseille et on l'entend! → Il est de Marseille et _____

19-14 Verbes pronominaux à sens passif. Traduisez les phrases suivantes en mettant les verbes à la forme pronominale. Employez les mots entre crochets.

1. *The word* héros *is spelled with an* s *in French.* [écrire]

   _____

2. *Clementines are usually harvested in the winter.* [Les clémentines / cueillir]

   _____

3. *Cognac is drunk after dinner and not before.*

   _____

4. *These kinds of pants are worn with high heels.* [Ce genre de pantalon / talons hauts]

   _____

5. *The word* œufs *isn't pronounced the way it's written.* [comme]

   _____

6. *Gounod's Faust is being given at the Bastille Opera right now.* [Le *Faust* de Gounod / en ce moment / l'Opéra Bastille]

   _____

7. *We sold a lot of these models this season.* [Ce modèle (m. sg.) / beaucoup vendre]

   _____

8. *Her wedding dress was torn because it was caught in the car door.* [déchirer / prendre / la portière de la voiture]

   _____

9. *It's unheard of.* [Cela… / jamais voir (passé composé)]

   _____

10. *It's conceivable.* [concevoir] _____

19-15 *Rendre + adjectif* vs **faire + infinitif.** Traduisez les phrases suivantes. Employez les mots entre crochets.

1. *Why did he make her cry?* [pleurer]

   _____

2. *Your reaction made her furious.*

   _____

3. *My car broke down: I must have it repaired.* [tomber en panne]

   _____

4. *Stop it! It makes me crazy!* [Arrête!… / Ça…] _____

5. *Do you think I should send for a doctor?* [Vous croyez… / venir]

   _____

6. *The decision was made public yesterday.*

   _____

7. *They'll let us know before tomorrow.*

   _____

8. *Is this a picture of your little brother? Oh, let me see!* [C'est…]

   _____

9. *All these preparations made the children very impatient.* [préparatifs (m. pl.)]

   _____

10. *Where is the report I had the secretary photocopy for me?* [Où se trouve…]

   _____

19-16 *Faire causatif: forme et place des pronoms.* Récrivez les phrases suivantes en remplaçant les mots soulignés par les pronoms qui conviennent.

1. Ils ont fait installer le chauffage central. _____

2. Ils ont fait installer le chauffage central par son beau-frère.

   _____

3. Nous aurions voulu faire refaire la toiture (*roofing*).

   _____

4. Il faudrait que tu fasses installer un système de sécurité par des spécialistes.

   _____

5. Cet été, je ferai nettoyer <u>la maison</u> de haut en bas.

_____

6. Ils ont fait poser une nouvelle moquette (*carpet*) <u>par les ouvriers</u>.

_____

7. Qui fait travailler <u>son piano</u> <u>à ton fils</u>? _____

8. On fera installer <u>le câble</u> prochainement. _____

9. Je ne sais pas comment faire avaler <u>cette pilule</u> <u>à mon chat</u> parce que dès qu'il me voit, il court se réfugier sous le canapé.

_____

10. Ils ont fait payer les dégâts <u>aux clients</u>. _____

19-17 *faire + infinitif* **vs se faire + infinitif.** Traduisez les phrases suivantes. Employez les mots entre crochets.

1. *The strikers were shouting so loudly that the minister couldn't make himself heard.* [Les grévistes… / crier tellement / ne pas arriver à]

_____

2. *She had them sing a French song.* _____

3. *They got themselves hired at the factory.* [Ils… / embaucher / usine (f.)]

_____

4. *Since we didn't like the drapes, we had them removed.* [rideaux (m. pl.) / enlever]

_____

5. *She had her hair dyed blonde.* [teindre en blond]

_____

6. *You need to have new bookshelves built for this library.* [Vous… / construire / rayonnage (m.)]

_____

7. *She had to be treated in the emergency room.* [soigner aux urgences]

_____

8. *They always have themselves driven by a chauffeur.* [Ils… / conduire]

_____

19-18 *laisser + infinitif* **vs se laisser + infinitif.** Traduisez les phrases suivantes. Employez les mots entre crochets.

1. *You should let your hair grow.* [Tu… / pousser]

_____

2. *They didn't show up! They let us down once again!* [Ils… / venir au rendez-vous / une fois de plus]

_____

3. *Did you let the cat out?* [Tu…] _____

4. *The two prisoners let themselves be taken away without protest.* [emmener sans protester]

_____

5. *Let them do it their way!* _____

6. *We won't let ourselves be pushed around!*

_____

7. *You disagree? OK, never mind.* [Tu… / Bon]

_____

8. *They'll never let you attend the meeting!* [Ils… / assister]

_____

9. *Don't get discouraged!* _____

10. *Let them come a little nearer the stage.* [s'approcher un peu plus près de la scène]

_____

20 Chapitre Vingt

La comparaison

20-1 **Comparatif: adjectif** et **adverbe.** Faites des phrases complètes au présent en suivant les modèles ci-dessous. Employez l'adjectif ou l'adverbe entre crochets. Faites tous les changements nécessaires et indiquez toutes les possibilités.

MODÈLES:
- Le Danemark < la France [grand] → Le Danemark est moins grand que la France.
- La France > le Danemark [grand] → La France est plus grande que le Danemark.
- Ma voiture = la tienne [grand] → Ma voiture est aussi grande que la tienne.

1. Cette équipe de football < l'autre [fort]

   _____

2. Ces exercices = les précédents [difficile]

   _____

3. Je trouve que cette robe rouge te va < la noire [bien]

   _____

4. Essaie ces chaussures: je crois qu'elles seront > celles-là [confortable]

   _____

5. Les trains régionaux vont < les TGV [vite]

   _____

6. C'est une chambre > celle de Sophie [grand]

   _____

7. J'aime bien le train: c'est < la voiture [fatigant]

   _____

8. Aux États-Unis, Pâques (*Easter*) n'est pas une fête = Thanksgiving [important]

   _____

9. Ce vin est > celui que nous avons bu hier [fruité]

   _____

10. Jean-Louis se fâche < Luc [facilement]

    _____

20-2 **Comparatif: nom et verbe.** Faites des phrases complètes au présent en suivant les modèles ci-dessous. Employez les mots entre crochets. Faites tous les changements nécessaires et indiquez toutes les possibilités.

MODÈLES: • Marie > Sophie [avoir des neveux et nièces] → Marie a plus/davantage de neveux et nièces que Sophie.
  • Marie = Sophie [avoir des vacances] → Marie a autant de vacances que Sophie.
  • Marie < Sophie [voyager à l'étranger] → Marie voyage moins à l'étranger que Sophie.

1. La littérature > la chimie [m'intéresser]

_____

2. Jean = Janine [faire du tennis]

_____

3. Maintenant > avant [elle / étudier]

_____

4. Aujourd'hui < hier [pleuvoir]

_____

5. Cette semaine > la semaine passée [je / avoir des rendez-vous]

_____

6. En général, tu < moi [faire des fautes dans les dictées]

_____

7. Ils > nous [connaître des gens]

_____

8. Je < vous [avoir de la chance]

_____

9. Londres = Paris [avoir des habitants]

_____

10. Daniel < son fils [gagner]

_____

20-3 ***Subordonnées comparatives.** Complétez les phrases suivantes en mettant les verbes entre parenthèses aux temps qui conviennent. Faites précéder ce verbe du pronom **le/l'**, **y** ou **en**, suivant le cas. Ajoutez un **ne explétif** <u>si possible</u>.

1. *She's less patient than I thought.* → Elle est moins patiente que je _____. (penser)

2. *They have much more money than you will ever have.* → Ils ont beaucoup plus d'argent que vous _____ jamais. (avoir)

3. *They did better than she expected.* → Ils ont mieux réussi qu'elle _____ . (s'attendre)

4. *Is the situation as serious as they feared?* → La situation est-elle aussi grave qu'on _____ ? (craindre)

5. *She has more courage than I am capable of.* → Elle a plus de courage que je _____ . (être capable)

6. *This city is much more beautiful than I [had] imagined.* → Cette ville est beaucoup plus belle que

je _____ . (imaginer)

7. *Is the film as interesting as he told you?* → Est-ce que le film est aussi intéressant qu'il te

_____ ? (dire)

8. *You gave me much more money than I need.* → Vous m'avez donné beaucoup plus d'argent que

je _____ . (avoir besoin)

20-4 *__Comparatif: récapitulation.__* Traduisez les phrases suivantes. Employez les mots entre crochets, le cas échéant. Indiquez toutes les possibilités.

1. *I like brie just as much as camembert.*

   _____

2. *I don't like this bistro; beer is much more expensive here than in the one we usually go to.* [bistrot (m.) / la bière y est / dans celui où]

   _____

3. *This is easier than I thought.*

   _____

4. *It's not as far as I thought.*

   _____

5. *This is further than I expected.* [s'attendre à qqch]

   _____

6. *She has a lot more patience than you do!* [avoir de la patience]

   _____

7. *She is younger but taller than her brother.*

   _____

8. *We need three additional chairs at this table.* [avoir besoin]

   _____

9. *This semester, I read fewer novels and poems than I did last semester.*

   _____

10. *This isn't as difficult as all that.* [que ça]

    _____

11. *Tonight's sunset isn't as spectacular as yesterday's.* [Le coucher de soleil de ce soir / celui d'hier soir]

    _____

20-5 *Comparatif: récapitulation.* Traduisez les phrases suivantes. Employez les mots entre crochets, le cas échéant. Indiquez toutes les possibilités.

1. *She gets ill more often than you do.* [tomber malade]

   _____

2. *Why does my ticket cost twenty dollars more than yours?* [Pourquoi est-ce que… / coûter]

   _____

3. *He has more time and ideas than he has money.*

   _____

4. *This is a much bigger car than mine.* [spacieux]

   _____

5. *Sam has as many CDs as he has DVDs.* [les CD / les DVD]

   _____

6. *This week, we have far less work than we did last week.*

   _____

7. *It's easier said than done.* [dire / faire]

   _____

8. *Buy this jacket; I like it better.* [veste (f.) / me plaire]

   _____

9. *He's younger than I thought.*

   _____

10. *He isn't as dumb as he looks.* [bête / avoir l'air <u>de</u> qqch]

   _____

20-6 **Superlatif: adjectif, adverbe, nom et verbe.** Traduisez les phrases suivantes. Employez les mots entre crochets, le cas échéant. Indiquez toutes les possibilités.

1. *It's the smallest street in this part of town.*

   _____

2. *It's the biggest airport in Paris.*

   _____

3. *Unfortunately, Patrick and Marianne are the friends I see the least since I moved.* [déménager]

   _____

   _____

4. *It's the nicest beach on the Atlantic coast.* [plage (f.) / agréable / la côte]

   _____

5. *Myriam is the one who runs the fastest in the team.* [Myriam est celle qui… / équipe (f.)]

   _____

6. *I hope she will give us a reply as soon as possible.* [répondre]

_____

_____

7. *It's the most beautiful stained glass window in the cathedral.* [vitrail (m.)]

_____

_____

8. *We sent them to the oldest restaurant in Paris.*

_____

_____

20-7   ***Superlatif: adjectif, adverbe, nom** et **verbe.*** Traduisez les phrases suivantes. Employez les mots entre crochets. Indiquez toutes les possibilités.

1. *Of all of Monet's paintings, they only spoke of the most famous ones.* [De tous les tableaux de Monet… / ils / ne parler que de qqch]

_____

_____

2. *These hotels usually have the fewest guests after Christmas.* [C'est en général après Noël que… / clients (m. pl.)]

_____

_____

3. *The most holidays in France happen in the month of May.* [C'est au mois de mai qu'il y a… / les jours fériés]

_____

4. *People work the least in France in the month of May because of the many long weekends.* [C'est au mois de mai qu'on… / ponts (m. pl.)]

_____

5. *We'll be back Monday at the earliest.* [être de retour]

_____

6. *This sonata is the most difficult I ever played.* [Cette sonate…]

_____

7. *She's always the most stressed out of all of us.* [De nous tous, c'est elle qui…]

_____

8. *It's when she's most stressed out that she is most difficult to live with.* [stressé / difficile à vivre]

_____

9. *It's the most interesting movie I've seen recently.*

_____

10. *It's a most unusual event.* [un événement]

_____

20-8 **Comparatif** et **superlatif: récapitulation.** Traduisez les phrases suivantes.

1. *Prior to September 11, 2001, the twin towers of New York City were the tallest skyscrapers in the world.* [les tours jumelles de New York / les gratte-ciel (m. pl.)]

   _____

   _____

2. *The Montparnasse Tower is taller than the Eiffel Tower.*

   _____

3. *Mount Blanc is less high than Mount Everest.* [Le Mont-Blanc / haut / l'Everest]

   _____

4. *Mount Blanc is not as high as Mount Everest.*

   _____

5. *The Loire is the longest major river in France.* [La Loire / fleuve (m)]

   _____

6. *Among the four major rivers in France, the Garonne is the shortest.* [Des quatre fleuves de France... / la Garonne / moins long]

   _____

7. *The Garonne is not as long as the other three major rivers.*

   _____

8. *Paris is the biggest city in France.*

   _____

9. *Monaco is one of the smallest countries in Europe; it is a principality.* [principauté (f.)]

   _____

10. *Luxembourg is smaller than Belgium.*

   _____

11. *Monaco is not as small as the Vatican.*

   _____

12. *Spain is almost as big as France.*

   _____

20-9 **Comparatifs** et **superlatifs irréguliers.** Traduisez les phrases suivantes. Employez les mots entre crochets.

1. *She speaks Arabic very well.* [l'arabe] _____

2. *She speaks Arabic better than her sisters do.*

   _____

3. *She speaks Arabic the best.* [C'est elle qui...]

   _____

4. *The strikes are worse this year than the ones last year.* [Les grèves cette année… / celles de l'année dernière]

_____

5. *The best restaurants are not necessarily the most expensive ones.*

_____

6. *Do you know where that museum is? —No, I don't have the slightest idea.*

Savez-vous où se trouve ce musée? —Non, _____

7. *Apparently, the heat wave was worse in France than in Spain.* [Apparemment, la vague de chaleur a été…]

_____

8. *His health is going from bad to worse.* [santé (f.)]

_____

9. *She plays the piano better than I do.* [jouer d'un instrument]

_____

10. *She is better than I am at the piano.* _____

20-10 Expressions idiomatiques avec «mieux» ou «meilleur». Complétez les phrases suivantes par l'expression idiomatique qui convient.

1. *At best, the trip will take us two hours.* → _____, le voyage nous prendra deux heures.

2. *I'll try my best.* → Je ferai _____.

3. *Don't you have anything better to suggest to us?* → Vous n'auriez pas _____ à nous proposer?

4. *We'd better not get up too late tomorrow morning.* → Nous _____ de ne pas nous lever trop tard demain matin.

5. *Since you don't serve wine, for lack of something better, I'll have a Perrier.* → Puisque vous ne servez pas de vin, je prendrai un Perrier, _____.

6. *Apparently, this laptop is the best available model right now.* → Apparemment, cet ordinateur portable est _____ en ce moment.

7. *Better let him sort this out for himself.* → (a) _____ est de le laisser se débrouiller. *ou* (b) _____ le laisser se débrouiller.

8. *The ticket would be cheaper if you bought it on the Internet.* → Le billet serait _____ si tu l'achetais par Internet.

20-11   * «**Autant** », «**d'autant plus**», «**de plus en plus**», etc.   Traduisez les phrases suivantes. Employez les mots indiqués entre crochets.

    1. *I am all the more delighted about my results as I had studied a lot.* [être ravi(e) de qqch / résultat (m.)]

      _____

    2. *Gas is getting more and more expensive.* [essence (f.)]

      _____

    3. *The more you yell, the less he'll listen.* [crier / t'écouter]

      _____

    4. *She's all the more disappointed about this as they haven't seen each other in two months.* [en être déçu(e) / ils / depuis deux mois]

      _____

    5. *The more she works, the happier she seems!* [avoir l'air content]

      _____

    6. *She said that to provoke you as much as to answer your question.* [Elle t'a dit cela…]

      _____

    7. *This wine is as fruity as that one is dry.* [ce vin-ci / fruité / celui-là / sec]

      _____

    8. *Computers are getting less and less expensive.*

      _____

    9. *I felt all the less like staying in that hotel because it was cold and the rooms weren't heated yet.*

      _____

   10. *The less you react, the better it is.* [tu / ça vaut]

      _____

   11. *I would just as soon not go.* [y aller]

      _____

   12. *I was more and more confused.* [perplexe]

      _____

20-12   *Constructions avec «**même**», «**plutôt**» et «**comme**».   Traduisez les phrases suivantes. Employez les mots entre crochets, le cas échéant.

    1. *Let's invite them Saturday night rather than Friday.*

      _____

    2. *Like mother, like daughter.* _____

    3. *She works as an engineer.* _____

    4. *She works like mad.* _____

    5. *They're not rich but they live as if they were.*

      _____

    6. *Do as we do.* _____

7. *Your car is the same color as mine.* [être d'une certaine couleur]

_____

8. *Wear pants rather than a dress; you'll be more comfortable.* [mettre un pantalon / tu / être à l'aise]

_____

9. *This wine sparkles like champagne.* [pétiller / du champagne]

_____

10. *As far as wine goes, what would you like to drink with the duck?*

→ Que voulez-vous boire _____ avec le canard?

11. *Most stores are closed on Sundays in Germany as well as in Austria.* [Le dimanche… / magasin (m.)]

_____

20-13 **Expressions idiomatiques avec «comme».** Reliez les deux parties de la comparaison et trouvez leur équivalent en anglais.

1. Il est riche	a. comme l'or.
2. Il est doux	b. comme Artaban.
3. Il est beau	c. comme un pinson.
4. Il ment	d. comme un oiseau.
5. Elle est aimable	e. comme Crésus.
6. Il est franc	f. comme un cœur.
7. Elle est gaie	g. comme un agneau.
8. Elle est jolie	h. comme un dieu.
9. Il est fier	i. comme une porte de prison.
10. Elle mange	j. comme un arracheur de dents.

20-14 **Compositions.** Rédigez un ou deux paragraphes où vous ferez des comparaisons sur un thème de votre choix.

EXEMPLES: Votre père *vs* votre mère
Vos deux meilleurs ami(e)s
Les goûts et les habitudes de votre génération *vs* ceux de la génération de vos parents
Le cinéma américain *vs* le cinéma français
Le football (*soccer*) *vs* le baseball (ou tout autre sport)

20-15 **Récapitulation.** Faites une phrase pour chaque élément ci-dessous.

1. de plus que: _____

2. si… que: _____

3. autant de… que de: _____

4. C'est de loin + superlatif: _____

5. le plus au monde: _____

6. plus de… et de… que de: _____

7. drôlement (*very*): _____

8. richissime: _____

9. adjectif + tout plein: _____

10. l<u>e</u> plus genti<u>lle</u>: _____

20-16 *Récapitulation. Faites une phrase pour chaque élément ci-dessous.

   1. faute de mieux: _____

   2. aller de mal en pis: _____

   3. faire mieux: _____

   4. le/la moindre: _____

   5. meilleur marché: _____

   6. d'autant plus… que: _____

   7. Autant… autant: _____

   8. de moins en moins: _____

   9. de plus en plus: _____

  10. J'aimerais autant: _____

  11. Plus… moins: _____

  12. différent: _____

  13. comparable: _____

  14. comme si: _____

  15. plutôt que: _____

Réponses

Chapitre Un

1-1 1. a. paye *ou* paie b. payez 2. a. m'appelle b. ai c. habite 3. a. changeons b. commençons 4. achète 5. emmène 6. a. vas b. ne peux pas c. dois 7. a. vous tutoyez b. sommes 8. a. se lève b. nous levons 9. a. allons b. nous plaçons 10. a. répètes b. répétons 11. a. ne se connaissent pas b. se vouvoient 12. a. vit b. est

1-2 1. a. buvez b. ne bois pas 2. a. croyez b. disent 3. a. reçois b. vient 4. bat 5. faites 6. vaut 7. a. sort b. met 8. cueillent 9. a. doivent b. veulent 10. a. ne plaisent pas b. croient c. ont 11. prennent 12. a. voyez b. ne faut pas 13. craignons 14. lisez

1-3 1. suis 2. habite 3. ai 4. porte 5. mesure 6. craint 7. bois 8. me bats 9. s'appelle 10. allons 11. rapportons 12. mangeons 13. haïssent 14. opposons 15. perdons. [Il s'agit bien sûr du héros gaulois, Astérix.]

1-4 1. Il est en train de prendre une douche. [ON PEUT DIRE AUSSI: Il est sous la douche.] 2. Malheureusement, notre équipe est en train de perdre. 3. Nous sommes en train d'organiser une soirée pour son anniversaire. 4. Je suis en train de confectionner un gâteau.

1-5 PAR EXEMPLE: 1. peux. 2. veux. 3. fait beau. 4. as faim 5. gagnons à la loterie

1-6 1. Depuis que je suis sur le campus, j'ai une vie sociale bien remplie. 2. Cela (Ça) fait/Il y a quatre ans que j'étudie le français. *ou* J'étudie le français depuis quatre ans. 3. Cela (Ça) fait/Il y a deux jours qu'il neige. *ou* Il neige depuis deux jours. 4. Cela (Ça) fait/Il y a une heure que je t'attends. *ou* Je t'attends depuis une heure!

1-7 1. a. mettez b. faites 2. Laissez 3. a. Enlevez b. garnissez 4. a. Réduisez b. versez 5. a. Attendez b. Accompagnez

1-8 1. Préchauffez 2. a. Beurrez b. Ajoutez 3. a. Pelez b. coupez c. tapissez 4. a. Saupoudrez b. parsemez 5. a. Laissez b. faites 6. mélangez 7. a. Pétrissez b. humectez 8. a. Roulez b. étalez 9. a. enroulez b. déroulez 10. a. Enfournez b. prévoyez 11. a. Enlevez b. ne la démoulez pas 12. a. posez b. retournez 13. Ôtez 14. a. présentez b. flambez

1-9 1. Souviens-toi 2. sois 3. va 4. ne l'oublie pas 5. profites 6. passe 7. commande 8. Dis 9. prends 10. arrête-toi 11. choisis 12. Vois 13. fais 14. ne te laisse pas 15. Achète 16. passe 17. nettoie 18. range 19. Ne t'endors pas 20. Devine

1-10 1. Oui, achètes-en un. / Non, n'en achète pas. 2. Oui, accompagnez-moi. / Non, ne m'accompagnez pas. 3. Oui, parlons-leur. / Non, ne leur parlons pas. 4. Oui, vas-y. / Non, n'y va pas. 5. Oui, réserve-les. / Non, ne les réserve pas. 6. Oui, allons-y. / Non, n'y allons pas.

1-11 1. Veuillez patienter dans la salle d'attente. 2. Soyons réalistes! 3. Assieds-toi et mange! 4. Allons-y! 5. Ne sois pas impoli(e)! 6. Ayez fini *ou* terminé vos devoirs avant le dîner. 7. Donnes-en à ton frère. 8. N'y pensez pas! 9. Aie un peu plus de patience! 10. Sachez ce poème d'ici demain.

Chapitre Deux

2-1 1. un 2. l' 3. un 4. le 5. Des 6. Les 7. une 8. l' 9. a. Une b. les

2-2 1. une 2. les 3. des 4. le 5. un 6. des 7. la 8. la 9. un 10. a. l' b. le 11. le 12. Les

2-3 1. L' 2. un 3. la 4. une 5. la 6. l' 7. des 8. le 9. les 10. la

2-4 1. la 2. une 3. une 4. l' 5. l' 6. une 7. le 8. un 9. Un 10. Le

2-5 1. On sert le petit déjeuner à 7 heures. 2. Il s'est cassé la cheville. 3. Quelle sorte de vin préférez-vous? Le blanc ou le rouge? 4. Les réunions ont lieu généralement le lundi. 5. Nous sortons beaucoup le soir; hier soir, par exemple, nous avons vu un excellent film. 6. On fête Halloween le 31 octobre. 7. Les Français apprécient la bonne chère. 8. Je me souviendrai toujours du meilleur repas que j'ai fait à Paris. 9. Il a toujours eu des problèmes. 10. Nous venons de recevoir des nouvelles catastrophiques.

2-6 1. de la 2. une 3. de l' 4. un 5. du 6. un 7. de l' 8. une 9. un 10. du

2-7   1. de 2. des 3. de 4. des 5. a. d' b. des 6. des 7. a. des b. de c. de 8. d'

2-8   1. de la 2. la 3. le 4. de l' 5. le 6. du 7. de l' 8. l' 9. de l' 10. l'

2-9   1. de la 2. a. une b. l' 3. a. la b. le 4. a. du b. les c. une 5. a. un b. la 6. a. Le b. un 7. a. du b. de la 8. de la

2-10   1. des 2. a. le b. au [à + le] 3. de la [ON PEUT DIRE AUSSI: Nous faisons des photos, mais il faut alors employer le pluriel.]
       4. a. les b. le 5. aux [à + les] 6. a. de la b. le c. les 7. a. du [de + le] b. des
       8. au [à + le] 9. a. un b. des [de + les] 10. a. des b. la c. un

2-11   1. un 2. une 3. de l' 4. au [à + Le] 5. a. le b. un 6. du 7. Un 8. le 9. a. un b. la 10. a. un b. la c. des d. un 11. a. le
       [ON PEUT DIRE AUSSI: J'aime beaucoup les raisins, mais il faut alors employer le pluriel.] b. au [à + le] 12. a. de la b. du c. de l'

2-12   1. J'adore le pâté. 2. Tu veux du pâté? 3. Ce semestre, j'étudie la chimie, le français, les maths et l'astronomie. 4. Les hivers
       sont très durs au Québec. 5. J'ai eu de la chance. 6. C'est la faute de mon frère. 7. J'ai acheté des poivrons rouges. 8. Si tu
       veux de bonnes baguettes, va à la boulangerie du coin. 9. L'essence a beaucoup augmenté dernièrement. 10. Elle a encore
       besoin de l'affection de ses parents.

2-13   1. article défini féminin singulier combiné avec **de** [ON DIT: **avoir besoin de qqch**] 2. article partitif féminin singulier
       3. article partitif masculin singulier élidé 4. article défini féminin singulier élidé et combiné avec **de** [ON DIT: **s'apercevoir de
       qqch**] 5. article défini féminin pluriel combiné avec **de** [ON DIT: **se servir de qqch**] 6. article partitif *ou* indéfini masculin
       pluriel 7. article partitif masculin singulier 8. article défini masculin singulier contracté avec **de** [du = de + le]

2-14   1. Je n'ai pas la grippe. 2. Il n'y avait pas de chauffage ce matin. 3. Je n'ai pas besoin du dictionnaire pour faire mes mots
       croisés. 4. Vous n'avez pas trouvé de travail? 5. Il ne s'est pas aperçu des erreurs de son collègue. 6. Nous ne faisons pas de
       varappe. 7. Il n'a pas répondu au téléphone. 8. Ma petite sœur ne fait ni judo ni danse classique *ou* ne fait pas de judo ni de
       danse classique. 9. Elle n'a pas d'amour propre. 10. Je n'ai pas entendu parler des Caubère.

2-15   1. Il reste de l'espoir. 2. Il y a des fautes dans votre dictée. 3. Vous auriez une suggestion par hasard? 4. En général, je bois du
       Coca. 5. Mon frère suit un *ou* des cours de chimie. 6. Ils se rendent compte des dangers de la situation. 7. Cette résidence
       accepte les enfants et les animaux. 8. Je prends du sucre et de la crème dans mon café. 9. Ils ont des enfants. 10. Elle a peur
       des araignées.

2-16   1. les 2. de 3. d' 4. une 5. a. — b. — 6. de 7. le *ou* de 8. du 9. a. de b. d' 10. les 11. la 12. une 13. a. une b. une
       14. a. de *ou* du b. au c. des 15. de l'

2-17   1. Je n'ai pas acheté un ordinateur, j'ai acheté un logiciel. 2. Je n'ai pas acheté le dernier modèle. 3. Je n'ai pas acheté un
       ordinateur pour elle mais pour moi. 4. Je n'ai pas besoin d'un modèle récent, je peux me servir d'un modèle plus ancien.
       5. Elle n'a pas besoin d'aide. 6. Nous n'aimons pas les cuisses de grenouille. 7. Ce ne sont pas des moules, ce sont des
       palourdes. 8. Il n'a pas une minute à lui. 9. Nous n'avons pas d'autre idée. 10. Ne m'appelez pas l'après-midi, je ne suis
       jamais chez moi.

2-18   1. le 2. de 3. a. de la b. du c. — d. — 4. d' 5. l' 6. de l' 7. de 8. de 9. des 10. a. de b. de 11. a. du b. de la c. des
       12. a. du b. des c. de l' d. de l' 13. a. un b. de c. un d. des e. des f. de g. de h. de i. un 14. a. d' b. de c. d' d. des

2-19   1. a. le b. à l' c. un d. des e. de la [*ou* une, s'il s'agit d'une portion de salade] f. une g. de 2. a. des b. un c. de la *ou* une
       d. au e. de f. aux 3. a. d' b. de c. de la *ou* une d. du e. de f. de g. de

2-20   1. la 2. de la 3. la 4. du 5. a. de b. le 6. de la [*ou* une, s'il s'agit d'une portion de blanquette] 7. a. une b. au c. un d. de
       e. du 8. a. Des b. du 9. a. le b. la 10. a. les b. une c. à l' d. une

2-21   1. a. du b. un c. de d. un e. de l' f. de g. de la [*ou* une, s'il s'agit d'une bouteille ou d'une canette] h. un i. de j. un *ou* du
       2. a. de b. — c. des d. de la e. du f. le g. une 3. a. de b. de c. les d. en *ou* de 4. a. une b. de c. de d. de la e. du f. de
       g. un 5. a. en b. du

2-22   1. Je me suis acheté une veste en *ou* de daim. 2. J'aimerais une livre de gruyère. 3. Pour ce plat, il faut des tomates et du
       fromage. 4. Qu'est-ce que c'est que ça? Du coton ou de la laine? 5. Ma grand-mère m'a confectionné un gâteau aux
       amandes. 6. Si tu aimes le concombre *ou* les concombres, je te ferai une salade de concombres. 7. Je ne prendrai qu'une
       bouchée de quiche. 8. En Provence, on trouve de la lavande partout. 9. Ce café est toujours plein de monde le vendredi soir.
       10. Je n'ai pas le temps de sortir ce soir et de toute façon, je n'ai pas d'argent.

2-23   1. — 2. une 3. une 4. — 5. — 6. le 7. — 8. un 9. la 10. —

2-24   1. d' 2. de l' 3. — 4. d'un 5. de 6. d' 7. — 8. de l' 9. de l' 10. a. d' b. une *ou* de la c. de

2-25   1. de 2. d'une 3. la 4. de la 5. des 6. de 7. de 8. les 9. des 10. d' 11. un 12. a. d' b. de c. les

2-26   1. a. — b. de 2. — 3. une 4. a. un b. à 5. a. des b. de 6. les 7. d' 8. a. de b. du c. de l' 9. a. — b. des 10. a. un b. le
       c. de 11. a. — b. — 12. a. les b. les

2-27   1. J'ai besoin d'un crayon bleu. 2. J'ai envie de lasagnes ce soir. 3. J'ai envie d'une bière bien fraîche. 4. Est-ce que tu as
       acheté du lait? 5. Il a fait preuve d'un grand courage ce jour-là. 6. Il a fait preuve de courage ce jour-là. 7. Elle l'a fait par

ambition. **8.** Pour ce plat, j'ai besoin des légumes les plus frais possibles. **9.** Pour ce plat, je me sers généralement de crevettes surgelées. **10.** Tu fais toujours du chinois ce semestre?

2-28 **1.** Les Français apprennent l'anglais à l'école. **2.** Je n'ai pas commandé de la glace à la vanille, j'ai commandé des profiteroles au chocolat. **3.** Le rouge est la couleur préférée de ma fille. **4.** Que fais-tu comme sports? **5.** Je joue au tennis. **6.** Je suis sans voiture ce matin. **7.** Il l'a fait sans l'aide de personne. **8.** Les gens sont parfois étranges. **9.** Vous n'auriez pas un ordinateur à me prêter, par hasard? **10.** Désolé(e)s! Nous ne vendons pas de timbres. **11.** Elle est française *ou* C'est une Française; elle travaille à Paris; je crois qu'elle est avocate. **12.** L'incendie s'est propagé dans la forêt pendant toute la journée.

Chapitre Trois

3-1 **1.** Oui, nous l'avons visité hier. **2.** Non, il ne les a pas oubliés. **3.** Oui, malheureusement je les ai perdues. **4.** Oui, je l'ai déjà réservée. **5.** Non, ils ne l'ont pas vendue. **6.** Non, je ne l'aime pas. **7.** Oui, vous pouvez l'appeler chez lui. **8.** D'accord, je veux bien vous le démontrer. **9.** Oui, je la connais. **10.** Oui, je le trouve très sympathique.

3-2 **1.** Oui, je les ai remarquées. **2.** Non, je ne l'ai pas remarqué. **3.** Oui, il l'a vue hier. **4.** Non, elle ne l'admettra jamais. **5.** Oui, nous la verrons demain soir. **6.** Oui, je pense qu'elle le sera. **7.** Oui, ils le savaient. **8.** Non, il ne l'est pas du tout. **9.** Oui, ils l'ont retrouvée. **10.** Oui, je te parie qu'elle l'a déjà oublié.

3-3 **1.** Quand avez-vous pris vos vacances? *ou* Quand est-ce que vous avez pris vos vacances? —Nous les avons prises au mois de mai. **2.** Tu aimerais aller en France? —Oui, j'aimerais bien. **3.** Vous espérez rendre visite à vos parents à Noël? —Oui, je l'espère. **4.** Est-ce qu'il a vendu sa voiture? —Non, il ne l'a pas encore vendue. **5.** Est-ce qu'ils t'ont dit qu'elle était divorcée? —Oui, ils me l'ont dit. **6.** Est-ce que ta sœur est toujours aussi drôle? —Oui, elle l'est. **7.** Vous aimez ces poires d'Anjou? —Oui, je les aime beaucoup. **8.** C'est elle qui a coupé les cheveux de sa petite sœur? —Oui, c'est elle qui les a coupés. **9.** Est-ce qu'elle est toujours en retard? —Non, elle l'est rarement. **10.** Est-ce que tu as écouté mes CD? —Non, je ne les ai pas encore écoutés.

3-4 **1.** Il ne lui parle plus. **2.** Cet hôtel ne leur convenait pas. **3.** N'oublie pas de lui écrire. **4.** Il ne faut pas lui en vouloir. **5.** Cela leur fera plaisir.

3-5 **1.** Elle l'a appelée. **2.** Elle lui a téléphoné. **3.** Ce portable ne lui appartient pas. **4.** Je l'ai acheté. **5.** Je l'ai toujours su. **6.** Il leur ressemble. **7.** Ils ne le sont pas souvent. **8.** Le bébé lui a souri. **9.** Je leur ai toujours préféré nos voisins du dessus. **10.** Va l'ouvrir.

3-6 **1.** Je la lui ai prêtée. **2.** Il avait oublié de le leur dire. **3.** La leur as-tu communiquée? **4.** Rapporte-les-leur. **5.** Tu ne le lui as pas dit? **6.** Je la lui ai remise en mains propres. **7.** Il le leur a recommandé. **8.** Je le lui avais pourtant dit. **9.** Tu la lui as envoyée? **10.** Son médecin le lui a déconseillé.

3-7 **1.** Ils ont regardé les photos? —Oui, ils les ont regardées. **2.** Tu as distribué les brochures aux étudiant(e)s? —Oui, je les leur ai distribuées. **3.** Est-ce qu'il cherche ses clés? —Oui, il les cherche. **4.** Est-ce qu'elle a dit à Jean qu'elle n'était pas d'accord? —Non, elle ne le lui a pas dit. **5.** Est-ce qu'il avait déjà versé cet acompte au bijoutier? —Oui, il le lui avait déjà versé. **6.** Est-ce qu'ils ont écouté ses conseils? —Non, ils ne les ont pas écoutés. **7.** Est-ce que l'étudiante a remis sa copie d'examen à son professeur? —Oui, elle la lui a remise. **8.** Est-ce qu'elle a attendu ses ami(e)s? —Oui, elle les a attendu(e)s. **9.** Tu as expliqué à Nicole et Alain que ma voiture était tombée en panne? —Oui, je le leur ai expliqué. **10.** Vous avez montré la cathédrale à vos visiteurs? —Oui, nous la leur avons montrée.

3-8 **1.** Elle s'est levée. **2.** Mon voisin ne m'a jamais adressé la parole. **3.** Ils se sont séparés après deux mois de mariage. **4.** Elles se sont dit au revoir. **5.** Nous nous étions promis de nous revoir. **6.** Ce n'est que plus tard que je me suis rendu compte de la gravité de la situation. **7.** Je leur ai donné des chocolats. **8.** Il leur a conseillé de partir un peu plus tard. **9.** Est-ce que ça t'a *ou* ça vous a fait peur? **10.** On lui a donné le rôle principal dans *Othello*.

3-9 **1. a.** me **b.** te **c.** toi **2. a.** nous **b.** vous **c.** vous **3. a.** t' **b.** toi **4. a.** me **b.** te **c.** toi **5.** toi **6. a.** vous **b.** vous **7. a.** nous **b.** nous **8. a.** me **b.** toi **9. a.** vous **b.** vous **10. a.** toi **b.** te

3-10 **1.** Vous la lui avez envoyée? **2.** Est-ce que tu nous la louerais cet été? **3.** Ma tante me l'a donnée. **4.** Cet agriculteur nous les a toujours vendus à très bon prix. **5.** Est-ce que tu le lui as souhaité? **6.** Ils ne nous les ont pas expliquées. **7.** Dois-je les lui prêter? **8.** Réclame-le-leur! **9.** Il les leur a rachetées. **10.** On les lui a accordés?

3-11 **1.** J'y retourne toujours avec plaisir. **2.** Vous y comprenez quelque chose? **3.** Quand irons-nous? **4.** N'y attachez pas trop d'importance! **5.** Il n'y est jamais le week-end. **6.** Je ne m'y ferai jamais. **7.** Pensez-y! **8.** Elle ne s'y intéresse pas. **9.** Personne ne s'y attendait. **10.** Je ne sais pas y jouer.

3-12 **1.** Oui, nous leur avons parlé. **2.** Oui, j'y étais. **3.** Non, elle ne lui a pas menti. **4.** Non, malheureusement, elle ne leur a pas plu. **5.** Oui, il lui a conseillé un autre médicament. **6.** Oui, il y va. **7.** Non, je n'y ai pas réfléchi. **8.** Oui, je leur ai donné un coup de brosse. **9.** Oh oui, j'irais sans hésiter! **10.** Oui, j'y ai répondu.

3-13 PAR EXEMPLE: **1.** Tes parents sont allés à Londres? **2.** Qu'est-ce qu'il a répondu à Mélanie et Chloé? **3.** Cette bicyclette appartient à Nadine? **4.** Tu aimes vraiment ce bijou de famille OU ce bijou qui appartenait à ta grand-mère? **5.** Tu as dit à ton père que tu avais eu un accrochage (*fender bender*) avec sa nouvelle voiture?

3-14 1. Oui, elle en a acheté une demi-douzaine. 2. Non, je n'en suis pas sûr(e). 3. Oui, nous y avons assisté. 4. Non, il n'en reste pas plus. 5. Oui, j'y ai renoncé. 6. Oui, j'en ai besoin. 7. Oui, il s'y est habitué. 8. Non, je n'en ai pas trouvé. 9. Oui, elle en est capable. 10. Oui, il y va presque tous les jours.

3-15 1. Cette coupe de cheveux ne lui va pas du tout. 2. N'en reprends plus! 3. Vas-y vite et achète-m'en deux belles tranches. 4. L'actrice leur souriait. 5. Réponds-lui quand il t'appelle! 6. J'en ai trois qui y vivent depuis plusieurs années. 7. J'ai envie d'en commander une douzaine. 8. Ils en profitent pour en lire quelques-uns. 9. Vous pouvez le rappeler dans la soirée si vous y tenez. 10. Ne la dérange pas pour cela, tu vois bien qu'elle n'en a pas le temps en ce moment!

3-16 1. Oui, ils nous l'ont indiqué**e**. 2. Oui, j'y ai songé. 3. Non, elle ne me l'a pas demandé. 4. Oui, je lui en ai parlé. 5. Ah oui, j'aime beaucoup ça. 6. Non, désolé(e), je ne peux pas t'en prêter cette fois-ci. 7. Non, elle ne me l'a pas bien expliqué. 8. Oui, je les lui ai remis**es**. 9. Non, on ne nous *ou* on ne m'en a pas proposé d'autre. 10. Non, je ne m'y attendais pas.

3-17 1. Oui, je lui en ai acheté un. 2. Oui, nous nous y retrouvons de temps en temps. 3. Non, je n'en ai pas envie. 4. Oui, je crois qu'elle s'y fera. 5. Oui, ils la leur ont envoyé**e**. 6. Oui, il le lui a interdit. 7. Oui, je te promets que nous irons un jour. 8. Si, si, il en a profité pour l'inviter… 9. Non, nous ne le leur avons pas encore expliqué. 10. Si, si, je l'y ai encouragé**e**…

3-18 1. **a.** en **b.** le 2. **a.** y **b.** la 3. **a.** y **b.** l' 4. — 5. **a.** l' **b.** y **c.** m' 6. **a.** y **b.** en 7. l' 8. **a.** se **b.** en 9. **a.** les **b.** leur 10. **a.** leur **b.** — 11. en 12. **a.** moi **b.** toi **c.** en

3-19 1. **a.** le **b.** en **c.** le 2. en 3. **a.** lui **b.** le **c.** lui 4. **a.** le **b.** en 5. y 6. **a.** leur **b.** en 7. **a.** le **b.** en **c.** le 8. y 9. me 10. **a.** les **b.** y **c.** le

3-20 1. Est-ce qu'il s'est aperçu que sa bicyclette avait disparu? —Non, il ne s'en est pas aperçu. 2. Est-ce que tu as acheté une voiture? —Non, mais j'en ai loué une. 3. Tu as regardé la télévision hier soir? —Non, je ne l'ai pas regardé**e**. 4. Est-ce que vous avez besoin d'argent pour aller au cinéma? —Non, nous n'en avons pas besoin. 5. Est-ce qu'elle a dit à Marc qu'elle n'aimait pas vraiment le champagne? —Oui, elle le lui a dit. 6. Vont-ils réfléchir à ce que vous leur avez suggéré? —Oui, ils vont y réfléchir. 7. Quand est-elle sortie de l'hôtel? —Elle en est sortie à huit heures. 8. Est-ce qu'elle a prêté sa robe du soir à Adèle? —Oui, elle la lui a prêtée. 9. Est-ce que vous avez envoyé les renseignements aux voisins? —Oui, nous les leur avons envoyé**s**.

Chapitre Quatre

4-1 1. elle 2. toi 3. eux 4. Moi 5. moi *ou* nous 6. moi 7. soi 8. vous 9. lui 10. eux

4-2 1. **a.** toi **b.** moi 2. moi 3. soi 4. vous 5. nous 6. toi 7. elles 8. lui 9. eux 10. elle 11. eux 12. lui

4-3 1. moi 2. elles 3. eux 4. nous 5. lui 6. vous 7. elle 8. elles 9. nous 10. toi

4-4 1. Tu te souviens d'elle? 2. Tu t'en souviens? 3. J'en suis fier (fière)! 4. Nous nous sommes approché(**e**)**s** d'elle pour lui poser la question. 5. Nous allons immédiatement nous en occuper. 6. Je n'ai jamais entendu parler de lui. 7. Pourriez-vous vous occuper d'eux? Je n'en ai pas le temps. 8. Je m'en méfie toujours un peu. 9. Le problème, c'est qu'ils n'en ont pas tenu compte dans leurs prévisions budgétaires. 10. J'ai besoin de lui: je dois absolument lui en parler.

4-5 1. Je ne peux pas m'y habituer. 2. Si vous voulez d'autres renseignements, adressez-vous à elle. 3. Je ne veux plus jamais avoir affaire à lui! Il est d'un désagréable! 4. Les actionnaires s'y sont formellement opposés. 5. La petite Viviane est très attachée à elles. 6. Je n'y ai pas fait attention. 7. Tu crois que papa y consentira? 8. Nous tenons beaucoup à eux. 9. Cet appareil photo n'est pas à elle, il est à moi. 10. Y es-tu déjà allé(e)?

4-6 1. Je ne songeais pas à elle en disant cela. 2. Tu lui ressembles beaucoup. 3. Tu as pensé à eux? 4. Tu leur as parlé? 5. Que vas-tu leur donner? 6. Donne-leur un coup de chiffon. 7. Nous lui préférons Myriam. 8. Quand elle a un problème, elle se confie plutôt à elle. 9. Quand elle a un problème, elle le lui confie toujours. 10. Cette maison lui appartenait.

4-7 1. Oui, j'en suis convaincu(**e**). 2. Oui, nous le sommes. 3. Oui, c'est à cause d'eux qu'il est devenu médecin. 4. Non, il ne le méritait pas. 5. Non, je n'en ai pas trouvé. 6. Non, je ne l'en ai pas encore prévenu**e**. 7. Oui, elle s'occupe d'elle les mercredis après-midi. 8. Oui, ils me l'ont demandé. 9. Si, elle dépend aussi de lui. 10. Si, si, elle me l'a proposé, mais j'ai préféré rentrer.

4-8 1. Oui, il paraît qu'il s'y est opposé. 2. Non, ils n'y ont pas sangé. 3. Non, ils n'en ont pas l'intention. 4. Oui, il lui appartient. 5. Mais oui, bien sûr qu'elle peut se joindre à eux pour y aller. 6. Non, je n'ai pas fait attention à elles. 7. Oui, je trouve qu'il lui ressemble. 8. Si, hélas, j'y ai renoncé. 9. Oui, ils lui ont désobéi. 10. Oui, ils y ont désobéi.

4-9 1. Nous en sommes très contents. 2. Tu les as lu**s**? 3. C'est toi qui l'as emprunté**e**? 4. Elle s'y attendait vraiment? 5. Il en faut pour comprendre tout cela! 6. L'orange et le rouge lui vont très bien. 7. Le directeur? Il ne faut pas avoir peur de lui: vous vous habituerez vite à ses manières un peu brusques. 8. Où l'as-tu acheté**e**? 9. Ce petit garçon leur ressemble beaucoup. 10. Elle ne s'en est jamais complètement remis**e**.

4-10 1. C'est grâce à elle que j'ai pu lui en parler. 2. Est-ce vraiment lui qui les leur a accordé<u>s</u>? 3. C'est elle qui le leur a suggéré? 4. Lui en as-tu offert? 5. Nous avons immédiatement pensé à eux en l'apprenant. 6. Faut-il nécessairement y recourir pour s'en débarrasser? 7. Il n'y a qu'elles qui puissent leur en faire. 8. Je ne m'y attendais pas. Je le lui ai dit mais il a refusé de faire quoi que ce soit. 9. Apportez-leur-en une autre, nous trinquerons avec eux. 10. Ne le leur dites pas: ils seraient furieux contre elle.

4-11 1. d'eux 2. en 3. **a.** le **b.** lui **c.** en 4. lui 5. **a.** le **b.** le **c.** lui **d.** la 6. **a.** moi **b.** à lui 7. **a.** — **b.** y 8. **a.** en **b.** en **c.** le 9. les 10. **a.** y **b.** leur

4-12 1. **a.** à elle **b.** lui **c.** l' **d.** lui **e.** la **f.** leur 2. **a.** le **b.** moi **c.** l' 3. **a.** y **b.** — **c.** le **d.** en 4. **a.** en **b.** le **c.** à lui **d.** moi **e.** y 5. **a.** en **b.** leur 6. elle 7. **a.** de toi **b.** y 8. elle 9. **a & b.** m'en 10. y 11. **a.** ça **b.** le **c.** leur 12. **a.** en **b.** lui **c.** lui

4-13 PAR EXEMPLE: 1. J'ai recommandé la tarte au citron à Julien. 2. Je n'ai jamais proposé ce poste à cette collègue. *ou* Je n'ai jamais proposé à cette collègue de la remplacer pendant les vacances. 3. Je m'étais rendu compte de cette erreur. *ou* Je m'étais rendu compte qu'il était très ambitieux. 4. Il finira par se faire à sa nouvelle situation. *ou* Il finira par se faire à l'idée que sa femme l'a quitté pour toujours. 5. Vous avez expliqué ces équations à vos camarades? 6. Vous avez expliqué ce problème à vos camarades? *ou* Vous avez expliqué à vos camarades que l'examen porterait sur les deux derniers chapitres? 7. Je ne tiens pas du tout à sortir ce soir, je suis trop fatiguée. 8. Nous avons profité de la tempête de neige pour rester à la montagne un jour de plus. 9. Tu savais qu'il parlait français? 10. Elle a horreur des tripes.

4-14 1. Il lui a acheté des roses? —Oui, il lui en a acheté. 2. Est-ce que tu as entendu la question? —Non, je ne l'ai pas entendu<u>e</u>. 3. Elle a répondu à la question? —Non, elle n'y a pas répondu. 4. Est-ce que ta petite sœur s'intéresse à ce garçon? —Oui, elle s'intéresse un peu trop à lui! 5. Est-ce qu'il a fait peur à ta petite sœur? —Oui, il lui a fait peur. 6. Est-ce qu'elle a peur de cet homme? —Non, elle n'a pas peur de lui. 7. Tu as eu peur de la tempête? —Oui, j'en ai eu peur. 8. Tu as raconté la fin de notre histoire à tes parents? —Oui, je la leur ai racontée. 9. Tu as commandé des croissants? —Oui, j'en ai commandé une douzaine. 10. Tu téléphoneras à Nasreen pour lui parler de l'examen? —Oui, je lui téléphonerai pour lui en parler.

4-15 1. Oh! Tu as vu? Ce petit garçon nous a tiré la langue! 2. Il lui a tiré les cheveux. [Ne dites pas: ~~Il a tiré ses cheveux.~~] 3. Est-ce que son frère lui manque? —Oui, il lui manque beaucoup. 4. Est-ce que j'ai encore manqué le début du film? —Oui, tu l'as manqué de quelques minutes. 5. Ce film ne m'a pas plu. 6. Ils nous ont couru après, mais heureusement, nous avons pu nous échapper. 7. Je leur ai envoyé une lettre, mais ils n'y ont pas encore répondu. 8. On leur a fait repasser l'examen. 9. Mon père fait beaucoup de ski, alors je lui ai acheté des gants de ski. 10. Une voiture leur est rentré<u>e</u> dedans. 11. Je me lave les cheveux tous les matins. 12. Est-ce qu'il a acheté des chocolats pour Marie? —Oui, je crois qu'il lui en a acheté. 13. Je vous recommanderai à lui. 14. Il s'est joint à eux *ou* à elles pour déjeuner *ou* pour le déjeuner. [ON PEUT DIRE AUSSI: Il les a rejoints pour le déjeuner.] 15. Je ne pourrais jamais me confier à elle.

Chapitre Cinq

5-1 1. Ne prends pas ce camembert: tu vois bien qu'il est trop fait! 2. Tu vois ce VTT? Ce sera mon cadeau de Noël. 3. Ne croyez pas toutes ces histoires! Elles sont fausses. 4. Ces touristes japonais n'oublieront pas de si tôt cette soirée! 5. Fais attention à cet enfant! Tu vas l'écraser! 6. Ils ont fini par acheter cette maison. 7. Enfin, tu vas voir ce film! Ce n'est pas trop tôt! 8. Rappelle-moi le nom de cette actrice. 9. Comment s'appelle ce plat? [Il s'agit du couscous.] 10. Montre-moi cet ordinateur.

5-2 1. **a.** ce **b.** -ci **c.** ce **d.** -là 2. **a.** Cet **b.** -là 3. **a.** ce **b.** -là 4. **a.** cette **b.** -ci **c.** cette **d.** -là 5. **a.** cette **b.** -là 6. **a.** ces **b.** -ci 7. **a.** ces **b.** -là 8. **a.** Cet **b.** -là 9. **a.** ce **b.** -ci **c.** ce **d.** -là 10. **a.** cette **b.** -ci 11. **a.** ce **b.** -là 12. **a.** ce **b.** -là

5-3 1. Cet ingénieur est italien. 2. Ces enfants sont adorables. 3. Cet exemplaire n'est pas à moi. 4. Où est ce théâtre? Dans cette rue ou sur ce boulevard? 5. Ce dessert est délicieux. 6. Cet incident est inquiétant. 7. Qu'est-ce que tu préfères? Ces patins [-ci] ou ces skis [-là]? 8. La Croix-Rouge s'occupera de ces femmes et [de] ces enfants. 9. Cet endroit est simplement merveilleux! 10. Ce samedi-là, je n'ai rien de prévu.

5-4 1. **a.** Celui **b.** celui 2. celui-là 3. celles-ci 4. ceux 5. celle 6. ceux 7. celle 8. **a.** celui-ci **b.** celui-là

5-5 1. Je prends les serviettes blanches ou les bleues? 2. Les poèmes que je préfère sont ceux de Baudelaire. 3. Nous préférons nettement notre appartement à celui que nous avons visité hier. 4. J'aimerais m'acheter des lunettes de soleil pour remplacer celles que j'ai perdues. 5. J'hésite entre ces deux paires de chaussures: dois-je prendre les noires ou celles à talons hauts? 6. Avec laquelle de ces filles as-tu dansé hier soir? Celle-là là-bas, la blonde, ou celle qui est en jeans? 7. Rachetons des petits fours; ceux que nous avons mangés hier étaient si bons! 8. Je n'aime pas ce pantalon-ci; celui en laine est bien mieux *ou* beaucoup mieux.

5-6 1. **a.** Cet **b.** celui-là 2. celle 3. **a.** Ces **b.** celles-là 4. **a.** cet **b.** ce 5. celui 6. ceux 7. Cet 8. **a.** celui **b.** ceux

5-7 1. ça/cela 2. ce *ou* ça 3. **a.** C' **b.** ce 4. ça/cela 5. C' 6. Ça/Cela 7. ça/cela 8. ce *ou* ça/cela 9. ce 10. c'

5-8 1. ceci 2. **a.** ce **b.** c' 3. ça/cela 4. Ce *ou* Ça 5. ça 6. **a.** ça/cela **b.** ceci 7. ça/cela 8. Ce

5-9 1. a. Cet b. celui-là 2. Ça 3. ça 4. a. Cet b. ce c. ça 5. ceux 6. a. celui-ci b. c' 7. celle 8. a. C' b. ce c. Ça/Cela 9. celle 10. a. Ce *ou* Ça b. cette 11. ça/cela 12. Cet 13. cet 14. a. cette b. celle c. cet 15. a. ça/cela b. ça/cela

5-10 1. a. cette b. celle c. ce d. C' e. celle 2. a. celui-ci b. celui-là c. ce *ou* ça/cela d. celui e. ça/cela 3. a. ceux b. ce c. celui d. c' 4. Cet 5. a. cet b. celui c. ces d. ce e. ça/cela 6. a. c' b. cet c. ça/cela d. ça/cela 7. cela 8. ceci 9. Ce 10. ceux 11. celui 12. cet

5-11 1. Au revoir, à ce soir! 2. À cette époque-là, la télévision n'existait pas. 3. On ne la voit pas beaucoup ces temps-ci *ou* ces jours-ci. 4. Tu ne te sens pas bien? Dans ce cas-là, couche-toi! 5. Ne m'appelez pas à minuit: à cette heure-là, je dors! 6. Cela/Ça ne fait rien si elle est un peu en retard. 7. Ça a été. [ON PEUT DIRE AUSSI: Ça/Cela s'est bien passé?] 8. Dépêche-toi, sans ça tu vas rater le bus! 9. Ça y est! 10. Cet enregistrement est celui de l'Orchestre symphonique de Boston. 11. Taisez-vous! Ça/Cela suffit! *ou* Ça/Cela suffit comme ça! 12. J'aime bien quand tu te coiffes de cette manière *ou* comme cela/ça; ça/cela te va très bien.

5-12 PAR EXEMPLE: 1. **Ce** samedi, je ne suis pas libre. (*This Saturday, I'm not free.*) 2. **Cet** ensemble te va très bien. (*This outfit really looks good on you.*) 3. Ne me parle pas de **cette** façon! (*Don't speak to me that way!*) 4. Où as-tu acheté **ces** délicieuses brioches? (*Where did you buy these delicious brioches?*) 5. **Ce** bus-ci ne s'arrête pas à la gare, mais **celui-là** y va. (*This bus doesn't stop at the station, but that one goes there.*) 6. Tu ne devrais pas prendre **cette** carte-ci, elle n'est pas très jolie, prends plutôt **celle-là**, elle est bien mieux. (*You shouldn't take this [post]card, it's not that pretty; take this one instead, it's much nicer.*) 7. Je me suis acheté un nouveau dictionnaire: **celui** que j'utilisais le semestre passé est à Nadine. (*I bought myself a new dictionary; the one I was using last semester belongs to Nadine.*) 8. Comment s'appellent ces gens déjà, **ceux** dont nous parlions tout à l'heure? (*What's the name of these people again, the ones we were just talking about?*) 9. Parmi toutes ces chansons, **celle** que je préfère, c'est la première. (*Among all these songs, the one I like best is the first one.*) 10. Pour finir, quelles chaussures as-tu choisies? **Celles** en daim ou en cuir? (*In the end, what kind of shoes did you choose? The suede or the leather ones?*) 11. **Cela** en vaut-il la peine? (*Is it worth it?*) 12. Qu'est-ce que tu veux que **ça/cela** me fasse?! (*Why should I care?!*) 13. Marie et moi avons parlé de **ceci** et de **cela**—de politique, de sa mère, de ses enfants, de nos vacances—mais pas de son divorce! (*Mary and I talked about this and that—politics, her mother, her children, our vacations—but not about her divorce!*)

Chapitre Six

6-1 1. Tu as perdu ta carte orange? Est-ce que tu as perdu ta carte orange? As-tu perdu ta carte orange? 2. Vous êtes invité(e)s à son mariage? Est-ce que vous êtes invité(e)s à son mariage? Êtes-vous invité(e)s à son mariage? 3. Il va encore neiger ce soir? Est-ce qu'il va encore neiger ce soir? Va-t-il encore neiger ce soir? 4. Ce clochard n'est pas diplômé de la fac de droit? Est-ce que ce clochard n'est pas diplômé de la fac de droit? Ce clochard n'est-il pas diplômé de la fac de droit? 5. Tu n'es pas sincère? Est-ce que tu n'es pas sincère? N'es-tu pas sincère? 6. Vous voulez vous amuser? Est-ce que vous voulez vous amuser? Voulez-vous vous amuser? 7. Ludovic n'a pas fait une fugue? Est-ce que Ludovic n'a pas fait une fugue? Ludovic n'a-t-il pas fait une fugue? 8. C'est possible? Est-ce que c'est possible? Est-ce possible? Cela est-il possible? 9. Tu as oublié ton rendez-vous? Est-ce que tu as oublié ton rendez-vous? As-tu oublié ton rendez-vous? 10. Je peux lui demander un service? Est-ce que je peux lui demander un service? Puis-je lui demander un service?

6-2 1. Tu es allé à l'école ce matin? Est-ce que tu es allé à l'école ce matin? Es-tu allé à l'école ce matin? 2. Je peux vous aider? Est-ce que je peux vous aider? Puis-je vous aider? 3. Jean-Pierre a obtenu son visa? Est-ce que Jean-Pierre a obtenu son visa? Jean-Pierre a-t-il obtenu son visa? 4. On ne l'a pas appelée? Est-ce qu'on ne l'a pas appelée? Ne l'a-t-on pas appelée? 5. Aline en a pris? Est-ce qu'Aline en a pris? Aline en a-t-elle pris? 6. Cela/Ça vous fait mal? Est-ce que ça/cela vous fait mal? Cela vous fait-il mal? 7. Kate ne le leur avait pas dit? Est-ce que Kate ne le leur avait pas dit? Kate ne le leur avait-elle pas dit? 8. Quelqu'un ne pourrait pas venir nous chercher? Est-ce que quelqu'un ne pourrait pas venir nous chercher? Quelqu'un ne pourrait-il pas venir nous chercher? 9. Les Roussel seront absents la semaine prochaine? Est-ce que les Roussel seront absents la semaine prochaine? Les Roussel seront-ils absents la semaine prochaine? 10. Sophie ne les aura pas terminé**s**? Est-ce que Sophie ne les aura pas terminé**s**? Sophie ne les aura-t-elle pas terminé**s**?

6-3 1. Comment 2. Où 3. Pourquoi 4. Combien 5. Combien 6. Quand 7. Pourquoi 8. quand 9. Comment 10. où

6-4 1. Bernard s'est cassé la jambe comment? Comment est-ce que Bernard s'est cassé la jambe? Comment Bernard s'est-il cassé la jambe? 2. Ils se sont rencontrés quand? Quand est-ce qu'ils se sont rencontrés? Quand se sont-ils rencontrés? 3. Comment ils l'ont appelé? *ou* Ils l'ont appelé comment? Comment est-ce qu'ils l'ont appelé? Comment l'ont-ils appelé? 4. Pourquoi elle est restée chez elle? *ou* Elle est restée chez elle pourquoi? Pourquoi est-ce qu'elle est restée chez elle? Pourquoi est-elle restée chez elle? 5. Combien ça coûte? *ou* Ça coûte combien? Combien est-ce que ça/cela coûte? Combien coûte cela? [OU Combien cela coûte-t-il?, mais c'est moins courant] 6. Elle dure combien de temps? Combien de temps est-ce qu'elle dure? Combien de temps dure-t-elle? 7. À quelle heure il arrive? *ou* Il arrive à quelle heure? À quelle heure est-ce qu'il arrive? À quelle heure arrive-t-il? 8. Ils sont partis où? Où est-ce qu'ils sont partis? Où sont-ils partis? 9. Pourquoi tu ne le lui as pas dit? *ou* Tu ne le lui as pas dit pourquoi? Pourquoi est-ce que tu ne le lui as pas dit? Pourquoi ne le lui as-tu pas dit? 10. Ils viennent d'où? D'où est-ce qu'ils viennent? D'où viennent-ils?

6-5 1. Ça va comment? *ou* Comment ça va? Comment est-ce que ça va? Comment cela va-t-il? 2. Pourquoi ta sœur fait la tête? *ou* Ta sœur fait la tête pourquoi? Pourquoi est-ce que ta sœur fait la tête? Pourquoi ta sœur fait-elle la tête? 3. Tes parents partent quand en voyage? Quand est-ce que tes parents partent en voyage? Quand tes parents partent-ils en voyage? 4. Combien tu mesures? *ou* Tu mesures combien? Combien est-ce que tu mesures? Combien mesures-tu? 5. Elle est descendue où? Où est-ce qu'elle est descendue? Où est-elle descendue?

6-6 1. Quelle 2. quel 3. Quels 4. quelle 5. Quelles 6. quel 7. Quelles 8. quel 9. Quel 10. Quels

6-7 1. Quel âge elle a? *ou* Elle a quel âge? Quel âge est-ce qu'elle a? Quel âge a-t-elle? 2. Quelle heure il est? *ou* Il est quelle heure? Quelle heure est-ce qu'il est? Quelle heure est-il? 3. Quel temps il fait? *ou* Il fait quel temps? Quel temps est-ce qu'il fait? Quel temps fait-il? 4. Dans quelles régions ils sont allés? OU Ils sont allés dans quelles régions? Dans quelles régions est-ce qu'ils sont allés? Dans quelles régions sont-ils allés? 5. Quel jour tu fais du judo? *ou* Tu fais du judo quel jour? Quel jour est-ce que tu fais du judo? Quel jour fais-tu du judo? 6. Ta nouvelle robe est de quelle couleur? De quelle couleur est ta nouvelle robe? [ON EVITERA DE DIRE: De quelle couleur ta nouvelle robe est-elle?] 7. À quelle station je dois descendre? *ou* Je dois descendre à quelle station? À quelle station est-ce que je dois descendre? À quelle station dois-je descendre?

6-8 1. laquelle 2. Lequel 3. laquelle 4. lesquels [OU lequel] 5. lequel 6. Duquel 7. auxquelles 8. lesquelles 9. Duquel 10. lesquels *ou* lequel

6-9 1. Laquelle 2. Quels 3. a. Quel b. Lequel; 4. duquel 5. quelle; 6. de laquelle 7. Quelles 8. Auxquelles 9. Quelles 10. quels

6-10 1. De quelles scènes vous parlez? *ou* Vous parlez de quelles scènes? De quelles scènes est-ce que vous parlez? De quelles scènes parlez-vous? 2. C'est quoi, le problème? Quel est le problème? 3. Voici des illustrations. Vous avez besoin desquelles pour votre livre? Desquelles est-ce que vous avez besoin pour votre livre? Desquelles avez-vous besoin pour votre livre? 4. Alors, tu veux un ours en peluche? Lequel tu aimerais? *ou* Tu aimerais lequel? Lequel est-ce que tu aimerais? Lequel aimerais-tu? 5. Quel temps il fait aujourd'hui? *ou* Il fait quel temps aujourd'hui? Quel temps est-ce qu'il fait aujourd'hui? Quel temps fait-il aujourd'hui? 6. Parmi toutes ces pizzerias, laquelle tu nous recommandes *ou* tu nous recommandes laquelle *ou* laquelle est-ce que tu nous recommandes *ou* laquelle nous recommandes-tu? 7. Quelles pommes tu utilises pour ta tarte Tatin? *ou* Tu utilises quelles pommes pour ta tarte Tatin? Quelles pommes est-ce que tu utilises pour ta tarte Tatin? Quelles pommes utilises-tu pour ta tarte Tatin?

6-11 1. qui 2. quoi est-ce que 3. Qu'est-ce que 4. Qu'est-ce **qui** *ou* Qu'est-ce qu'il [ON PEUT DIRE EN EFFET: Il est arrivé quelque chose. *ou* **Quelque chose** est arrivé.] 5. Qui *ou* Qui est-ce qui 6. quoi 7. qui 8. quoi 9. Qu'est-ce que 10. quoi

6-12 1. C'est quoi? Qu'est-ce que c'est? Qu'est-ce? 2. C'est qui? Qui est-ce que c'est? Qui est-ce? 3. Elle a cassé quoi? Qu'est-ce qu'elle a cassé? Qu'a-t-elle cassé? 4. À quoi tu songes? *ou* Tu songes à quoi? À quoi est-ce que tu songes? À quoi songes-tu? 5. Qui est-ce qui a appelé? Qui a appelé? 6. Il fait quoi en ce moment? Qu'est-ce qu'il fait en ce moment? Que fait-il en ce moment? 7. Cette statue est en quoi? En quoi est cette statue? En quoi cette statue est-elle? 8. Qui est-ce qui crie? Qui crie? 9. Tu préfères quoi? Qu'est-ce que tu préfères? Que préfères-tu? 10. Dans quoi tu as mis les fleurs? *ou* Tu as mis les fleurs dans quoi? Dans quoi est-ce que tu as mis les fleurs? Dans quoi as-tu mis les fleurs? 11. Qui sont ces gens?

6-13 1. C'est qui? Qui est-ce que c'est? Qui est-ce? 2. C'est quoi? Qu'est-ce que c'est? Qu'est-ce? 3. À quoi bon? 4. Elle est en colère contre qui? Contre qui est-ce qu'elle est en colère? Contre qui est-elle en colère? 5. Jean-Marc va écrire sa thèse sur quoi? Sur quoi est-ce que Jean-Marc va écrire sa thèse? Sur quoi Jean-Marc va-t-il écrire sa thèse? 6. Qui tu as vu hier soir? *ou* Tu as vu qui hier soir? Qui est-ce que tu as vu hier soir? Qui as-tu vu hier soir? 7. Leila a fait quoi pendant ses vacances? Qu'est-ce que Leila a fait pendant ses vacances? Qu'a fait Leila pendant ses vacances? 8. Quoi de neuf? 9. Le professeur a parlé de quoi? De quoi est-ce que le professeur a parlé? De quoi a parlé le professeur? De quoi le professeur a-t-il parlé? 10. Avec quoi ton frère va réparer cette prise? *ou* Ton frère va réparer cette prise avec quoi? Avec quoi est-ce que ton frère va réparer cette prise? Avec quoi ton frère va-t-il réparer cette prise?

6-14 1. Quand *ou* en quelle année est-elle née? 2. Comment s'appelait-elle? 3. Combien d'enfants a-t-elle eus? 4. Pourquoi est-elle célèbre? 5. Où a-t-elle vécu? 6. Que vendait-elle dans sa jeunesse? 7. À qui vendait-elle des crayons? 8. À quel âge est-elle morte? 9. Quel fut le secret de sa longévité? 10. Qui est-ce?

6-15 1. Pourquoi Jacques a-t-il autant changé ces derniers mois? 2. Qui Jean a-t-il choisi comme partenaire pour danser le tango? 3. Où ta sœur a-t-elle laissé mes clefs de voiture? 4. Quand commencent les vacances de Noël cette année? Quand les vacances de Noël commencent-elles cette année? 5. À qui appartiennent tous ces vergers? À qui tous ces vergers appartiennent-ils? 6. À quelle époque a vécu Berlioz? À quelle époque Berlioz a-t-il vécu? 7. Dans quelle université étudie Fabienne maintenant? Dans quelle université Fabienne étudie-t-elle maintenant? 8. Combien de litres aux cent fait ta voiture? [ON PEUT DIRE AUSSI: Combien de litres aux cent ta voiture fait-elle, mais c'est moins courant.] 9. Combien de langues parle ce polyglotte? Combien de langues ce polyglotte parle-t-il? 10. Quel mobilier vous a recommandé ce décorateur? Quel mobilier ce décorateur vous a-t-il recommandé?

6-16   1. Pourquoi est-ce que Gaëtan boude? Pourquoi Gaëtan boude-t-il? 2. Comment vont tes parents? Comment tes parents vont-ils? 3. Combien d'enfants a Martine? [ON PEUT DIRE AUSSI: Combien d'enfants Martine a-t-elle?, mais c'est moins courant.] 4. Qu'est-ce que Michel a fait pour ses enfants? Qu'a fait Michel pour ses enfants? 5. Qui est-ce que Marie déteste? Qui Marie déteste-t-elle? [ON NE PEUT PAS DIRE: Qui déteste Marie? car ce serait ambigu.]. 6. Combien est-ce que ces gants lui ont coûté? Combien lui ont coûté ces gants? [ON PEUT DIRE AUSSI: Combien ces gants lui ont-ils coûté?, mais c'est moins courant.] 7. Quel âge a Dominique? Quel âge Dominique a-t-il/elle? [NE DITES PAS: Quel âge est-ce que Dominique a?] 8. Où est-ce que Valérie et son mari habitent? Où habitent Valérie et son mari? Où Valérie et son mari habitent-ils? 9. Comment est-ce que l'entrevue s'est passée? Comment s'est passée l'entrevue? Comment l'entrevue s'est-elle passée? 10. Où est-ce que Fadia a retrouvé Mélanie? Où Fadia a-t-elle retrouvé Mélanie?

6-17   1. Combien de valises ont été égarées? [ON PEUT DIRE AUSSI: Combien de valises ont-elles été égarées?, mais c'est plus rare.] 2. Qu'est-ce que les grévistes demandent? Que demandent les grévistes? 3. Qui est-ce qui vous l'a dit? Qui vous l'a dit? 4. Cette église date de quand? De quand date cette église? [ON ÉVITERA DE DIRE: De quand est-ce que cette église date?] De quand cette église date-t-elle? 5. À quoi est-ce que Yann pense? À quoi pense Yann? À quoi Yann pense-t-il? 6. Par où est-ce que les voleurs sont entrés? Par où sont entrés les voleurs? Par où les voleurs sont-ils entrés? 7. À quelle heure est-ce que le train est arrivé? À quelle heure est arrivé le train? À quelle heure le train est-il arrivé? 8. Pourquoi est-ce qu'Amélie a changé la nappe? Pourquoi Amélie a-t-elle changé la nappe? 9. Qu'est-ce que le médecin lui a recommandé? Que lui a recommandé le médecin? 10. De quelle couleur est ta nouvelle voiture? [ON ÉVITERA DE DIRE: De quelle couleur ta nouvelle voiture est-elle?]

Chapitre Sept

7-1   1. sa 2. a. vos b. vos 3. a. ton b. tes 4. son 5. a. ta b. tes 6. mon 7. a. votre b. votre 8. sa 9. a. ma b. mon c. son d. sa 10. notre 11. a. Nos b. leur c. leurs d. leur 12. ta 13. ses 14. son 15. son

7-2   1. a. ton b. du mien 2. a. mes b. les vôtres 3. a. mes b. des tiennes 4. a. mon b. sa c. la mienne 5. a. leurs b. les miennes 6. a. vos b. les nôtres 7. a. mes b. les tiens 8. a. ses b. les siens 9. a. ma b. mon c. au vôtre d. le mien 10. son 11. le mien 12. la nôtre 13. le leur 14. leurs

7-3   1. Demande à Marie et Sarah à quelle heure part leur avion. 2. J'aimerais un appareil photo numérique pour mon anniversaire. 3. Pouvons-nous emprunter ta ou votre tondeuse à gazon? La nôtre ne marche pas. 4. Échangeons nos numéros de téléphone: voici le nôtre, quel est le vôtre ou le tien? 5. Quelle vie de labeur que la leur! 6. Vous connaissez, bien sûr, le musée du Louvre et son plus célèbre tableau, *la Joconde*? 7. Je vois ta ou votre voiture, mais je ne vois pas la mienne: où diable ai-je bien pu la garer? 8. Mes grands-parents ont tous les deux soixante-dix ans: quel âge ont les vôtres ou les tiens? 9. Ce n'est pas ma carte, c'est la leur. 10. André, pourquoi est-ce que les CD de ta sœur sont dans ta chambre et les tiens dans la sienne?

7-4   1. a. adjectif possessif, 3e personne féminin singulier (plusieurs possesseurs) b. pronom possessif, 3e personne féminin singulier (plusieurs possesseurs) 2. pronom objet indirect, 3e personne du pluriel 3. a. pronom objet indirect, 3e personne du pluriel b. pronom possessif, 3e personne masculin singulier (plusieurs possesseurs) c. adjectif possessif, 3e personne féminin singulier (plusieurs possesseurs) d. pronom objet indirect, 3e personne du pluriel [précédé de le, qui est ici pronom neutre] 4. a. pronom objet indirect, 3e personne du pluriel b. adjectif possessif, 3e personne masculin singulier (plusieurs possesseurs) 5. pronom possessif, 3e personne féminin singulier (plusieurs possesseurs)

7-5   1. Elle est à nous, elle nous appartient, c'est la nôtre. 2. Ils sont à vous, ils vous appartiennent, ce sont les vôtres. 3. Elle n'est pas à toi, elle ne t'appartient pas, ce n'est pas la tienne. 4. Ils sont à eux, ils leur appartiennent, ce sont les leurs. 5. Elles ne sont pas à elle, elles ne lui appartiennent pas, ce ne sont pas les siennes. 6. Elle est à toi, elle t'appartient, c'est la tienne? 7. Elles sont à nous, elles nous appartiennent, ce sont les nôtres. 8. Elle n'est pas à moi, elle ne m'appartient pas, ce n'est pas la mienne. 9. Il est à vous, il vous appartient, c'est le vôtre? 10. Ils sont à elles, ils leur appartiennent, ce sont les leurs.

7-6   1. Ce n'est pas ma moto, c'est celle de mon frère. 2. C'est notre maison, et non celle des Jeanneret. 3. Ce sont tes ou vos cousins? —Non, ce sont ceux de Jim. 4. C'est l'ordinateur de Frank ou celui de Mélissa? 5. Ce sont ses clés ou celles de Cédric?

7-7   1. la 2. a. les b. son 3. le 4. a. sa b. ses c. ses d. son 5. a. la b. l' 6. les 7. a. aux b. mes c. l' 8. ses 9. les 10. a. la b. les 11. sa 12. la

7-8   1. a. le b. ses [action inhabituelle] 2. a. la b. les 3. a. sa b. son 4. l' 5. a. ta [action inhabituelle] b. tes [action inhabituelle] 6. son 7. au 8. a. sa ou une b. les c. son ou un ou la 9. a. la b. mes 10. a. un b. de 11. a. la b. un c. l' 12. a. au b. la 13. a. les b. la 14. leur [action inhabituelle] 15. les 16. les 17. a. les b. des ou les

7-9   1. a. mon b. le tien 2. la 3. a. lui ou nous b. celui c. eux d. un e. une f. la 4. a. tes b. le 5. a. le nôtre b. le leur 6. a. mon b. celle 7. a. leur b. leur 8. a. sa b. lui 9. a. vous b. moi c. les vôtres 10. celle 11. a. votre b. le mien c. celui 12. a. sa [action inhabituelle] b. ses [action inhabituelle] 13. a. la b. son 14. ceux

7-10 1. Est-ce que ce sont les affaires de Sandra? —Non, ce sont les nôtres. 2. Pour les clés, Annie s'est trompée: au lieu de leur donner les leurs, elle leur a donné les vôtres. 3. J'ai mal à la gorge. *ou* Ma gorge me fait mal. 4. Il s'est foulé la cheville. 5. Elle ouvrit ses grands yeux bleus et se mit à sourire. 6. Il lui a serré la main. 7. À qui est *ou* appartient ce peignoir? C'est le sien? 8. Nous leur avons parlé de leur voyage. 9. Est-ce que ce petit chien est à vous *ou* vous appartient? —Non, le nôtre est un berger allemand. 10. Pourquoi est-ce qu'elle fait la tête? 11. Est-ce qu'elle a besoin de mon aide? 12. Mes parents ont le cœur sur la main. 13. Ce n'est pas mon amie, c'est celle de Lisa.

7-11 1. C'est ton *ou* votre livre? —Non, ce n'est pas le mien *ou* Non, il n'est pas à moi, c'est celui de mon frère. 2. À qui est *ou* appartient cette maison? —Ce n'est pas la nôtre, *ou* Elle n'est pas à nous, *ou* Elle ne nous appartient pas, c'est celle des Gallet. 3. Tu veux emprunter leur voiture ou la mienne? —Je n'aime pas la leur, je préfère emprunter la tienne *ou* la vôtre. 4. J'avais oublié mes lunettes de soleil, alors David m'a prêté les siennes. 5. C'est votre ordinateur? *ou* Cet ordinateur vous appartient? *ou* Cet ordinateur est à vous? —Oui, c'est le nôtre, il est à nous, il nous appartient. 6. Ma mère a les cheveux blonds et les yeux bleus, tandis que ma petite sœur a de magnifiques cheveux roux et de grands yeux verts. 7. J'ai mal au ventre. *ou* Mon ventre me fait mal. 8. Nous avons dû tendre l'oreille parce qu'il ne voulait pas élever la voix. 9. Quand Myriam a vu son père, elle a sauté sur ses genoux pour l'embrasser. 10. **a.** la **b.** la **c.** le **d.** aux

Chapitre Huit

8-1 1. Ce garçon ne me plaît pas. 2. Elle ne m'appelle pas chaque matin. 3. Nous ne nous en sommes pas servi(e)s hier soir. 4. Le samedi, il n'y en a pas beaucoup. 5. Elle ne le lui a pas dit. 6. Ne revenez pas avant 4 heures! 7. N'est-elle pas l'aînée de la famille? 8. Nous préférons ne pas être au courant de cette affaire. 9. Elle n'est pas étonnée de ne pas avoir été choisie *ou* de n'avoir pas été choisie. 10. On n'est pas vraiment fatigué(e)s. 11. Prière de ne pas éteindre en sortant. 12. N'y pense pas! 13. Ne le leur donne pas! 14. Il est préférable de ne pas les attendre. 15. Ne leur faites pas signer.

8-2 1. Elle n'a pas décoré elle-même la vitrine de son magasin. 2. Nous ne possédons pas d'écurie dans notre propriété à la campagne. 3. Il n'a pas l'estime de ses collègues. 4. Je n'ai jamais eu d'animaux chez moi. 5. Je ne comprends pas les revendications des manifestants. 6. Il ne faut pas de beurre pour faire ce gâteau. 7. Ils n'ont pas de pied-à-terre à Paris. 8. Cette actrice n'a pas de présence sur scène. 9. Ces élèves ne montrent pas d'ardeur au travail. 10. Ce n'est pas le moment de prendre des vacances. 11. Je ne veux pas de tulipes pour ce bouquet d'anniversaire. 12. Je n'ai pas besoin du [= de + le] cendrier. 13. Ils n'aiment ni l'opéra ni la musique classique. 14. Je n'ai ni chien ni chat. *ou* Je n'ai pas de chien ni de chat. 15. Nous ne prendrons pas de mousse au chocolat ni de tarte aux pommes *ou* ni mousse au chocolat ni tarte aux pommes.

8-3 1. Je ne veux ni dessert ni café *ou* pas de dessert ni de café. 2. Ni elle ni moi n'avons compris ce qu'il a dit. 3. Il n'est ni généreux ni honnête. *ou* Il n'est pas généreux ni honnête. 4. Ce n'est ni de l'eau ni de la vodka *ou* Ce n'est pas de l'eau ni de la vodka, c'est du vinaigre blanc. 5. Ils n'aiment ni le vin ni la bière. *ou* Ils n'aiment pas le vin ni la bière. 6. Ni toi ni tes amis ne sauriez comment y aller. 7. Ce n'est ni du poulet ni de la dinde *ou* Ce n'est pas du poulet ni de la dinde, c'est du porc. 8. Je ne sais ni skier ni patiner. *ou* Je ne sais pas skier ni patiner. 9. Il n'est ni malade ni fatigué *ou* Il n'est pas malade ni fatigué, il est simplement paresseux. 10. À qui appartiennent ces clés? Ce ne sont ni les miennes ni les leurs. *ou* Ce ne sont pas les miennes ni les leurs.

8-4 1. Je ne bois que du lait écrémé. 2. Il n'y a que Jean qui puisse [subjonctif] comprendre cela. *ou* Jean est le seul qui puisse comprendre cela. *ou* Jean est le seul à comprendre cela. 3. Elle n'a que dix-sept ans. 4. Il ne nous reste que deux jours de vacances. 5. Il ne fait que regarder la télévision. (*All he does is watch television.*)

8-5 1. Marie-Hélène ne mange que du poisson. 2. Mon petit frère n'aime que la glace à la vanille. 3. Il n'y a que Sébastien qui veuille bien m'aider. *ou* Sébastien est le seul qui veuille bien m'aider. *ou* Sébastien est le seul à bien vouloir m'aider. 4. Elle ne fait que naviguer [*ou* surfer…] sur l'Internet toute la journée. 5. Il n'y a que vous qui sachiez faire cela. *ou* Vous êtes les seules qui sachiez faire cela. *ou* Vous êtes les seules à savoir faire cela. 6. Nous n'étudions pas que le français; nous suivons aussi des cours de sociologie, de sciences politiques et d'économie. 7. Elle n'a que treize ans, mais on lui en donnerait plus. 8. Ces gens sont égoïstes: ils ne pensent qu'à eux-mêmes. 9. Nous ne mangeons que les fruits de notre jardin. 10. Il n'y a qu'à le voir pour comprendre pourquoi il ne passe pas inaperçu. 11. Je ne fais que passer. 12. Ils n'ont qu'une semaine de vacances.

8-6 1. Elle n'a rien fait. 2. Elle est belge, si je ne me trompe *ou* ne m'abuse, n'est-ce pas? 3. Nous ne le savons pas encore. 4. Mais je ne connaîtrai personne à cette soirée! 5. Prière de ne pas entrer sans frapper. 6. Je n'ai ni le temps ni l'argent pour aller à Londres la semaine prochaine. 7. Je n'ai aucune idée. 8. Je n'ai que faire de sa condescendance. 9. Il ne nous reste que dix minutes. 10. Je n'ai pas plus de dix minutes. 11. Il dit n'importe quoi! 12. Tu n'as pas de smoking? Qu'à cela ne tienne, quelqu'un t'en prêtera un! 13. Il ne sait que faire. [A L'ORAL ON PEUT DIRE AUSSI: Il ne sait pas quoi faire.] 14. Elle n'osait le regarder. [ON PEUT DIRE AUSSI: Elle n'osait pas le regarder.] 15. Elle ne cesse de parler. [ON PEUT DIRE AUSSI: Elle n'arrête **pas** de parler.]

8-7 1. Nous avons peur qu'ils ne comprennent pas la situation. 2. Je crains qu'elle ne perde son travail. 3. N'y retourne pas, à moins qu'elle ne t'invite. 4. Dépêche-toi avant que le train ne reparte! 5. Elle a peur qu'ils n'exercent des représailles contre son mari. 6. Ne me rappelle pas avant que je ne leur en aie parlé. 7. Nous irons demain, à moins que tu n'aies envie de faire autre chose. **8.** Ses parents ont peur qu'il ne réussisse pas (à) ses examens. **9.** Ce documentaire était moins intéressant que je ne le pensais. **10.** Elle peut rester avec nous, à moins que Jacques et Sophie ne veuillent la ramener après le dîner. **11.** Ce candidat est plus éloquent que je ne m'y attendais.

8-8 **1.** Non, elle ne m'en a jamais *ou* pas encore parlé. **2.** Non, personne n'est venu. **3.** Non, je n'ai vu personne. **4.** Non, nous n'y comprenons rien. **5.** Non, rien ne m'intéresse *ou* il n'y a rien qui m'intéresse. **6.** Non, je n'ai aucune idée à ce sujet. **7.** Non, je ne l'ai trouvé nulle part. **8.** Non, nous n'y allons jamais *ou* pas souvent. **9.** Non, elle n'est plus au bureau. **10.** Non, elle n'a jamais eu peur de rien. **11.** Non, ils ne s'y intéressent plus. **12.** Non, nous ne nous voyons jamais *ou* pas souvent. **13.** Non, nous ne l'avons pas encore fini. **14.** Non, aucune d'entre elles n'y. [ON PEUT DIRE AUSSI: aucunes d'entre elles n'y **sont** all**ées**.] **15.** Non, je n'ai rien vu.

8-9 **1.** irrégulier **2.** incohérente *ou* irrationnelle *ou* illogique **3.** maladroit *ou* malhabile **4.** infecte *ou* nauséabonde **5. a.** ingrate **b.** reconnaissante **6.** désagréable *ou* déplaisante *ou* désobligeante **7.** aimable *ou* prévenante *ou* agréable *ou* gentille, etc. **8.** illisible **9.** habillées *ou* chic [cet adjectif est invariable] **10.** malcommode *ou* peu/pas pratique **11.** méconnue **12.** imbuvable **13. a.** inattendue **b.** inespérée **14.** irresponsables **15.** ingrat **16.** irréguliers *ou* variables **17.** mécontent *ou* déçu **18.** impairs

8-10 PAR EXEMPLE: **1.** Si tu as faim, tu n'as qu'à te faire un sandwich. **2.** J'ai déjà commandé le gâteau, il n'y aura plus qu'à aller le chercher. **3.** On reconnaît *la Joconde* rien qu'à son sourire. **4.** J'aurais reconnu Suzanne rien qu'à sa façon de s'habiller. **5.** Ma présentation orale est presque prête: je n'ai plus qu'à écrire la conclusion. **6.** Si vous ne voulez pas y aller aujourd'hui, vous n'avez qu'à le leur dire. **7.** Vous allez reconnaître le Louvre rien qu'à sa pyramide de verre.

8-11 **1.** Elle travaille plus que jamais. **2.** Elle ne travaille jamais le lundi. **3.** Le courrier n'est toujours pas là *ou* toujours pas arrivé *ou* pas encore arrivé? **4.** On reconnaît Charlie Chaplin rien qu'à sa démarche. **5.** Elle n'a aucune raison de se plaindre. **6.** Nul *ou* Personne ne doit s'absenter avant la fin de l'enquête. **7.** Qu'est-ce que vous faites pour la Saint Sylvestre? —Oh, pas grand-chose… **8.** Vous avez aimé ce restaurant? Non, franchement, pas tellement! **9.** Elle n'est guère facile à vivre. **10.** C'est de la soie, pas du coton *ou* [et] non du coton. **11.** Si tu as froid, tu n'as qu'à mettre ma veste! **12.** Elle a raté son bus? Tant pis pour elle, elle n'avait qu'à se dépêcher! **13.** Il n'a aucune excuse!

8-12 **1.** Je préfère ne pas lui parler tout de suite. **2.** Ne le leur dites pas! **3.** Nous ne l'avons jamais vu nulle part. **4.** Je regrette de ne pas y être arrivé(e) avant eux *ou* de n'y être pas arrivé(e) avant eux. **5.** Ils sont partis sans se dire au revoir. **6.** Quand on est méconnu(e) *ou* inconnu(e), personne ne vous aime ni ne vous admire. **7.** Elle n'a ni parents ni amis. *ou* Elle n'a pas de parents ni d'amis. **8.** Je n'ai pas de *ou* aucun cadeau pour eux. **9.** Aucun de ses livres n'est encore épuisé. [ON PEUT DIRE AUSSI: Aucuns de ses livres ne **sont** encore épuisés.] **10.** Il ne se sert pas de la voiture. **11.** Elle n'est ni bête ni paresseuse. **12.** Je n'ai pas l'intention de lui rendre visite. **13.** Ils ne sont pas encore là. **14.** Ils ont traversé la frontière sans être poursuivis par la police. **15.** Il ne reste plus de gâteau. **16.** Ils ne connaissent encore personne. **17.** Ces bijoux sont très rares: on ne les trouve presque nulle part. **18.** Il n'apprécie ni la bonne chère ni les bons vins. **19.** Je n'ose jamais lui dire ce que je pense. **20.** Nous n'allions jamais *ou* Nous allions rarement dîner dans de bons restaurants.

8-13 **1.** On n'a rien vu. **2.** Il n'est pas médecin, il n'est qu'étudiant en médecine. **3.** Ils sont rentrés sans faire de bruit. **4.** Je ne connais aucun de ses films! **5.** Elle est étroite d'idées: elle ne fréquente que des gens comme elle-même. **6.** Elle n'a trouvé ni abricots ni cerises. *ou* Elle n'a pas trouvé d'abricots ni de cerises. **7.** Il est désolé de ne pas l'avoir rencontrée plus tôt *ou* de ne l'avoir pas rencontrée plus tôt. **8.** Ne leur réponds pas! **9.** Fais attention de ne pas tomber. **10.** Il ne reste que du pain et rien d'autre.

8-14 **1.** Elle est végétalienne: elle ne mange ni œufs ni fromage *ou* pas d'œufs ni de fromage. **2.** Je n'ai rien dit à personne. **3.** Ça/Cela marche bien mieux que je (ne) le pensais. **4.** Ni toi ni ton frère n'êtes jamais allés à Québec? Vous devriez y aller un de ces jours! **5.** Je ne sais comment vous remercier. **6.** Cachons-nous avant qu'ils (ne) reviennent. **7.** Avez-vous jamais lu ses nouvelles? —Non, en fait je n'ai jamais entendu parler de cet auteur. **8.** Vous n'auriez pas vu mon chien par hasard? **9.** Ils n'ont pas encore *ou* toujours pas appelé? **10.** Je ne veux ni chocolat ni nougat *ou* Je ne veux pas de chocolat ni de nougat; je suis au régime.

8-15 **1.** Nous sommes désolé(e)s de ne pas avoir vu *ou* de n'avoir pas vu cette erreur. **2.** Le problème est que, lorsque ses beaux-parents viennent leur rendre visite, ils ne font pas que passer, ils restent au moins une semaine ou deux. **3.** Je n'ai que faire de tes *ou* de vos sarcasmes. **4.** J'ai peur qu'il (ne) pleuve ce week-end. **5.** Ils n'ont pas toujours été riches. **6.** Nous ne faisons ni tennis ni voile. *ou* Nous ne faisons pas de tennis ni de voile. **7.** Je n'ai rien compris à ce film. **8.** Nous n'allons plus en Espagne; il y fait trop chaud en été. **9.** Il a cherché partout mais il n'a trouvé ce magasin nulle part. **10.** Tu n'aurais pas un billet d'un dollar par hasard? **11.** Elle n'est jamais contente de rien, elle ne cesse de se plaindre: elle est vraiment impossible *ou* insupportable! **12.** Vous n'avez pas de voiture? Qu'à cela ne tienne! Nous vous enverrons notre chauffeur. **13.** Il disait n'importe quoi, comme d'habitude. **14.** Tu le vois encore quelquefois *ou* parfois? —Non, je ne l'ai pas revu depuis que nous avons rompu. **15.** Leur maison n'est pas terminée: il n'y a encore ni chauffage ni électricité *ou* pas encore de chauffage ni d'électricité. **16.** On reconnaît Fred Astaire rien qu'à sa façon de danser.

Chapitre Neuf

9-1 1. a. avais b. prenais 2. a. neigeait b. grelottions 3. pouvais 4. a. voulions b. venions 5. fallait [ON PEUT DIRE AUSSI: aurait fallu] 6. étais 7. préparaient [ON PEUT DIRE AUSSI: étaient en train de préparer] 8. partions 9. a. croyais b. étais 10. a. sortaient b. étaient

9-2 PAR EXEMPLE: 1. Quand ma grand-mère habitait encore à Toulouse, nous allions la voir chaque été. 2. Ah' si seulement j'avais une voiture comme la tienne! 3. Aujourd'hui, je suis à l'heure, mais hier j'étais en retard parce qu'il y avait des embouteillages (*traffic jams*). 4. Je voulais *ou* venais te demander ton avis sur cette question. 5. Quand Marc est rentré chez lui, son frère regardait *ou* était en train de regarder un match à la télévision. 6. Et si nous allions prendre un verre? (*How about a drink?*) 7. Quand nous sommes arrivé(e)s, il pleuvait. 8. Sans lui, je ratais mon avion. [ON PEUT DIRE AUSSI: aurais raté] 9. Émilie a appelé pendant que je prenais ma douche. [ON PEUT DIRE AUSSI: j'étais la douche] 10. Ce matin, j'étais fatigué(e); je n'avais pas du tout envie de me lever. 11. Je le ferais volontiers si je pouvais, mais en ce moment, je ne peux pas.

9-4 1. venaient de quitter 2. vient de s'acheter 3. venions de nous rencontrer 4. venais de terminer 5. viennent de téléphoner *ou* d'appeler 6. venait de neiger 7. vient d'entrer 8. viens de me rendre compte 9. viens de rentrer 10. venais de naître

9-5 1. a. se sont présentés b. ont remis 2. a été 3. es sorti(e) 4. as déjà sorti 5. est devenu 6. a fait 7. s'est évadé 8. a donné 9. a. nous sommes assis**es** b. avons passé c. avons parlé d. nous sommes raconté [pas d'accord parce qu'on dit **raconter qqch à qqn**] 10. a vite rentré 11. suis allé(e) 12. se sont disputé**es** 13. es née 14. a eu 15. a plu 16. a. sont arrivés b. sont repartis 17. n'ont pas pu 18. a. a vu b. ne lui pas plu 19. s'est fait 20. ai bien reçu

9-6 PAR EXEMPLE:

—Alors Marie, qu'est-ce que tu as fait samedi soir?

—Ah, j'ai passé un excellent week-end! D'abord, je suis allé**e** manger au restaurant avec des ami(e)s. Nous avons commandé des pizzas et de la salade. Ensuite, nous sommes allé(e)s voir un film d'aventures que j'ai trouvé intéressant mais un peu trop violent. Après le film, nous sommes allé(e)s boire une bière dans un bar. Là, j'ai rencontré Michel qui m'a invité**e** à faire du tennis avec lui dimanche.

—Et alors dimanche, qu'est-ce que tu as fait? Tu es allé**e** jouer au tennis avec Michel?

—Oui, je me suis réveillé**e** vers 10 heures, j'ai pris ma douche et mon petit déjeuner, ensuite j'ai téléphoné à Michel qui est venu me chercher vers 11 heures et demie, …

9-7 1. s'est fait 2. n'ont pas encore répondu 3. viens de recevoir 4. n'ai jamais été 5. a toujours eu 6. vient de commencer 7. a commencé 8. a vu 9. a longtemps travaillé 10. viennent de se marier

9-8 1. a. venaient souvent b. vivions 2. es sorti(e) 3. a. faisait b. s'est luxé 4. a. avons rencontré b. travaillait 5. a. a plu b. n'avons rien pu 6. a. avait b. voulait c. aimait beaucoup d. calmait e. s'endormait f. a appris g. n'a plus voulu

9-9 1. a. ai mis b. avait c. ai tourné d. n'ai rien trouvé [résultat] *ou* ne trouvais rien [durée] e. ai fini 2. a. ont terminé b. sont restés c. avait 3. ont aussi demandé 4. a. a posé b. n'ai pas su 5. a. ont déjà répondu b. ne l'ont pas encore fait c. étaient

9-10 1. a. faisions b. n'en avons pas fait 2. n'avez pas aimé 3. a. n'as pas acheté b. allait c. n'aimais pas 4. a. alliez b. sommes allé(e)s 5. a. n'a pas pu b. avait 6. a. rangeais *ou* j'étais en train de ranger b. as téléphoné 7. a. avait b. montait toujours 8. ai toujours admiré 9. a. croyais b. détestais 10. a. ai entendu b. ai bien cru c. était 11. a. voulait b. pouvais 12. a. a vu b. l'a laissé 13. a. ont gagné b. étais 14. a. cherchais *ou* j'étais en train de chercher b. m'est venue 15. a dit 16. a. est rentrée b. dormait

9-11 1. Ils venaient de rentrer quand ils ont appris la nouvelle. 2. Je ne voulais pas vous déranger, je venais *ou* voulais juste vous apporter votre courrier. 3. Elle a frappé à la porte pour voir si j'étais libre. 4. Nous avons monté le vieux miroir au grenier. 5. Nous ne l'avons rencontrée qu'une ou deux fois, quand *ou* lorsqu'elle vivait près de chez nous. 6. Un pas de plus, et il tombait dans le canal. [ON PEUT DIRE AUSSI: Un pas de plus, et il serait tombé dans le canal.] 7. Ils venaient d'arriver à Paris quand nous les avons croisés par hasard devant Notre Dame. 8. Nous avons dû nous lever très tôt ce matin. 9. Nous ne l'avons su que ce matin. 10. Hier j'étais malade: c'est pour cela/ça que je n'ai pas pu le rappeler.

9-12 1. Il a neigé toute la matinée. 2. Quand il s'est réveillé ce matin, il neigeait. 3. Ils devaient partir à 9 heures ce matin, mais leur vol a été retardé pour des raisons de sécurité. 4. Où est-ce que tu as mis mon livre? —Je l'ai laissé sur la table. 5. Quand j'étais petit(e), je croyais au Père Noël. 6. J'ai toujours cru qu'elle reviendrait. 7. L'accident est arrivé très vite; nous n'avons pas eu le temps de réaliser ce qui se passait. 8. Nous étions en train de prendre *ou* nous prenions le petit déjeuner lorsqu'on a sonné à la porte. 9. Et si nous allions à Rome le week-end prochain? 10. Tu n'avais pas assez d'argent pour t'acheter une glace? Mais il fallait le lui dire! [ON PEUT DIRE AUSSI: Mais il aurait fallu le lui dire!]

9-13 1. était déjà parti 2. avaient déjà été 3. avait fermé 4. n'avait pas prévu 5. avais mis 6. avais complètement oublié 7. avais pourtant commandés 8. s'étaient séparés 9. avions fini 10. avait voulu 11. ne m'avais pas dit 12. a. s'était levé b. était tombée c. avaient gelé 13. n'y avais pas pensé 14. vous étiez donné 15. avais pourtant bien expliqué 16. avait mal dormi 17. avait téléphoné 18. avait dit

9-14 1. **a.** sommes rentré(e)s **b.** avions oublié 2. **a.** s'est moqué **b.** n'avais rien compris 3. avait présenté 4. **a.** as rapporté **b.** t'ai prêtée (*that I lent you*) OU t'avais prêtée (*that I had lent you*) 5. aviez demandé 6. **a.** avons revu **b.** avions rencontrés **c.** avons fait **d.** avons emmenés **e.** avait **f.** nous sommes bien amusés 7. **a.** a appris **b.** avait gagné **c.** a poussé **d.** s'est mise **e.** n'arrivait pas 8. **a.** avait terminé **b.** se rendait 9. avait fait 10. avais vraiment voulu 11. **a.** était **b.** commençait toujours 12. ont toujours su

9-15 1. s'est bien amusée 2. est allée 3. avait 4. a retrouvé 5. n'avait pas vus 6. a dansé 7. était 8. s'est levée 9. faisait 10. était 11. a fait 12. est descendue 13. sont allées 14. ont pris 15. ont fait 16. avait 17. avait remarquée 18. avait oublié 19. a prêté 20. ont téléphoné 21. ont invitées 22. étaient 23. ont accepté 24. était 25. fallait *ou* a fallu 26. ont décidé 27. était 28. n'avaient pas 29. sont parties 30. ont beaucoup dansé et pas mal bu 31. est rentrée 32. ne se sentait pas 33. a pris 34. s'est rendormie 35. a commencé 36. avait demandé 37. a fait 38. est sortie 39. s'était aggravé 40. s'est couchée

9-17 1. a découvert 2. avait décidé 3. avait même déjà acheté 4. a fait 5. criaient 6. sanglotait 7. entendait 8. volaient 9. ont alerté 10. n'osaient pas *ou* n'ont pas osé.

9-18 1. Est-ce qu'ils se connaissaient à l'époque? —Non, pas encore. 2. Ils se sont rencontrés il y a deux ans. 3. Quand mes grands-parents étaient plus jeunes, ils n'avaient jamais le temps de voyager parce qu'ils étaient bien trop occupés; mais maintenant qu'ils sont à la retraite, ils voyagent beaucoup. 4. Jusqu'ici, mes parents n'ont pas eu le temps de voyager; ils sont bien trop occupés. 5. Si seulement nous avions attendu un peu plus longtemps! 6. Quand je suis parti(e) ce matin, il venait de neiger et les routes étaient extrêmement glissantes. 7. En sortant du bureau, Philippe s'est rendu compte qu'il avait complètement oublié son rendez-vous chez le dentiste. 8. Je venais d'arriver à Lyon quand j'ai trouvé ce travail. 9. Hier, il n'est pas allé en classe parce qu'il avait mal dormi la veille et qu'il n'avait pas entendu son réveil. 10. De retour à Paris, j'ai eu un problème: je n'ai pas pu encaisser mon chèque parce que j'avais laissé mon passeport à l'hôtel à Madrid.

9-19 1. Vous avez compris ce qu'elle a dit? 2. Je voulais lui demander un service. 3. Tu le savais? —Oui, je l'ai su *ou* appris par mes parents. 4. Ils ont toujours été très heureux ensemble. 5. Pourquoi est-ce qu'ils se sont séparés? Ils n'étaient pas heureux ensemble? 6. Si seulement j'avais acheté ce billet de loterie! 7. Il voyait Nicole quand elle travaillait encore à l'agence de voyage, mais il ne l'a pas vue depuis longtemps. 8. La petite fille est tombée et s'est mise à pleurer parce qu'elle s'était fait mal au genou. 9. Nous étions fatigué(e)s parce que nous avions roulé pendant [et non ~~pour~~] plus de six heures. 10. Un dixième de seconde en moins, et elle gagnait la médaille d'or! [ON PEUT DIRE AUSSI: elle aurait gagné…]

9-20 1. Nous avions abandonné tout espoir de retrouver notre chat quand *ou* lorsqu'une voisine nous a téléphoné pour nous dire qu'elle l'avait découvert perché dans un arbre. 2. Tu savais *ou* Est-ce que tu savais *ou* Savais-tu que Paul était de retour et qu'il s'était marié pendant que tu étais à l'étranger? Je viens de le rencontrer par hasard dans la rue; c'est lui qui m'a appris la nouvelle … 3. L'autre jour, quand Mélisande a appelé son père pour lui dire qu'elle avait utilisé sa carte de crédit pour s'acheter un tout nouveau portable, il s'est fâché tout rouge et lui a répondu qu'elle allait devoir le rembourser sur son argent de poche.

Chapitre Dix

10-1 1. On va avoir de plus en plus besoin de gens parlant l'arabe couramment. 2. La librairie fermant à cinq heures, elle n'a pas eu le temps d'y aller. 3. Y a-t-il un TGV allant directement de Paris à Marseille sans arrêt à Aix? 4. N'ayant aucune intention de revoir Jean-Luc, je ne l'ai pas rappelé. 5. Le bus passant devant chez moi est bien pratique: en dix minutes, je suis au bureau.

10-2 1. Estimant qu'il n'était pas assez payé, il a demandé une augmentation. 2. À côté de moi, il y avait un vieux monsieur lisant le journal. 3. N'étant pas libre demain après-midi, je passerai chez toi dans la matinée. 4. Il faut absolument trouver quelqu'un sachant réparer cette photocopieuse. 5. Le magasin ayant fait faillite, tout a dû être liquidé.

10-3 1. Ayant manqué son avion, Étienne a pris le train de nuit. 2. Un monsieur s'appelant Raymond a téléphoné pour vous hier après-midi. 3. C'est un château ayant d'abord appartenu au duc de Bourgogne. 4. Les étudiants ayant terminé leur travail peuvent s'en aller. 5. Me promenant l'autre jour au jardin du Luxembourg, je suis tombée sur une ancienne étudiante que je n'avais pas vue depuis au moins dix ans. [ON PEUT DIRE AUSSI: En me promenant l'autre jour…]

10-4 1. Le brouillard tombant, la visibilité diminua considérablement. 2. On va exproprier les familles habitant sur le passage du futur TGV. 3. Ayant fini de lire son journal, il sortit faire une promenade. 4. L'instituteur a donné des points supplémentaires aux élèves ayant bien répondu. 5. Ayant peur des araignées, elle évitait de monter au grenier. 6. Ils se sont hâtés de vendre leurs actions, celles-ci commençant à chuter. 7. Le gouvernement a pénalisé les fonctionnaires ayant fait la grève. 8. Étant plus littéraire que scientifique, elle a choisi la Faculté des Lettres. 9. Je préfère les pommes ayant la chair ferme. 10. Étant douée pour les langues, elle se destine à l'interprétariat.

10-5 1. Je suis arrivée en courant. 2. L'idéal serait un petit studio donnant sur un parc ou une rue tranquille. 3. En vous dépêchant, vous arriverez à temps. 4. Il feuilletait une revue en attendant son tour. 5. S'imaginant qu'elle gagnerait le concours, elle s'en vantait déjà devant tout le monde. 6. Tout en travaillant énormément, Jeff trouve toujours du temps pour ses amis. 7. Nous avons aperçu une voiture démarrant à toute vitesse. 8. Ayant obtenu un prêt à un taux très intéressant, les

Guichard ont pu s'acheter un nouvel appartement dans le quartier. **9.** Tu comprendras mieux tout cela en grandissant. **10.** Ne les voyant plus, nous n'avons aucune nouvelle de ces gens.

10-6   **1.** négligeant **2.** négligents **3.** fatigants **4.** fatiguant **5.** tombant **6.** tombante **7.** insistante **8.** Insistant **9.** intrigants **10.** Intriguant [ON PEUT DIRE AUSSI: En intriguant] **11.** adhérents **12.** adhérant

10-7   **1.** en expédiant **2.** expédients **3.** affluents **4.** affluant **5.** exigeante **6.** exigences **7.** Excellant **8.** excellent **9.** En provoquant **10.** provocante

10-8   **1.** en intriguant **2.** intrigante **3.** équivalant **4.** l'équivalent **5.** précédant **6.** précédent **7.** Zigzaguant *ou* En zigzaguant *ou* Tout en zigzaguant **8.** zigzagante **9.** En convainquant **10.** convaincants

10-9   **1.** Elle s'est fait mal au dos en plongeant. **2.** Il est parti sans prendre son portable. **3.** Ne voulant pas la déranger, il ne lui a pas téléphoné. **4.** Je meurs de soif! **5.** Je les ai vus courir en direction de la plage. **6.** Faire de telles remarques en public est inadmissible. **7.** Il travaille en écoutant *ou* tout en écoutant de la musique. **8.** Nous n'avons pas envie de sortir ce soir. **9.** Les passants traversaient *ou* étaient en train de traverser la rue lorsque l'accident est arrivé. **10.** En partant cinq minutes plus tôt, tu aurais attrapé ton train. **11.** Cela/Ça vous dérange que j'ouvre la fenêtre?

10-10   **1.** a battue **2.** a fini **3.** avaient couverts **4.** ai conduite **5.** as résolu **6.** ai lus **7.** se sont enfuis **8.** as suivis **9. a.** avions *ou* avons achetées **b.** ai oubliées **10.** est née **11.** est venue **12.** as mises **13.** s'est assise **14.** ai eue **15.** ai acheté

10-11   **1.** a rejoints **2.** as trouvées **3. a.** aviez demandée **b.** ai bien reçue **4. a.** a été **b.** a eu **5.** a conquis **6.** as *ou* avais dit [l' = pronom neutre ⇒ pas d'accord] **7. a.** a acquise **b.** a bien servi **8. a.** as trouvé **b.** ai trouvé **9.** a peintes **10.** a écrites **11.** ont valu **12.** ai bus **13.** avez choisis **14.** a promis [l' = pronom neutre ⇒ pas d'accord] **15.** ai acheté

10-12   **1.** Est-ce que tu as rapporté les livres à la bibliothèque? —Oui, je les ai rapportés hier. **2.** Est-ce qu'elle a acheté des timbres? —Oui, elle en a acheté une centaine. **3.** Et Laura, quand l'as-tu OU quand est-ce que tu l'as rencontrée? **4.** Qui *ou* Qui est-ce qui a mangé ma pomme?! **5.** Elle a perdu l'adresse que j'avais recopiée pour elle.

10-13   **1. a.** sont sorties **b.** sont allées **2. a.** as sorti **b.** ai descendues **3.** as montées **4.** sont montés **5.** ont passés **6.** est passée **7.** sont-ils rentrés **8.** ai rentré **9.** ai retournée **10.** est retourné

10-14   **1.** Mes sœurs sont allées en ville. **2.** Elle a passé la nuit sur le sofa du salon. **3.** Michel et Aïcha sont passés à midi. **4.** Est-ce que tu as rentré les magazines que j'avais laissés devant la porte? —Oui, je les ai rentrés.

10-15   **1.** s'est baissée **2.** se sont dirigés **3.** se sont téléphoné **4.** s'est cachée **5.** se sont mis **6.** se sont passés **7. a.** se sont rencontrés **b.** se sont plu **8.** s'est coupé **9.** s'est mise **10.** s'est brûlé **11. a.** ne s'étaient pas vues **b.** se sont aperçues **c.** se sont reconnues **d.** se sont promis

10-16   **1.** se sont disputés **2.** se sont souri **3.** s'est réveillée **4.** ne se sont pas rendu compte **5.** s'est lancée **6.** se sont absentés **7.** se sont rappelé **8.** se sont certainement envoyé **9.** se sont lavé **10.** se sont succédé [ON DIT: **succéder à qqn**] **11.** s'est ravisée **12.** se sont montrés **13.** s'est permis [ON DIT: **permettre qqch à qqn**] **14.** se sont moqués

10-17   **1.** La petite fille s'est endormie à huit heures. **2.** Elle s'est coupé le doigt en préparant un sandwich. **3.** Est-ce qu'Adèle et Laura se sont excusées? **4.** Sophie et Caroline se sont promis de se voir plus souvent. **5.** Les blagues qu'ils se sont envoyées étaient tordantes.

10-18   **1.** a vue **2.** ai vu **3.** ont pu **4.** avons regardés **5.** ai pas entendus **6.** ai laissé [*ou* laissés] **7.** a voulu **8.** a dû **9.** a fait **10.** n'avons pas pu **11.** a fait **12.** ont accepté **13.** ai donné **14.** ont autorisé(e)s **15.** n'ai pas voulu

10-19   **1.** Je l'ai déjà entendue jouer une fois, à New York. **2.** Ces airs? Oui, je les ai entendu interpréter par un célèbre ténor italien. **3.** Nous n'avons pas vu les voisins rentrer mais nous les avons entendus se disputer toute la soirée. **4.** Pourquoi l'as-tu fait pleurer?

10-20   **1. a.** a fait **b.** a eu **2.** ont *ou* avaient faites **3.** avons eue **4.** a valu **5.** avons vécu **6.** ont vécues **7.** ont coûté **8.** a coûtés **9.** a couru **10.** a mûrement pesées **11.** a pesé **12.** a fallu

10-21   **1.** Et tous les travailleurs supplémentaires qu'il a fallu engager pour finir ce projet: étaient-ils vraiment nécessaires? [verbe impersonnel ⇒ pas d'accord] **2.** Quand je pense aux efforts que ce travail m'a coûtés! [sens figuratif ⇒ accord] **3.** Les cinq cents dollars qu'elle a payé pour ces chaussures n'en valaient pas la peine! [sens propre ⇒ pas d'accord] **4.** Quant aux risques, nous les avons bien sûr dûment pesés avant d'agir. [sens figuratif ⇒ accord] **5.** Les chaleurs qu'il a fait en 2003 ont été *ou* étaient insupportables. [verbe impersonnel ⇒ pas d'accord]

10-22   **1.** Est-ce que tu as acheté des prunes? —Oui, j'en ai acheté une livre. **2.** Elle s'est dirigée vers l'entrée en courant. **3.** Elles se sont dit au revoir. **4.** Elle a fait ses devoirs? —Oui, elle les a faits. **5.** Les deux voitures se sont heurtées au carrefour. **6.** Je n'ai pas encore visité la cathédrale de Reims. **7.** Où est ton écharpe? —Je l'ai laissée à la maison. **8.** Les lunettes de soleil qu'elle voulait s'acheter étaient trop chères. **9.** Elle a eu vingt ans hier. **10.** La tempête qu'il a fait hier soir a cassé la plus grosse branche de notre érable.

10-23 1. Ils se sont parlé brièvement, puis [ils] se sont séparé**s** sans un regard. 2. La piscine qu'ils ont fait installer leur a coûté un argent fou. 3. Où sont vos deux filles? Vous les avez laissé [*ou* laissé**es**] partir toute seules? 4. Elles se sont parlé de leur famille. 5. Les problèmes qu'elle a dû résoudre étaient tres graves. 6. Les problèmes qu'elle a résolus étaient tres graves. 7. Et les enfants? Vous ne les avez pas entendu**s** pleurer? 8. Elle a senti sa main lui caresser le visage. 9. Ma veste? Je crois qu'on me l'a volé**e**. 10. Ma soeur et son amie Vanessa se sont retrouvé**es** devant la bibliothèque. 11. Quelle leçon est-ce qu'elle nous a demandé de préparer? 12. Il ne retrouve plus les documents qu'il a laissé**s** sur son bureau. 13. Il ne retrouve plus les documents qu'il a laissé traîner sur son bureau. 14. Elle est sorti**e** faire une course. 15. Elle ne s'est pas ennuyé**e** une seule seconde pendant ses vacances.

Chapitre Onze

11-1   1. allons les voir 2. est sur le point d'entrer OU va entrer 3. allais m'appeler 4. a l'intention de le leur faire 5. doivent venir 6. va pleuvoir 7. vas encore la faire 8. suis sur le point d'aller me coucher *ou* m'apprête à aller me coucher 9. devons nous retrouver 10. n'allais pas t'en aller

11-2   1. va neiger 2. allait neiger 3. ne neigera pas 4. vais la rappeler 5. la rappellerai 6. vas enfin pouvoir 7. pourras 8. allions repartir 9. repartirons 10. verrons

11-3   1. semi-auxiliaire: futur proche du présent 2. verbe de mouvement: passé composé 3. semi-auxiliaire: futur proche du passé 4. verbe de mouvement: passé composé 5. semi-auxiliaire: futur proche du présent (*We're going to eat out.*) *ou* verbe de mouvement: présent (*We're going out to eat.*) 6. verbe de mouvement: plus-que-parfait

11-4   1. aiderai 2. **a.** auras terminé **b.** iras 3. pourrons 4. aura oublié 5. **a.** aurez vu **b.** direz 6. **a.** irons **b.** aurons fini 7. se sera arrêté

11-5   1. retournerai 2. **a.** serez arrivées **b.** téléphonerez 3. arroserez 4. **a.** s'arrêtera **b.** aura *ou* aura eu 5. **a.** rendrai **b.** aurai lus 6. voudras 7. allons voir 8. **a.** n'auront pas mangé *ou* ne mangerant pas **b.** restera

11-6   1. Si vous patientez un peu, vous pourrez le voir. 2. Tu sauras que je ne suis pas du tout d'accord avec toi. 3. Nous essayerons *ou* essaierons de rentrer avant minuit. 4. Attention, tu vas te faire mal. 5. Dépêchez-vous! Ils sont sur le point de *ou* Ils s'apprêtent à commencer. 6. Tu regarderas cette vidéo une fois que tu auras travaillé ton piano. 7. Dans trois mois *ou* D'ici trois mois, j'aurai fini ma licence. 8. Appelle-moi dès que tu seras rentré(e). 9. Quand le gâteau sera prêt, tu voudras bien le sortir du four [ordre atténué: pas de point d'interrogation en français]. 10. Demain, je dois aller rendre visite à ma grand-mère.

11-9   1. La météo a annoncé qu'il pleuvrait ce soir. 2. Tout le monde croyait qu'on aurait bientôt trouvé une cure pour le cancer. 3. Je pensais qu'elle serait contente. 4. J'espérais que tu aurais bientôt fini. 5. Vous ne saviez pas qu'il y aurait des grèves toute la semaine? 6. Il n'était que sept heures: la représentation ne commencerait pas avant huit heures. 7. Je croyais qu'il changerait d'avis une fois qu'il aurait lu ton rapport. 8. Le président a affirmé que d'ici six mois, la situation économique se serait redressée.

11-10 PAR EXEMPLE: **1.** Pourriez-vous m'indiquer où il se trouve? **2.** Aurais-tu un programme, par hasard? …

11-11 1. adorerais 2. aurais adoré 3. aurait tant voulu 4. aimerais tellement 5. aurais dû 6. n'aurais pas dû 7. faudrait 8. aurait fallu

11-12 PAR EXEMPLE: **1.** Tu devrais te dépêcher! [conseil] *ou* Tu aurais dû te lever plus tôt! [reproche]…

11-14 1. ne serais pas 2. aurait pu 3. saurais 4. aurait menti 5. abandonneriez 6. serait parti 7. **a.** pourrions **b.** voudriez

11-15 1. Il y aurait de la glace sur Mars. 2. Néron aurait incendié Rome. 3. Selon les scientifiques, le recul de la banquise serait dû à un réchauffement de la planète. 4. Selon les économistes, nous serions en période d'inflation. 5. Selon les experts, il ne resterait plus que quelques centaines de pandas en Chine. 6. Selon les premiers résultats, le candidat démocrate arriverait en tête. 7. Selon les écologistes, le forage de puits de pétrole dans le nord de l'Alaska porterait atteinte à la flore et la faune de cette région. 8. La grand-mère de Jean serait tombée dans les escaliers et se serait cassé le col du fémur.

11-16 1. n'auriez pas pu 2. dérangerait 3. ne pourrais pas 4. ennuierait 5. gênerait 6. n'auriez pas pu

11-17 1. **a.** serait **b.** pêcherait **c.** prendrait **d.** ferait **e.** se promènerait 2. aurions mieux dormi 3. auriez 4. arriverais

11-18 1. seraient 2. aurait 3. voyagerais 4. se serait déguisé 5. serais 6. aimerais bien *ou* aurais bien aimé 7. aurais pu 8. aurait coûté 9. serions venu(e)s 10. auriez

11-19 1. Elle est sortie faire une course mais elle devrait être de retour dans cinq minutes. 2. Tu devrais y aller: tu t'amuserais bien. 3. Je n'ai pas pu comprendre *ou* Je ne suis pas arrivé(e) à comprendre *ou* Je ne pouvais pas comprendre *ou* Je n'arrivais a comprendre ce qu'elle disait. 4. Ma mère aurait bien aimé partir en vacances avec mon père, mais il n'a pas pu se libérer. 5. Je connais quelqu'un que ça intéresserait. 6. Si jamais tu gagnais à la loterie, qu'est-ce que tu ferais avec *ou* de tout cet argent? 7. Tu pourrais au moins lui envoyer un mot de remerciement! 8. Je n'ai pas pu lui envoyer un mot de remerciement parce que je ne connais pas son adresse. 9. Je te prêterais volontiers vingt dollars, mais j'ai laissé mon porte-monnaie chez moi. 10. Je lui prêtais constamment de l'argent: il était toujours fauché.

Chapitre Douze

12-1   1. soit   2. n'apprenne pas   3. veuille   4. allions   5. compreniez   6. puisses   7. fasses   8. obéisse

12-2   1. Je veux que tu finisses ton petit déjeuner.   2. Je ne veux pas que tu partes maintenant.   3. Je ne veux pas que nous allions au restaurant.   4. Je veux que tu prennes ton portable.   5. Je veux que vous lui disiez au revoir.   6. Je veux que vous répondiez quand on vous appelle.   7. Je veux que tu me dises la vérité.   8. Je ne veux pas que tu reviennes trop tard.   9. Je veux que vous fassiez attention.   10. Je ne veux pas que tu conduises trop vite.

12-3   1. Je voudrais que vous montiez leur dire bonsoir.   2. Il faut absolument que nous partions tout de suite.   3. Il faudrait qu'il comprenne la situation.   4. Il faudrait que vous buviez davantage d'eau.   5. Il est urgent qu'elle voie un docteur.   6. Je veux que tu sois gentil avec ta sœur.   7. Il faudrait que vous suiviez un cours de maths.   8. Il faut que tu finisses ton travail.   9. Il est indispensable que tu apprennes ce morceau de musique par cœur.   10. J'aimerais mieux qu'elle choisisse elle-même le menu.

12-4   1. Je veux que vous m'écoutiez.   2. Il faudrait qu'il se serve de son dictionnaire.   3. Nous voudrions tellement que tu viennes nous voir à Paris!   4. Il vaudrait mieux que vous preniez un taxi.   5. Il faut que Michel aille la voir.   6. Il faut que tu me croies!   7. Il faudrait que tu fasses un peu plus de sports.   8. Je préférerais que nous nous retrouvions un peu plus tôt.   9. Ce serait bien que tu la revoies.   10. Il est indispensable que vous ayez un passeport valable.

12-5   1. ne nous aient pas téléphoné   2. ne nous téléphonent plus   3. engagiez   4. ayez engagé   5. plaise   6. ait plu   7. fasse   8. ait fait   9. (ne) nous trompions   10. (ne) nous soyons trompé(**e**)**s**

12-6   1. puissiez   2. ayez pu   3. n'ait pas fait   4. ne fasse pas   5. effectuiez   6. ayez effectué   7. parvienne   8. soit parvenu   9. aie obtenu   10. obtienne

12-7   1. interdise   2. ait interdit   3. aies dû   4. doives   5. soit   6. ait été   7. ayez terminé   8. terminiez   9. ait réagi   10. réagisse

12-8   1. J'aimerais qu'il soit là avec nous.   2. Je suis content(e) qu'il soit resté deux jours de plus.   3. C'est dommage qu'elle soit malade.   4. C'est dommage qu'elle ait été malade.   5. Il faudra que nous arrivions plus tôt demain.   6. Il faudra que nous ayons terminé avant cinq heures.   7. Je suis ravi(e) qu'elle ait aimé son cadeau.   8. Je suis contente qu'ils/elles aillent en Italie.   9. Ses parents sont furieux qu'il veuille abandonner ses études.   10. Ses parents sont furieux qu'il ait abandonné ses études.

12-13   1. (ne) se rende   2. (ne) vous lanciez   3. plaise   4. (ne) sachiez   5. **a.** soit   **b.** ne se batte pas   6. saches   7. s'en aperçoive *ou* s'en soit aperçu   8. montriez   9. se prenne   10. n'ait pas

12-15   1. La petite Zoé est très sage, bien qu'elle *ou* quoiqu'elle fasse parfois des bêtises.   2. Je vous permets de sortir avec vos copains mais à [la] condition que vous ne dépensiez pas tout votre argent.   3. Venez ici, que je vous dise quelque chose!   4. Je t'attendrai ici jusqu'à ce que tu reviennes.   5. Téléphonez-moi, [pour] que je sache ce qui se passe.   6. Prévenez-nous pour que *ou* afin que nous partions en même temps que vous.   7. Ils travaillent très dur pour que leur fille fasse des études universitaires.   8. Il est parti sans que nous ayons pu lui dire au revoir.   9. Magali joue avec son ours en peluche en attendant que sa mère vienne la coucher.   10. Nous reviendrons demain, à moins qu'il (ne) pleuve.

12-16   1. Il faut absolument que j'appelle mes parents, bien qu'il soit déjà minuit.   2. Tu peux te servir de ma voiture, à [la] condition *ou* pourvu que tu remettes de l'essence quand tu me la rendras.   3. Allons-y cet après-midi, à moins qu'il (ne) fasse un temps affreux.   4. À supposer que l'avion soit à l'heure, nos ami(e)s arriveront d'ici une heure.   5. Ils ne sont jamais contents, quoi qu'on fasse pour eux.   6. Continue de travailler ce morceau jusqu'à ce que tu puisses le jouer par cœur.   7. Elle a réussi à lui organiser une réception d'anniversaire sans qu'il s'en aperçoive.   8. Nous voulons que tu restes avec nous jusqu'à ce que tu te sentes mieux.   9. Je ne lui ai rien dit, de peur qu'elle (ne) se fasse du mauvais sang.   10. Taisez-vous s'il vous plaît, que nous puissions entendre les informations.

12-17   1. (n') ayons   2. aura   3. soient   4. seront   5. parviendra   6. parvienne   7. a suivi   8. ait suivi   9. finira   10. finisse   11. ont atteint   12. aient atteint   13. plaît   14. plaise   15. soient

12-18   1. n'as pas oublié   2. n'aies pas oublié   3. étaient   4. soient   5. sont   6. soient   7. communiquiez   8. communiquerez   9. n'ait pas retenu   10. n'a pas retenu   11. (ne) soyez   12. serez   13. ne leur convienne pas *ou* ne leur convient pas *ou* ne leur ait pas convenu   14. aient beaucoup augmenté   15. ont beaucoup augmenté

12-19   1. (ne) soit   2. puisse   3. (n') ayez   4. **a.** avertissions   **b.** sachent   5. aille   6. ne me téléphonera pas   7. a complètement oublié   8. repassiez   9. suis   10. sois

12-20   1. soit [*ou* est, s'il s'agit d'une conviction]   2. a   3. a pris   4. ait pris   5. fasse   6. ait fait [*ou* **a fait** s'il s'agit d'une conviction]   7. ne veut pas   8. ne veuille pas   9. n'ayez pas signé   10. n'avait toujours pas signé

12-22   1. reçoive   2. risquiez   3. comprenne   4. **a.** prennes   **b.** finira   5. rations   6. soit [*ou* est s'il s'agit d'une conviction]   7. soit   8. (n') aies attrapé   9. n'as pas attrapé   10. **a.** laissions   **b.** avons fini   11. aie souvent entendu *ou* entende souvent   12. ait commis   13. **a.** soit revenu   **b.** devait   14. **a.** arrivera   **b.** parvienne   15. sache

12-23   1. écrive [ET NON ~~écrivions~~]   2. regretterez   3. regrettez   4. as saisi   5. **a.** insistiez   **b.** dis *ou* ai dit   6. viennes   7. es venu(e)   8. fasse   9. plaira   10. ait plu *ou* plaise   11. rencontriez   12. ayez été   13. aille   14. ayez   15. sache   16. boives   17. (ne) soient parties   18. ne descendions pas   19. ait eu   20. a *ou* a eu

12-24   1. ayons 2. soit 3. **a.** fait **b.** connaisse 4. a choqué<u>e</u> 5. puisse 6. convienne 7. convient 8. puisse 9. aie vu<u>s</u> 10. **a.** n'ayez pas compris **b.** n'ai pas compris 11. disposions 12. sache 13. connaît 14. n'aie pas encore visité<u>e</u> 15. corresponde 16. correspond 17. veuille 18. veut

12-25   1. Non, le français est la seule langue étrangère que nous parlions. 2. Non, Jennifer est la seule Américaine que je connaisse. 3. Non, Jennifer est la seule Américaine que j'aie rencontré<u>e</u>. 4. Non, le cinéma est la seule chose qui lui plaise vraiment. 5. Non, Bertrand est le seul qui sache le russe. 6. Non, Valentine est la seule qui fasse du parapente. 7. Non, Noémi est la seule qui ait loué une voiture pour ce week-end. 8. Non, Jacques et Olivia sont les seuls qui veuillent faire Sciences Po. 9. Non, Jean-François est le seul ami que j'aie à Montréal. 10. Non, Ludovic est le seul dont je me souvienne. [ON DIT: **se souvenir de qqn.**]

12-26   1. J'aimerais que tu viennes me chercher en voiture demain. 2. J'aimerais venir te chercher en voiture demain. 3. Elle voudrait que nous l'aidions à faire sa déclaration d'impôts. 4. Elle voudrait m'aider à faire ma déclaration d'impôts. 5. Tu dois terminer tes devoirs avant d'aller au cinéma. [NE DITES PAS: Tu dois terminer tes devoirs ~~avant que tu ailles~~…] 6. Tu dois terminer tes devoirs avant que je (ne) revienne. 7. Aline joue avec son Nintendo en attendant de partir à l'école. [NE DITES PAS: Aline joue avec son Nintendo ~~en attendant qu'elle parte~~…] 8. C'est embêtant que tu n'aies pas compris ce qu'il disait. 9. Nous reviendrons demain, à moins qu'il (ne) fasse mauvais. 10. Nous ne pourrons pas venir à moins de louer une voiture. [ou Nous ne pourrons pas venir à moins que nous (ne) louions une voiture, mais cette tournure est moins fréquente.]

12-27   1. Je regrette que vous partiez demain. 2. Je ne veux pas que vous partiez demain. 3. Je tiens à ce que vous partiez demain. 4. Vous espérez vraiment partir demain *ou* que vous partirez demain? 5. Je ne pense pas que vous partirez. (*I really don't think that you'll leave tomorrow.*) *ou* Je ne pense pas que vous partiez demain. (*I don't really think* or *I doubt that you'll leave tomorrow.*) 6. J'espère que vous partirez demain. 7. Il est impossible que vous partiez demain. 8. Il s'attend à ce que vous partiez demain. 9. Alors, il paraît que vous partez demain? 10. Vous pensez partir *ou* que vous partirez demain?

12-28   1. J'aimerais dormir. 2. J'aimerais que tu dormes. 3. Je veux qu'il s'en aille. 4. Je veux aller en ville avec lui. 5. Je suis si content(e) qu'elle ait réussi ses examens. 6. Je suis content(e) d'avoir réussi mes examens. 7. Vous n'avez pas besoin de nous rappeler. 8. Tu n'as qu'à remplir le questionnaire. 9. Il est possible qu'elle ait oublié son rendez-vous. 10. Il est probable qu'elle a oublié son rendez-vous. [ON PEUT DIRE AUSSI: Elle aura oublié son rendez-vous.] 11. Il serait bon que vous lui parliez. 12. J'ai peur de ne pas avoir la réponse avant demain. 13. Il a peur que je ne réussisse pas à les joindre. 14. Je cherche un studio qui ait vue sur l'océan. 15. Il a mangé avant que nous (n') arrivions. 16. Il a mangé après que nous sommes arrivé(e)s *ou* après notre arrivée. 17. Dites-le-lui, [pour] qu'il le sache une fois pour toutes. 18. C'est le meilleur roman que j'aie lu depuis longtemps. 19. Nous irons en Bretagne ce week-end, à moins qu'il (ne) pleuve. 20. Il faut que tu fasses attention. 21. J'espère qu'il obtiendra ce poste. 22. J'aimerais vraiment qu'il obtienne ce poste. 23. Il semble qu'il soit déjà parti. 24. Il paraît qu'il est déjà parti. 25. Je préférerais que tu lui apprennes la nouvelle toi-même.

12-29   1. Qu'elle ait un talent extraordinaire, ça se voit tout de suite. 2. Qu'ils aient des problèmes de couple, ça se voit. 3. Qu'il se soit opposé à cette décision injuste, j'en suis certaine. 4. Que les deux partis puissent trouver un compromis, nous l'espérons. 5. Que ce soit elle qui le lui ait dit, j'en suis persuadé(e). 6. Qu'il ait été nommé ambassadeur, je ne l'ignore pas. 7. Que vous participiez à cette réunion, il y tient beaucoup. 8. Que tu lui aies raconté cette histoire, j'en suis vexé(e). 9. Qu'il ait eu tort, il le reconnaît. 10. Que tu veuilles le lui annoncer toi-même, je le comprends.

Chapitre Treize

13-1   1. avoir parlé 2. parler 3. l'avoir dérangé<u>e</u> 4. vous déranger 5. nous inviter 6. nous avoir invité(<u>e</u>)s 7. rentrer 8. avoir fait 9. de ne pas l'avoir accompagné *ou* de ne l'avoir pas accompagné 10. l'accompagner

13-2   1. repeindre 2. avoir repeint 3. être repeint<u>e</u> 4. avoir été repeint<u>e</u>

13-4   1. Choisir 2. nager 3. Pleurer 4. Fumer 5. se disputer 6. me baigner 7. manger 8. Mentir 9. **a.** coudre **b.** créer 10. cuisiner 11. savoir-vivre 12. détruire

13-5   1. Éteindre la lumière en sortant. 2. Pour les réservations de groupe, téléphoner au moins une semaine à l'avance. 3. Prévoir des vêtements chauds pour l'excursion. 4. S'adresser à la gardienne de l'immeuble. 5. Ne rien boire après minuit. 6. Ne venir que sur rendez-vous. 7. Personnes de moins de dix-huit ans, s'abstenir.

13-6   1. Ne répondez qu'à l'une des deux questions. 2. Attention danger: ne vous penchez pas par la fenêtre! 3. Entreposez les poubelles à l'endroit prévu. 4. En cas d'incendie, ne prenez pas l'ascenseur. 5. Faites mijoter pendant trente minutes. 6. Ne vous asseyez pas dans ce fauteuil. 7. Prenez un comprimé quatre fois par jour.

13-7   1. de 2. à 3. de 4. à 5. d' 6. à 7. à 8. de 9. de 10. à 11. à 12. de 13. **a.** à **b.** à 14. de

13-8   1. de 2. à 3. à 4. à 5. de 6. à 7. de 8. à 9. d' 10. de 11. à 12. à 13. à 14. de 15. à

13-9   PAR EXEMPLE: **1.** prêter *ou* donner **2.** glisser *ou* tomber…

13-10   1. **a.** à **b.** à **c.** — 2. **a.** — **b.** à 3. de 4. — 5. à 6. — 7. — 8. à 9. — 10. de 11. **a.** d' **b.** — 12. à 13. — 14. de 15. — 16. —

13-11 1. à 2. à 3. de 4. de 5. — 6. à 7. à 8. a. à b. — 9. de 10. à 11. — 12. de 13. à 14. à 15. de 16. d' 17. à 18. — 19. de 20. —

13-12 1. Elle ne sait pas cuisiner. 2. Nous nous réjouissons d'avoir nos amis à dîner samedi soir. 3. Ils ont renoncé à prendre des vacances cet été. 4. J'ai eu le plaisir de faire sa connaissance récemment. 5. Tu es la seule à avoir compris mon problème. 6. Comment, tu oses répondre à ton père sur ce ton? 7. Christina, tu veux bien venir avec nous? 8. Aide-moi à ramasser les feuilles mortes cet après-midi. 9. Hâtez-vous d'en finir! 10. Je n'avais pas peur de me promener dans l'obscurité. 11. Écoute les oiseaux gazouiller dans le cerisier. 12. Elle veut réussir dans la vie. 13. Elle est ravie d'avoir eu une excellente note. 14. Promets-moi de m'appeler dès ton retour! 15. Elle continue d'étudier *ou* à étudier l'économie.

13-13 1. Nous sommes désolé(e)s de ne pas avoir le temps *ou* de n'avoir pas le temps d'aller au cinéma avec vous. 2. Nous sommes désolé(e)s qu'elle n'ait pas eu le temps d'aller au cinéma avec nous. 3. Je doute que tu aies raison. 4. Es-tu certain d'avoir eu raison? 5. J'étais furieux d'être en retard. 6. Je suis furieux que tu sois toujours en retard. 7. Cela m'ennuie d'être obligé(e) de revenir demain. 8. Il vaut mieux que nous ne nous levions pas trop tard. 9. Ça ne nous dérange pas de nous lever tôt. 10. Nous ne tenons pas du tout à nous lever à 4 heures du matin.

13-14 1. Elle est partie sans rien dire. 2. Elle partira sans que j'aie pu lui dire au revoir. 3. Nous vous appellerons avant que vous (n') arriviez. 4. Appelez-nous juste avant d'arriver. 5. Appelle-moi après avoir terminé ton entrevue *ou* Appelle-moi après ton entrevue. 6. Nous prendrons le métro afin d'éviter les embouteillages. 7. Nous prendrons le métro pour que ça aille plus vite. 8. Je n'ai pas mis mon collier de peur qu'on me le vole. 9. Je n'ai pas mis mon collier de peur de me le faire voler. 10. Je vieux bien t'accompagner, mais à [la] condition de partir *ou* que nous partions tout de suite. 11. Je vieux bien t'accompagner, mais à [la] condition que ce soit tout de suite. 12. Je leur écrirai pour les remercier.

13-15 1. Lave-toi les mains avant de te mettre à table. 2. Tu te mettras à table seulement après t'être lavé les mains. *ou* Tu ne te mettras à table qu'après t'être lavé les mains. [ON PEUT DIRE AUSSI: Tu te mettras à table seulement après *ou* Tu ne te mettras à table qu'après que tu te seras lavé les mains.] 3. Elle a passé l'été dernier à Tours pour améliorer son français. 4. Ne va pas à l'école sans manger *ou* sans avoir mangé! 5. Avant de voir ce film, vous devriez lire le livre. 6. Il a acheté son billet en avance *ou* à l'avance pour être sûr d'avoir une bonne place. 7. Nous ne ferons pas ce travail à moins d'être payé(e)s décemment. 8. Nous ferons ce travail à (la) condition que vous nous payiez décemment. 9. Ils/Elles ont réussi leurs examens sans avoir beaucoup étudié. 10. Elle a caché ses mauvaises notes à ses parents, de peur d'être réprimandée.

13-16 1. J'ai entendu une voiture arriver. 2. Il ne faut pas être en retard. 3. J'ai vu des enfants s'amuser sur le toboggan. 4. Je ne suis pas sûr(e) de rentrer avant midi. 5. Elle sentait la foule la pousser de tous côtés. 6. Tiens, c'est bizarre! Je croyais avoir laissé mon sac ici. 7. Il écoutait les vagues se briser avec fracas sur la digue. 8. Je pensais faire ce voyage avec toi. 9. Nous avons regardé les gens patiner. 10. Dites-leur de nous envoyer des cartes postales. 11. Connaissez-vous quelqu'un sur qui compter? 12. Il pense avoir terminé ce travail la semaine prochaine. 13. Savez-vous où trouver de l'aide? 14. Es-tu certain d'avoir déjà vu ce film? 15. Après avoir défait leurs valises, ils iront déjeuner.

13-17 1. Je souhaite que vous retrouviez du travail. 2. Vous espérez retrouver du travail? *ou* Vous espérez que vous retrouverez du travail? 3. Il se doute bien que vous avez retrouvé du travail. 4. Heureusement que vous avez retrouvé du travail. 5. Il est heureux que vous ayez retrouvé du travail. 6. Vous êtes content d'avoir retrouvé du travail? 7. Il est essentiel que vous retrouviez du travail. 8. Vous vous attendez à retrouver du travail? 9. Il est probable que vous retrouverez du travail. 10. Il est peu probable que vous retrouviez du travail. 11. Je vous encourage à trouver du travail. 12. Nous sommes soulagé(e)s que vous ayez retrouvé du travail. 13. Vous feriez mieux de retrouver du travail. 14. Je vous aiderai à retrouver du travail. 15. Je vous conseille de retrouver du travail. 16. Vous êtes mal placés(e/s) pour retrouver du travail. 17. Pour vous, il est bien sûr important de retrouver du travail le plus vite possible.

13-18 1. Mes parents pensent revenir la semaine prochaine *ou* pensent qu'ils reviendront la semaine prochaine. 2. J'adore me promener. 3. Elle a peur de sortir seule le soir. 4. Tiens, c'est drôle! Je croyais que j'avais pris *ou* Je croyais avoir pris mon parapluie. 5. C'est bête de lui avoir dit ça/cela! 6. C'est peut-être bête à dire, mais c'est la vérité. 7. Elle est désolée d'avoir oublié son rendez-vous. 8. Heureusement que tu n'as pas besoin de te lever trop tôt demain matin. 9. Ils regrettent d'avoir été retenus si longtemps. 10. Il n'est pas facile de mémoriser cette scène. 11. Cette scène n'est pas facile à mémoriser. 12. Je leur ai dit de ne pas s'en faire. 13. Je me souviens d'avoir vu ce film quelque part. *ou* Je me souviens que j'ai vu ce film quelque part. 14. Auriez-vous des appartements à louer par hasard? 15. Je regrette de ne pas t'avoir écrit *ou* de ne t'avoir pas écrit plus tôt. 16. Après avoir été emprisonné pendant une année, le détenu a été finalement libéré. 17. J'ai besoin d'une planche à repasser. 18. Ils espèrent avoir fini vers quatre heures. *ou* Ils espèrent qu'ils auront fini vers quatre heures. 19. Ce plat est facile à préparer. *ou* C'est un plat facile à préparer. 20. Il n'est pas facile de préparer ce plat.

Chapitre Quatorze

14-2 1. Si tu as besoin d'une imprimante, tu peux te servir de la mienne. 2. Si ça ne te dérange pas trop, je t'emprunterai la voiture cet après-midi. 3. S'ils ne répondent pas à votre courriel ce matin, vous devriez les appeler. 4. Si vous voulez vraiment voir ce film, allez-y!

14-4   1. Si tu n'as toujours pas compris ces équations, tu dois te faire aider.   2. Si tu n'as toujours pas compris ces équations, tu devrais engager un tuteur.   3. S'il n'a pas voté, c'était son droit.   4. Elle a dû avoir un empêchement si elle n'a pas pu nous rejoindre ce soir. [ON PEUT DIRE AUSSI: Elle aura eu un empêchement…]   5. Elle s'est probablement mal conduite si ses parents l'ont privée de sortie. [ON PEUT DIRE AUSSI: Elle se sera mal conduite…]   6. Si tu ne t'es pas encore inscrit(e) à ce cours, fais-le aujourd'hui!

14-10   1. dis-lui *ou* dites-lui   2. n'ont pas loué   3. vas adorer   4. sortions   5. allais   6. n'appelle pas *ou* n'a pas appelé

14-11   1. S'il devait réviser pour ses examens, il s'enfermait à clef dans sa chambre toute la journée.   2. Si nous avions économisé assez d'argent, nous nous achetions des billets de théâtre.   3. S'il était républicain, pourquoi a-t-il voté pour les démocrates?   4. S'il était à la manifestation, il pourra nous en parler.   5. Si tu étais si fatigué(e) ce matin, essaie d'aller te coucher un peu plus tôt ce soir.   6. Si tu as eu des difficultés à t'endormir hier soir, tu devrais prendre un somnifère ce soir.

14-12   1. ne le montraient jamais *ou* ne l'ont jamais montré   2. donnaient   3. dépêche-toi   4. aimera   5. devraient   6. seront   7. avez eu   8. a mangé   9. **a.** risques   **b.** t'en repentiras   10. **a.** ne les as pas prévenu<u>s</u>   **b.** ne devrais pas

14-13   1. gouvernerais   2. réussirait   3. aurait réussi   4. aurait invité<u>e</u>   5. pourriez

14-14   1. ne serait pas   2. n'avais pas écrit   3. aurions agi   4. pourraient   5. aurais pardonné

14-15   1. étais   2. avais été   3. réagirais   4. aurais réagi   5. ne nous rembourserait pas   6. avions annulé   7. **a.** n'avait pas plu   **b.** serais allé(<u>e</u>).   8. **a.** ne pleuvait pas   **b.** irais

14-16   1. aurait trouvé [ET NON ~~aurions trouvé~~]   2. **a.** avais fait   **b.** n'aurions pas raté   3. **a.** faisais   **b.** te tromperais   4. obtiendrait   5. aurait obtenu   6. n'aurait pas pu *ou* ne pourrait pas   7. **a.** avait lâché<u>es</u>   **b.** auraient été   8. oubliais *ou* avais oublié

14-17   1. …si sa voiture n'était pas en panne, elle la prendrait pour aller au travail.   2. …si sa voiture n'avait pas été en panne, elle l'aurait pris<u>e</u> pour aller au travail.   3. …s'il avait le temps, il viendrait avec nous.   4. …s'il avait eu le temps le week-end passé, il serait venu avec nous.   5. …s'il avait de l'argent, il prendrait l'avion.   6. …s'il avait eu de l'argent, il aurait pris un taxi.   7. …si ce livre était à moi, je pourrais te le prêter *ou* je te le prêterais.   8. …si j'avais eu mon nouveau numéro de portable, je le lui aurais donné.

14-18   1. …si Aline n'était pas malade aujourd'hui, elle irait à l'école.   2. …si Aline n'était pas malade, elle serait allé<u>e</u> à l'école ce matin.   3. …Aline n'avait pas été malade, elle serait allée à l'école.   4. …si la maison avait été mieux *ou* bien située, ils l'auraient acheté<u>e</u>.   5. …si j'avais eu faim, j'aurais mangé [quelque chose].   6. …s'il faisait beau, nous partirions en excursion.   7. …si elle avait des vacances, elle irait voir ses parents.   8. …si j'avais étudié, je n'aurais pas eu une *ou* de mauvaise note [*ou* j'aurais eu une meilleure note].

14-20   1. étais   2. peux   3. va   4. as   5. n'avaient pas été   6. ferions   7. aurions fait   8. aurions pris   9. prendrais   10. aurait fallu   11. appellerai   12. irais

14-21   1. S'il refuse, que fera-t-elle?   2. S'il refusait, que ferait-t-elle?   3. S'il avait refusé, qu'aurait-elle fait?   4. Si tu ne pars pas tout de suite, tu seras en retard!   5. S'il pleut demain, nous regarderons un DVD.   6. Si j'avais de l'argent, j'irais au Maroc.   7. Si nous avions su, nous aurions pris une autre route.   8. S'il te redemande ton adresse électronique, dis-lui que ça ne le regarde pas.   9. Si tu as fini de lire ce roman, est-ce que tu pourrais *ou* pourrais-tu me le prêter?   10. Si vous l'invitiez <u>et que</u> vous lui **fassiez** [subjonctif] visiter la ville, elle serait ravie.

14-22   1. Si elle avait été plus gentille avec *ou* envers *ou* pour lui, il ne l'aurait pas quitté<u>e</u>.   2. Si je le vois, je lui dirai que vous le cherchez.   3. Venez nous rejoindre si vous pouvez.   4. Il lui aurait envoyé un texto s'il avait eu son portable.   5. Si elle ne fait pas attention, elle aura des problèmes.   6. Si elle n'avait pas fait attention, elle aurait eu des problèmes.   7. Janine ne serait pas avocate aujourd'hui si son père ne l'avait pas encouragé<u>e</u>.   8. Si tu vas à la poste, est-ce que tu pourrais me mettre cette lettre à la boîte?   9. Ils auraient acheté ce studio s'il avait été un peu moins cher.   10. Si tu n'aimes pas le rouge, débouche une bouteille de blanc.

14-23   1. Je me demande si elle sera là. [*if* = *whether*]   2. Je t'appellerai si je peux. [**si** de condition]   3. Je ne sais pas si nous aurons terminé avant le dîner. [*if* = *whether*]   4. Si nous sommes libres le week-end prochain, nous visiterons Dijon. [**si** de condition]   5. Je ne savais pas s'ils/si elles avaient déjà visité Dijon. [*if* = *whether*]   6. Il ne sait pas s'ils/si elles seront d'accord. [*if* = *whether*]   7. S'ils/si elles n'étaient pas d'accord, ils/elles le lui diraient. [**si** de condition]

14-25   1. au cas où   2. à [la] condition que   3. sinon   4. à [la] condition d'   5. En admettant que   6. Pourvu qu'   7. Tant qu'   8. En cas de   9. dans la mesure où

14-26   **A. 1.** Si tu leur avais raconté cette histoire, ils ne t'auraient pas cru(e).   2. Si vous leur faisiez une petite visite, ils seraient ravis.   3. Si elle avait pris la peine de lire les instructions, elle ne se serait pas trompée.   **B. 4.** Le système d'alarme n'aurait pas marché, la maison aurait été cambriolée.   5. Les trains ne seraient pas en grève, nous serions allé(e)s visiter Rouen.   6. Tu te serais réveillé(e) plus tôt, tu serais arrivé(e) à l'heure.

Chapitre Quinze

15-1 1. Elle m'a dit que Nina revenait cet après-midi. 2. Elle m'a dit que Paul passerait ce soir. 3. Elle m'a dit que Marianne était partie jeudi. 4. Elle m'a dit qu'il fallait qu'il revienne nous voir le plus vite possible. 5. Elle m'a dit qu'elle aimerait faire la grasse matinée. 6. Elle m'a dit que Benoît appellerait dès qu'il aurait ses résultats. 7. Elle m'a dit qu'elle venait de déménager. 8. Elle m'a dit qu'elle allait déménager prochainement. 9. Elle m'a dit qu'à cette époque-là, elle n'avait pas encore terminé ses études. 10. Elle m'a dit qu'elle irait déjeuner une fois qu'elle aurait fini son travail.

15-2 1. Il lui a juré que c'était la pure vérité. 2. Elle a toujours dit que cela finirait mal. 3. J'ai promis à Nicolas que je viendrais le chercher chez lui. [ON PEUT DIRE AUSSI: J'ai promis à Nicolas de venir le chercher chez lui.] 4. Il a annoncé à Christiane qu'il avait réservé leurs billets d'avion. 5. Il m'a rappelé qu'il n'était pas libre ce jour-là. 6. Elle a avoué à Jérôme que sans lui, elle allait se sentir bien seule. 7. Il pensait qu'il s'était trompé [ON PEUT DIRE AUSSI: Il pensait s'être trompé]. 8. Nous leur avions pourtant bien expliqué qu'il ne fallait surtout pas qu'ils nous attendent. 9. Elle lui a crié qu'elle lui défendait de sortir. 10. Nous leur avons répondu que ça *ou* cela ne les regardait pas.

15-3 1. Rachel m'a averti(e): «Je ne pourrai pas arriver avant deux heures.» 2. Sébastien a annoncé triomphalement: «Je viens de passer mon permis!» 3. La météo avait annoncé: «Nous allons battre tous les records de froid cette semaine.» 4. Virginie m'a répondu: «Je ne suis encore jamais allée à New York mais je serais *ou* serai ravie d'y aller avec toi/vous.» 5. Le petit Ludovic pleurait en disant: «Je ne veux pas que ma maman s'en aille!»

15-4 1. Je ne savais pas pourquoi il insistait tellement. 2. Je ne savais pas s'il aurait assez de temps. 3. Je ne savais pas s'il finirait par comprendre. 4. Je ne savais pas ce qu'il fallait faire. 5. Je ne savais pas comment elle avait réussi à dénicher ce petit hôtel. 6. Je ne savais pas si tu aimerais sortir ce soir. 7. Je ne savais pas ce qui l'intéressait, à part le sport. 8. Je ne savais pas ce qu'elle avait acheté comme voiture. 9. Je ne savais pas quand ils partiraient. 10. Je ne savais pas avec qui ils en avaient parlé.

15-5 1. Il s'est demandé qui avait appelé. 2. Il m'a demandé ce qui n'allait pas. 3. Tu ne nous as pas encore dit ce que tu allais faire. [NE DITES PAS: Tu ne nous ~~l'as pas encore dit ce que~~… car le pronom neutre l' renvoie à toute la phrase au discours direct.] 4. Vous ne nous avez pas expliqué ce qui vous gênait tant dans tout cela. [NE DITES PAS: Vous ne nous ~~l'avez pas encore expliqué ce qui~~…] 5. Est-ce que vous leur avez demandé ce qu'ils voulaient? [NE DITES PAS: Est-ce que vous ~~le leur avez demandé ce qu'~~…] 6. Racontez-nous ce que vous avez fait à Noël. [NE DITES PAS: Racontez-~~le-nous ce que~~…] 7. On ne nous a pas dit qui d'autre devait venir. [NE DITES PAS: On ne nous ~~l'a pas dit qui~~…] 8. On ne nous a pas dit ce qui *ou* ce qu'il allait arriver. [NE DITES PAS: On ne nous ~~l'a pas dit ce qui~~…] 9. La serveuse m'a demandé ce que je désirais boire. 10. Personne ne savait exactement ce qui [*ou* ce qu'il] s'était passé. [NE DITES PAS: Personne ne ~~le savait exactement ce qui~~…]

15-6 1. Leurs parents leur ont demandé s'ils avaient envie de partir en colonie de vacances. 2. Il a voulu savoir ce que nous avions prévu pour dimanche après-midi. 3. J'ai demandé au marchand d'art combien il voulait pour ce tableau. 4. Après l'explosion, tout le monde est sorti dans la rue en se demandant ce qui [*ou* ce qu'il] était arrivé. 5. Nous voulions savoir quelles étaient leurs intentions. 6. J'aurais voulu savoir si le concert avait été annulé. [NE DITES PAS: ~~J'aurais voulu le savoir si~~…] 7. Il m'a demandé comment j'allais m'en tirer. 8. Tout le monde se demandait [ET NON ~~se le demandait~~] qui paierait les dégâts. 9. Elle ne savait pas [ET NON ~~elle ne le savait pas~~] à qui elle devait s'adresser. 10. Nous nous étions demandé si elle retrouverait rapidement du travail.

15-7 1. Ma mère m'a demandé ce que je voulais pour mon anniversaire. 2. Mon père ne se souvenait plus où il avait mis ses clés. [NE DITES PAS: Mon père ne ~~s'en souvenait plus où~~…, car le pronom en renvoie à toute la phrase au discours direct.] 3. J'ai demandé à ma sœur si elle était malade. 4. Elle nous a demandé ce que nous voudrions faire jeudi soir. 5. Mon père a demandé à mon oncle quand il reviendrait. 6. J'ai demandé à Lisa quel bus il fallait que je prenne pour aller chez elle. 7. Mes grands-parents m'ont écrit pour savoir si j'allais bientôt venir les voir. 8. Mon père a demandé à mon frère de quoi il se plaignait. 9. Tu ne nous as pas encore dit si Alain et toi alliez vous marier. 10. Je me suis souvent demandé quel âge elle pouvait bien avoir.

15-8 1. Elle a voulu savoir: «Que devient Nicole *ou* Qu'est-ce que Nicole devient ces jours-ci?» 2. J'ai demandé à l'agent de police: «Où se trouve la gare?» 3. Ils nous ont demandé: «Est-ce que vous aimeriez *ou* Aimeriez-vous nous rejoindre ce week-end?» 4. Je ne lui ai pas demandé: «Comment faut-il *ou* Comment est-ce qu'il faut que je m'y prenne?» 5. Ma copine Michèle m'a demandé: «Est-ce que tu pourras/pourrais sortir *ou* Pourras/Pourrais-tu sortir au cinéma avec moi une fois que tu auras fini de manger?»

15-9 1. Il m'a dit de m'asseoir. 2. Il nous a dit de ne pas nous lever. 3. Il m'a dit de répondre poliment. 4. Il nous a dit de ne pas le regarder comme ça. 5. Il m'a dit d'avoir un peu de patience avec elle. 6. Il nous a dit de les rappeler le plus vite possible. 7. Il nous a dit de ne pas nous disputer. 8. Il m'a dit de ne pas me fâcher contre elle. 9. Il nous a dit de nous approcher. 10. Il m'a dit d'être à l'heure.

15-10 1. Je lui ai recommandé de ne pas oublier de fermer la porte à clef en sortant. 2. Le professeur a conseillé à ses étudiants de ne pas attendre le dernier moment pour effectuer leurs recherches. 3. Ma grand-mère m'a dit de sonner et d'entrer. 4. Alexandre a dit à sa fille d'être un peu plus raisonnable. 5. Elle a supplié le dentiste de ne pas lui faire trop mal.

15-11 1. Il m'a demandé de le prévenir *ou* que je le prévienne. 2. J'ai proposé à Leila de faire *ou* que nous fassions un peu de tennis. 3. Elle avait recommandé à ses amis de prendre *ou* qu'ils prennent l'autre route. 4. Il avait dit à Marc de l'attendre *ou* qu'il l'attende au café du coin. 5. Il avait supplié Mélanie de ne pas le quitter *ou* qu'elle ne le quitte pas. 6. Elle a conseillé à Pierre de mettre *ou* qu'il mette une autre cravate. 7. Ils ont demandé à leur professeur de leur expliquer *ou* qu'il leur explique ce passage. 8. Il lui a suggéré de récrire *ou* qu'il/elle récrive son introduction.

15-12 1. Il nous a suggéré: «Allez visiter le musée d'Orsay.» 2. Il a demandé: «Ne me faites pas trop attendre!» 3. Il nous a dit: «Ne vous en faites pas!» 4. Elle leur avait recommandé: «Ne vous éloignez pas trop.» 5. Sa mère lui a demandé: «Aide-moi un peu.»

15-13 1. La maîtresse d'école a ordonné aux enfants: «Taisez-vous!» 2. J'ai voulu savoir: «Que s'est-il passé? *ou* Qu'est-ce qui s'est passé?» 3. Mon frère et ma meilleure amie nous ont surpris lorsqu'ils nous ont annoncé: «Nous allons nous marier.» 4. Daniel se demandait: «Que ferai-je *ou* Qu'est-ce que je ferai quand j'aurai fini mes études?» 5. Mes amis ont proposé: «Partageons les frais d'essence. *ou* Nous partagerons les frais d'essence.» 6. Nous nous demandions: «Qu'allons-nous faire *ou* Qu'est-ce que nous allons faire cet été?» 7. Je me suis juré: «Je ne retournerai plus jamais dans cet hôtel minable!» 8. Elle a reconnu: «Je me suis trompée.» 9. Sans trop y croire, il a annoncé: «Je viens de gagner le gros lot!» 10. Je voulais simplement savoir: «Est-ce que le pique-nique prévu pour dimanche est maintenu? *ou* Le pique-nique prévu pour dimanche est-il maintenu?»

15-14 1. Il a dit qu'il ne sortirait pas parce qu'il était trop fatigué. 2. Ils m'ont demandé où j'avais appris le français et si je l'étudiais depuis longtemps. 3. Elle a dit à ses enfants d'arrêter de se chamailler et <u>de</u> finir leurs devoirs. *ou* Elle a dit à ses enfants qu'ils arrêtent de se chamailler et [qu'ils] finissent leurs devoirs. 4. Elle a dit à Daniel qu'il avait tort et <u>qu</u>'elle n'appréciait guère le ton sur lequel il lui parlait. 5. Il m'a demandé si j'étais heureuse et <u>si</u> je ne regrettais pas trop ma décision. 6. Il a prié ses parents de lui envoyer son équipement de ski et <u>de</u> ne pas oublier son anorak. *ou* Il a prié ses parents qu'ils lui envoient son équipement de ski et [qu'ils] n'oublient pas son anorak.

15-15 1. Son meilleur ami lui a dit qu'il travaillait trop et <u>qu</u>'il allait tomber malade s'il continuait comme ça. 2. Les parents de Sophie ont insisté pour savoir ce qu'elle avait fait tout l'après-midi, avec qui elle était et pourquoi elle ne leur avait rien dit. 3. Ils ont dit à leurs enfants de cesser de faire les fous et <u>d</u>'aller les attendre dans le jardin. *ou* Ils ont dit à leurs enfants qu'ils cessent de faire les fous et [qu'ils] aillent les attendre dans le jardin. 4. Elle m'a dit qu'elle partirait lundi, mais <u>qu</u>'elle ne savait pas encore à quelle heure exactement. 5. Lucien m'a téléphoné pour me dire que Paul avait eu un grave accident et <u>qu</u>'il serait opéré dès qu'on l'aurait transporté à l'hôpital. 6. Vous nous aviez pourtant indiqué que vous seriez intéressés par notre proposition et <u>que</u> vous étiez prêts à discuter avec nous des conditions financières. 7. Il m'a répondu qu'il allait la voir dans vingt minutes et <u>qu</u>'il lui demanderait de passer me prendre tout à l'heure. 8. Ma mère m'avait demandé ce que je ferais là-bas et si je connaissais au moins quelqu'un à qui m'adresser en cas de besoin. 9. Il ne savait pas ce qu'il devait faire <u>ni</u> comment il devait s'y prendre. *ou* Il ne savait pas que/quoi faire <u>ni</u> comment s'y prendre. 10. Guillaume s'est exclamé que Caroline était adorable et <u>que</u> c'était bien dommage pour lui qu'elle ait déjà un copain.

15-16 1. Amélie a crié à son petit frère de faire attention et <u>de</u> ne pas courir si vite, sinon il allait tomber. *ou* Amélie a crié à son petit frère qu'il fasse attention et [qu'il] ne coure pas si vite, sinon il allait tomber. 2. Le clochard demandait aux passants d'une voix plaintive s'ils n'auraient pas une petite pièce, en leur expliquant qu'il avait faim et <u>qu</u>'il n'avait rien mangé depuis longtemps. 3. Il m'a dit de me réveiller, <u>de</u> prendre ma douche et <u>de</u> m'habiller. Il a ajouté en grommelant que j'étais toujours en retard.

15-17 1. Le célèbre commissaire Maigret a interrogé le détenu et lui a demandé quel était son vrai nom, où il habitait et depuis combien de temps il vivait à Paris. 2. Il a aussi voulu savoir s'il avait un complice. 3. Le détenu s'est exclamé qu'il était innocent et <u>qu</u>'il ne parlerait que devant son avocat. 4. Maigret, irrité, l'a averti de ne pas faire le malin avec lui: il savait bien que le hold-up de la Banque de France, c'était lui qui en était l'auteur. 5. Il lui a fait comprendre que s'il passait aux aveux, il aurait une remise de peine.

15-18 1. Elle m'avait dit à l'époque: «Je l'ai rencontré l'année dernière.» → Elle m'avait dit à l'époque qu'elle l'avait rencontré l'année précédente [*ou* l'année d'avant]. (*She had told me back then that she had met him the year before* or *the previous year.*) 2. Plus tard, elle m'a avoué: «J'ai effectivement vu quelqu'un de bizarre assis ici, à cette table-ci.» → Plus tard, elle m'a avoué qu'elle avait effectivement vu quelqu'un de bizarre assis là, à cette table là-bas. (*Later, she confessed that she had indeed seen someone strange sitting there, at that table over there.*) 3. Jean n'avait-il pas dit à Sarah: «Je travaille maintenant *ou* en ce moment à Vancouver.»? → Jean n'avait-il pas dit à Sarah qu'il travaillait à ce moment-là *ou* à cette époque-là à Vancouver? (*Hadn't John told Sarah that he was working back then in Vancouver?*) 4. Ils m'avaient proposé: «Reviens *ou* Revenez après-demain.» → Ils m'avaient proposé de revenir *ou* que je revienne [subjonctif] le surlendemain *ou* deux jours plus tard *ou* deux jours après. (*They had suggested to me that I come back two days later.*) 5. Elle m'avait dit: «Marc est parti il y a trois jours.» → Elle m'avait dit que Marc était parti trois jours plus tôt *ou* trois jours avant. (*She told me that Mark had left three days earlier.*) 6. J'avais averti mes parents: «Je sors ce soir.» → J'avais averti mes parents que je sortais ce soir-là. (*I had warned my parents that I was going out that night.*) 7. Elle m'avait demandé: «Appelez-moi *ou* Appelle-moi aujourd'hui.» → Elle m'avait demandé de l'appeler *ou* que je l'appelle [subjonctif] ce jour-là. (*She had asked that I call her that day.*) 8. Jim s'était demandé: «Pourquoi est-ce qu'elle est arrivée *ou* Pourquoi est-elle arrivée hier et non pas avant-hier?» → Jim s'était demandé pourquoi elle était arrivée la veille et non pas l'avant-veille *ou* deux jours avant *ou* deux jours plus tôt. (*Jim had wondered why* *she had arrived one day and not two days before.*) **9.** Ils/Elles nous avaient promis: «Nous vous contacterons dans trois jours *ou* d'ici trois jours.» → Ils/Elles nous avaient promis qu'ils/elles nous contacteraient *ou* de nous contacter trois jours plus tard *ou* après. (*They had promised that they would contact us* or *to contact us three days later.*) **10.** Ils/Elles m'avaient demandé: «Vous revenez *ou* Est-ce que vous revenez demain ou la semaine prochaine?» → Ils/Elles m'avaient demandé si je revenais le lendemain ou la semaine suivante [*ou* la semaine d'après]. (*They had asked me if/whether I was coming back the next day or the following week.*)

15-19 **1.** Cendrine a proposé à Jacques d'aller *ou* qu'ils aillent manger au restaurant ou dans une crêperie s'il préférait. **2.** Jacques, légèrement agacé, a répondu qu'il préférait rester à la maison; il lui a fait remarquer qu'ils sortaient trop souvent et que ce n'était pas bon pour la santé. **3.** Cendrine, vexée, a riposté en disant que s'il s'inquiétait tant pour sa santé, il ferait mieux d'arrêter de fumer et de faire un peu de sport. Elle lui a lancé qu'elle n'avait d'ailleurs pas l'intention de faire la cuisine. **4.** Jacques, ahuri, lui a demandé ce qui n'allait pas et pourquoi elle se fâchait comme cela/ça. Il l'a assurée qu'il ne voulait pas la critiquer, que c'était juste une constatation comme ça, en passant. Il a ajouté pour finir que c'était lui qui ferait la cuisine ce soir-là.

15-20 **1.** Véronique a appelé Karine pour lui demander comment elle allait; elle a ajouté que cela faisait une éternité qu'elles ne s'étaient pas vues. **2.** Karine lui a répondu qu'elle se portait comme un charme. Elle lui a demandé ce qu'elle devenait et si Julio et elle étaient toujours ensemble. **3.** Véronique s'est exclamée que c'était toujours le grand amour entre eux, mais elle a tout de même avoué qu'elle s'inquiétait un peu depuis quelque temps parce que Julio *ou* parce qu'il voulait émigrer au Canada. **4.** Karine, stupéfaite, lui a demandé pour quelles raisons il voulait faire cela et s'il n'était pas heureux à Paris. **5.** Après quelques hésitations, Véronique lui a expliqué qu'en fait, Julio avait décidé de fonder une école de tango à Montréal et qu'il lui avait demandé de partir là-bas avec lui. **6.** Abasourdie, Karine a dit à Véronique qu'elle espérait qu'elle n'allait pas tout lâcher pour suivre son bel Hidalgo. Elle l'a suppliée de penser à sa carrière, à ses amis, à sa famille. **7.** Véronique a répondu qu'elle ne savait pas [trop] ce qu'elle allait faire, que ce n'était pas une décision facile, mais que Montréal la faisait rêver depuis longtemps… Tout à coup, Véronique s'est rendu compte qu'il était tard et qu'il fallait qu'elle se sauve car elle avait rendez-vous avec Julio justement. Elle a dit au revoir à Karine en lui promettant qu'elle la rappellerait bientôt *ou* en lui promettant de la rappeler bientôt.

Chapitre Seize

16-1 **1.** Est-ce qu'il avait déjà appelé? **2.** Si tu avais été plus gentil(le), il aurait été plus généreux. **3.** Il a plu (*rained*) *ou* Il pleuvait (*was raining*) des trombes ce matin. **4.** Est-ce qu'il a fallu *ou* fallait faire une réservation? **5.** Ils venaient de m'avertir qu'ils arriveraient un peu en retard. **6.** Il est arrivé vers midi. **7.** Il arrivait toujours vers midi. **8.** J'espérais qu'elle passerait nous dire bonjour. **9.** Nous allions t'appeler. **10.** Il aurait aimé manger plus tôt.

16-2 **1.** À midi, je n'ai pas pu payer mon sandwich parce que j'avais oublié mon porte-monnaie. **2.** Nous venions de terminer nos examens. **3.** Si j'avais été toi, j'aurais invité Michel et son frère. **4.** J'étais persuadé(e) qu'ils seraient rentrés avant la pluie. **5.** Je savais qu'ils pourraient nous aider! **6.** Quand mes grands-parents avaient fini de manger, ils regardaient toujours les informations à la télévision. **7.** Il a dit qu'une fois qu'il aurait trouvé du travail, il chercherait un appartement. **8.** Le samedi, pendant que Michel faisait les courses, Hélène s'occupait toujours des enfants. **9.** Samedi, pendant que Michel faisait les courses, Hélène s'est occupée des enfants. **10.** Il était important que je me mette au travail le plus tôt possible.

16-3 **1.** Ils se connaissaient déjà? [ATTENTION: si vous mettez le verbe au passé composé, le verbe **connaître** prend un sens «biblique»…] **2.** Je savais qu'ils venaient de s'acheter une nouvelle voiture. **3.** Je n'avais pas l'impression qu'il reviendrait de si tôt. **4.** Je croyais *ou* J'ai cru qu'ils allaient bientôt rentrer. **5.** Nous nous étions couché(**e**)s tôt parce que nous avions mal dormi la veille. **6.** Elle se demandait *ou* s'est demandé ce que vous feriez. **7.** Si nous avions eu deux semaines de vacances, nous serions parti(e)s à Rome. **8.** Mes parents ont regretté que nous ne soyons pas resté(e)s plus longtemps. **9.** Leur enfant a beaucoup grandi en quelques mois. **10.** Cet enfant avait beaucoup grandi depuis qu'il allait à l'école.

16-4 **1.** En général, elle comprenait ce qu'on lui disait. **2.** Je ne savais pas si vous aviez compris ce qu'elle venait de dire. **3.** Je pensais *ou* J'ai pensé que nous aurions fini avant midi. **4.** Il croyait toujours *ou* Il a toujours cru qu'il allait gagner à la loterie. **5.** Il a dit qu'il nous rejoindrait dès qu'il aurait terminé son cours. **6.** On a annoncé à la radio que le président donnerait une conférence de presse. **7.** J'aurais aimé te parler de quelque chose de confidentiel. **8.** Il était onze heures et plusieurs milliers de gens étaient déjà là pour la manifestation qui devait commencer à midi. **9.** Nous avons essayé de leur téléphoner depuis ce matin, mais c'était tout le temps occupé. **10.** Des sources proches du gouvernement ont affirmé *ou* affirmaient que la police venait de mettre la main sur les coupables.

16-5 **1.** était **2.** avait **3.** avais **4.** sentais **5.** suis sorti **6.** ai aperçu **7.** buvait **8.** m'a vu **9.** a invité **10.** C'étaient **11.** savaient **12.** feraient **13.** a dit **14.** aimerait [pas de changement] **15.** a fait **16.** faisait **17.** voulait **18.** était **19.** comptait **20.** vienne [pas de changement] **21.** semblait **22.** a dit **23.** verrait **24.** dépendrait **25.** avait pris **26.** habite [pas de changement] **27.** s'est lancé **28.** a expliqué **29.** avaient fait **30.** fallait **31.** soit reçu [pas de changement] **32.** aurait **33.** était **34.** risquait **35.** n'a pas cru **36.** disait **37.** voyait **38.** allait **39.** s'est esquivé **40.** était **41.** devait [se lever tôt **demain** *ou* **le lendemain**] **42.** avait **43.** suis resté **44.** suis bien gardé **45.** était **46.** m'aurait posé **47.** voulais **48.** tenais **49.** j'ai raccompagné **50.** ai dit **51.** avais **52.** était **53.** avait **54.** avait **55.** s'est mise **56.** j'étais **57.** s'est fait **58.** irait **59.** suis rentré **60.** était **61.** était **62.** me suis endormi

16-6 1. ont immigré 2. venaient 3. était 4. a trouvé 5. avait 6. s'est établi**e** 7. ont eu 8. est né 9. sont venues 10. a eu 11. était 12. a insisté 13. devienne [pas de changement] 14. avaient réussi 15. avait essuyé 16. croyait 17. allait 18. avait promis 19. arrivaient 20. entrerait 21. deviendrait 22. était 23. avait 24. a donc refusé 25. a occasionné 26. insistait 27. a fini 28. s'est engagé 29. a travaillé 30. sont entrés 31. a été 32. s'est réconcilié 33. soit [pas de changement] 34. a réussi 35. étaient restés 36. avait toujours parlé 37. a renoué 38. a été 39. est entré 40. a fait 41. a épousé 42. avait rencontr**ée** 43. a commencé 44. a été 45. a occupé 46. a acheté 47. se retrouve [pas de changement] chaque année.

16-7 1. m'a rappelé 2. serait 3. avait 4. devaient 5. avait dressé 6. suis allé 7. avait mis 8. étais 9. ai laissé 10. avait suggéré 11. suis passé 12. ai commandé 13. avait demandé 14. aime [pas de changement] 15. J'ai dit 16. passerait 17. avaient 18. ai pris 19. serait 20. se plaint [pas de changement] 21. fait [pas de changement] 22. soit rentrée [pas de changement] 23. aurait 24. me suis arrêté 25. ai acheté 26. avait mis 27. regardais 28. pouvais 29. convienne [pas de changement] 30. faut [pas de changement] 31. est [pas de changement] 32. suis tombé 33. est [pas de changement] 34. habite [pas de changement] 35. sommes allé**s** 36. nous sommes mis 37. suis rentré. 38. j'étais 39. me suis rendu 40. avais oublié 41. suis vite ressorti 42. savais 43. faisais 44. piquerait 45. j'ai mangé 46. j'ai lu 47. suis retourné 48. avait demandé 49. faut [pas de changement] 50. j'ai trouvé 51. étaient 52. se verrait 53. revenait 54. j'ai fini 55. j'ai regardé 56. est rentr**ée** 57. dormais 58. m'a réveillé 59. m'a raconté 60. j'étais 61. me rappelle [pas de changement] 62. m'a dit… 63. s'est crois**és** 64. partait 65. avait 66. me demande [pas de changement]

16-8 1. a mis 2. semblaient 3. ont commencé 4. ont sorti 5. a éclaté 6. ont agressé 7. ont asséné 8. s'est écroulé**e** 9. s'est échapp**ée** 10. s'en sont pris 11. ont assommé 12. s'est déroulé 13. n'a pas eu 14. a été 15. est décédé**e** 16. a aussi retrouvé 17. était 18. a immédiatement installé 19. est resté 20. a causé 21. se sont mass**és** 22. s'est mis 23. ont été 24. ne puisse *ou* n'ait pu 25. ont essayé 26. s'était réellement passé 27. sont restés 28. ont fait 29. a appris [*ou* apprend] 30. n'a toujours pas retrouvé 31. accompagnait

16-9 1. était 2. devions 3. sommes arriv**és** 4. avons bu 5. jouait *ou* a joué 6. ai reconnu 7. ont quitté 8. sommes allés 9. devait [le sujet est **la suite des opérations**] 10. avaient bien préparé 11. attendaient 12. ont commencé 13. avons dégusté 14. nous sommes levés *ou* nous nous levions 15. s'est écrié 16. s'est arrêté 17. s'est mis 18. s'est embrassés 19. a débouché 20. étaient restés 21. étaient 22. avons attaqué 23. avait fait 24. consistait 25. avait offert 26. a annoncé *ou* annonçait 27. avaient tout prévu 28. n'avaient laissé 29. ont [ET NON ~~avons~~] présenté 30. a fallu 31. valait

16-10 1. pris 2. téléphoné 3. arrivée 4. allée 5. bu *ou* pris 6. mangé *ou* pris [mais n'employez pas **pris** deux fois] 7. entrepris *ou* décidé 8. dirigée 9. retrouvé 10. donné 11. allées 12. fallu 13. fait 14. vu *ou* admiré 15. décidé *ou* entrepris 16. pass**ées** 17. descendu**es** 18. emmené *ou* invité 19. dîné 20. donné *ou* offert *ou* réservé *ou* procuré 21. été *ou* compté 22. conn**ues** *ou* véc**ues** [**vivre** est pris ici dans son sens figuré → accord]

16-11 1. **a.** partit **b.** détala 2. **a.** naquit **b.** mourut 3. applaudit 4. **a.** s'arrêta **b.** attendit 5. **a.** furent **b.** dut 6. démissionna

16-12 1. **a.** posa **b.** sut **c.** resta 2. **a.** purent **b.** finirent 3. **a.** eûmes **b.** annonça 4. **a.** arrivèrent **b.** fit **c.** remit 5. **a.** parut **b.** voulut **c.** n'en dormit pas 6. **a.** aperçurent **b.** coururent

16-13 1. **a.** eut ouvert **b.** découvrit 2. **a.** eurent longuement délibéré **b.** se furent mis **c.** signèrent 3. **a.** fut entr**ée** **b.** chercha 4. **a.** eut fini **b.** eut reçu **c.** poussa **d.** tomba

16-14 1. redevint 2. était devenue 3. n'avaient pas vu 4. devait 5. avait été

16-15 1. naquit 2. avait vend**ue** 3. était 4. était 5. manquait 6. participa 7. rendirent 8. eut pris 9. s'assura 10. devint 11. se fit 12. créa 13. fixa 14. réforma 15. consolida 16. ne cessa [pas] *ou* ne cessait [pas] 17. eut remporté 18. subit 19. abdiqua 20. exilèrent 21. réussit 22. furent 23. allait 24. eut 25. infligèrent 26. dut 27. envoyèrent 28. mourut 29. laissait 30. devait 31. avait épous**ée** 32. n'avait [pas] pu

16-16 1. changea 2. fit *ou* faisait 3. avait donc vécu 4. rendait 5. était 6. perdait *ou* avait perdu 7. n'était pas *ou* n'avait pas été 8. mit *ou* avait mis 9. fallut *ou* avait fallu 10. devienne 11. commença 12. retira 13. verrait

16-18 1. Quand il eut enfin compris qu'on s'était moqué de lui, il ne se montra plus. 2. Après qu'ils eurent fait sa connaissance, ils réalisèrent qu'on les avait trompés à son sujet. 3. Après que Madame de Langlois eut appris que sa fille avait épousé en secret le jeune homme qu'elle avait rencontré à peine huit jours auparavant, elle fit une dépression nerveuse et entra en clinique. 4. À peine le petit Poucet avait-il semé les bouts de pain qu'il avait mis de côté depuis des semaines, que les oiseaux accoururent et les mangèrent tous. 5. Il n'avait pas plus tôt prononcé des paroles violentes, des paroles comme il n'en avait jamais dit**es**, qu'il les regretta aussitôt. 6. Aussitôt que la nouvelle fut conn**ue**, elle se répandit comme une traînée de poudre. 7. Une fois qu'ils furent sort**is** des embouteillages du centre de la ville, ils purent rouler beaucoup plus vite. 8. Après que l'éruption du Perbuatan eut détruit l'île indonésienne de Krakatoa en 1883, le raz-de-marée qu'il avait engendré traversa l'océan indien et l'océan atlantique, et l'on put observer de magnifiques couchers de soleil pendant près de deux ans.

16-19 1. **a.** ai eu compris **b.** ai pu 2. **a.** a eu fini **b.** a rend**us** 3. **a.** a eu refermé **b.** s'est mi**se** 4. **a.** a eu terminé **b.** a immédiatement proposé 5. **a.** a été parti **b.** ont réalisé

16-20 1. **a.** eus compris **b.** pus 2. **a.** eut fini **b.** rendit 3. **a.** eut refermé **b.** se mit 4. **a.** eut terminé **b.** proposa immédiatement
5. **a.** fut parti **b.** réalisèrent

Chapitre Dix-sept

17-1 1. J'attends une livraison qui devrait arriver ce matin. 2. C'est une vieille voiture qu'on m'a prêtée. 3. Pour demain, analysez le poème qui se trouve à la page quinze. 4. Le petit restaurant que nos amis ont découvert est absolument charmant. 5. Ce sont des amis qui vivent à Washington. 6. Elle lui a fait une remarque qu'il n'a pas du tout appréciée. 7. J'ai retrouvé les documents que tu avais égarés. 8. Je crois que le documentaire que je suis allée voir t'intéresserait. 9. Elle sort avec un garçon qu'elle a rencontré pendant les vacances. 10. J'ai vu Daniel et Leila qui m'ont demandé de tes nouvelles.

17-2 1. que 2. qui 3. que 4. qui 5. que 6. qu' [*ou* que l'] 7. qui 8. que 9. qui 10. qu'

17-3 1. que 2. **a.** qui **b.** que 3. **a.** que **b.** qui 4. **a.** qui **b.** que **c.** qui 5. qui 6. que

17-4 1. C'est toi qui **as** [ET NON ~~qui a~~ *ni* ~~qu'a~~] tort. 2. C'est nous qui passerons te prendre. 3. Le film que j'ai vu est avec Gérard Depardieu. 4. C'est moi qui vous ai *ou* qui t'ai dit cela. [NE DITES PAS: ~~C'est moi qui vous avez~~ *ni* ~~C'est moi qui t'as dit~~ cela.] 5. La question que vous me posez est difficile. 6. C'est une imprimante qui ne marche pas bien. 7. Ils ont une fille qui s'appelle Aisha. 8. C'est vous qui devez vous lever tôt demain matin. 9. Le train qui vient d'arriver va à Lyon. 10. Le train que nous avons pris est parti à l'heure.

17-6 1. Où ai-je mis le stylo dont je me servais tout à l'heure? 2. Je t'ai apporté l'article dont je t'avais parlé. 3. Il s'est acheté un tout nouvel ordinateur dont il n'est pas du tout satisfait. 4. C'est une personnalité du monde politique dont nous entendons beaucoup parler ces temps-ci. 5. Malheureusement, les voisins dont le chien aboie tout le temps habitent juste au-dessus de chez nous. 6. Ils ont joué l'œuvre d'un compositeur moderne dont je n'ai pas retenu le nom (*whose name I didn't catch*). 7. Chloé, dont le frère est dans le même cours que toi, est très amie avec Françoise. 8. Je te donnerai mes patins dont je ne me sers plus. 9. C'est quelqu'un de bizarre dont je me méfie un peu. (*He's someone strange whom I don't really trust.*) 10. C'est un magnifique piano dont il ne joue, hélas, que rarement.

17-7 1. **a.** dont **b.** que 2. dont 3. que 4. dont 5. que 6. dont 7. dont 8. que 9. que 10. dont

17-8 1. dont 2. qu' 3. dont 4. dont 5. que 6. que 7. dont 8. dont 9. que 10. qu'

17-9 1. Je ne connais pas les gens qui sont assis à la table là-bas. 2. Il y a d'autres problèmes dont elle n'est même pas consciente. 3. Il y a des problèmes qu'elle préfère ignorer. 4. C'est une recette que j'ai trouvée sur l'Internet. 5. C'est un plat dont j'ai trouvé la recette sur l'Internet. 6. J'aime la façon *ou* la manière dont elle chante. 7. C'est une chanson que j'aime beaucoup. 8. C'est une chanson qui me fait toujours penser à toi. 9. C'est une chanson dont la mélodie est envoûtante. 10. Une fois qu'on l'a entendue, c'est une chanson dont on ne peut pas oublier la mélodie.

17-11 1. C'est un restaurant où [l'] on mange d'excellents fruits de mer. 2. Nous sommes allés à une soirée où nous avons rencontré beaucoup de gens. 3. C'est une petite plage agréable et tranquille où nous venons souvent nous baigner. 4. La bombe a explosé juste au moment où les écoliers sortaient de l'école. 5. Le Café de Flore est un endroit célèbre où les existentialistes se retrouvaient *ou* un endroit célèbre où se retrouvaient les existentialistes. [NE DITES PAS: ~~où les existentialistes s'y retrouvaient~~ *ni* ~~où s'y retrouvaient~~ les existentialistes] 6. Nous avons pris l'avion un jour où il y avait une terrible tempête de neige. 7. Nous vivons à une époque où nous dépendons de plus en plus de la communication électronique. 8. Ils sont passés par des rues étroites et tortueuses où ils se sont perdus. 9. Voici une jolie terrasse où nous pourrons déjeuner [ET NON ~~où nous pourrons y déjeuner~~] tranquillement. 10. Ils avaient un minuscule jardin où ils faisaient [ET NON ~~où ils y faisaient~~] pousser des légumes et des fleurs.

17-12 1. où 2. que 3. où 4. **a.** où **b.** qu' 5. où 6. où 7. que 8. que *ou* où 9. où 10. où [ON PEUT DIRE AUSSI: dans lequel]

17-13 1. que 2. qu' 3. que *ou* où 4. où 5. où 6. **a.** où **b.** qu' 7. **a.** que **b.** où **c.** où 8. que 9. où 10. où 11. qu' 12. où

17-14 1. où 2. qui 3. que 4. dont 5. dont 6. où 7. qui 8. où 9. dont [*ou* **auquel**, car on peut **rêver** de *ou* à qqch] 10. qui

17-15 1. C'est un parc que j'aime [ET NON ~~que je l'aime~~] beaucoup. 2. C'est un parc où je fais [ET NON ~~où j'y fais~~] du jogging de temps en temps. 3. C'est un parc qui se trouve sur la rive gauche. 4. C'est un parc dont les arbres sont magnifiques. 5. C'est quelqu'un dont tu devrais faire la connaissance. 6. C'est quelqu'un que tu apprécierais beaucoup. 7. C'est quelqu'un qui apprécierait tes talents. 8. C'est un jour qui ne me convient pas. 9. C'est un jour où je ne suis pas libre. 10. C'est un jour dont je me souviendrai toute ma vie.

17-16 1. qu' 2. qui 3. dont 4. que 5. dont 6. où 7. qu' 8. où 9. **a.** dont **b.** qui 10. **a.** où **b.** dont **c.** qui 11. où 12. qui 13. **a.** que **b.** dont 14. qui 15. **a.** que **b.** dont

17-17 1. Le club d'art dramatique est l'un des nombreux clubs que nous avons au lycée. 2. Le club d'art dramatique est l'une des nombreuses activités qui sont offertes après les cours au lycée. 3. Le club d'art dramatique, dont je suis la trésorière, se réunit une fois par semaine. 4. Mardi est le jour où le club d'art dramatique se réunit *ou* où se réunit le club d'art dramatique.

5. Ce n'est pas la première fois que je vais au club d'art dramatique. **6.** Le club d'art dramatique donnera une pièce dont tout le monde a entendu parler. **7.** Les lycéens qui font partie du club d'art dramatique sont en général très créatifs. **8.** De tous les rôles qu'elle a joués, la Juliette de Shakespeare est celui dont elle est <u>le</u>[1] plus fière. **9.** Ceux qui assisteront à notre prochaine pièce ne seront pas déçus.

17-19 **1.** L'employé à qui *ou* auquel je me suis adressé a été très aimable avec moi. **2.** Nous avons fait un voyage au cours duquel nous avons visité une région admirable. **3.** Nadia est une amie pour qui *ou* pour laquelle je ferais n'importe quoi. **4.** Nadia est quelqu'un avec qui [ET NON ~~quelqu'un avec laquelle~~] je fais du ski de temps en temps. [On ne peut pas employer **lequel/laquelle** après **quelqu'un**.] **5.** La vieille dame à côté de qui *ou* de laquelle j'étais assise dans l'avion était bavarde comme une pie. **6.** Les amis parmi lesquels [ET NON ~~parmi qui~~] nous nous trouvions hier soir nous ont raconté des choses passionnantes. **7.** Comment s'appelle la place au milieu de laquelle se trouve cet obélisque? **8.** La valise dans laquelle elle avait jeté tous ses vêtements risquait à tout instant de s'ouvrir. **9.** Vous n'auriez pas dû prendre le chemin par lequel *ou* par où vous êtes passé(e)s. **10.** L'ami à qui *ou* auquel j'ai parlé l'autre jour m'a dit qu'il faisait du droit.

17-20 **1.** avec lequel **2.** dans lequel **3.** sans lequel **4.** qui **5.** où *(where)* *ou* sur laquelle *(on which)* **6.** qu' **7.** auquel **8.** que **9.** à laquelle **10.** dont **11.** auxquels **12.** qui **13.** où *(where)* *ou* au cours de laquelle *(during which)* **14.** pour qui *ou* pour lequel **15.** auquel **16.** qui **17.** auxquels **18.** dont **19.** à qui *ou* auxquels **20.** où *ou* dans lequel

17-21 **1.** C'est un roman que j'aime [ET NON ~~que je l'aime~~] énormément. **2.** C'est un roman dont on a beaucoup parlé [ET NON ~~dont on en a beaucoup parlé~~] dans les journaux. **3.** C'est un roman dans lequel *ou* où l'auteur brosse un portrait fascinant de l'Amérique des années soixante-dix. **4.** C'est un roman dont ils ont fait [ET NON ~~dont ils en ont fait~~] un film. **5.** C'est un roman qui m'a beaucoup plu. **6.** C'est un roman auquel l'auteur a consacré dix ans de sa vie. **7.** C'est un roman dont l'auteur [ET NON ~~dont son auteur~~] a gagné plusieurs prix littéraires. **8.** C'est un roman au sujet duquel [ET NON ~~de qui ni de lequel~~] la critique a été très élogieuse. [En modifiant un peu la phrase, on peut dire aussi: C'est un roman dont la critique a été très élogieuse.] **9.** C'est un roman pour lequel l'auteur a reçu le Prix Goncourt. **10.** C'est un roman qui vient de gagner un prix littéraire. **11.** C'est un auteur dont tout le monde parle [ET NON ~~dont tout le monde parle de lui~~] depuis quelque temps. **12.** C'est un auteur que la critique a salué [ET NON ~~que la critique l'a salué~~] comme le meilleur écrivain de sa génération. **13.** C'est un auteur dont j'ai fait la connaissance il y a dix ans. **14.** C'est un auteur chez qui j'ai été invité(e) en tant que journaliste. [ON ÉVITERA DE DIRE: ~~chez lequel.~~] **15.** C'est un auteur qui m'avait invité(e) chez lui. **16.** C'est un auteur qui a donné une conférence de presse hier soir. **17.** C'est un auteur à qui *ou* auquel *Le Monde* a consacré un article de deux pages. **18.** C'est un auteur qu'on enseignera [ET NON ~~qu'on l'enseignera~~] bientôt dans toutes les universités. **19.** C'est un auteur à qui *ou* auquel le département de littérature a écrit pour l'inviter à faire une conférence. **20.** C'est un auteur que j'admire beaucoup.

17-22 **1.** Regarde ma nouvelle montre: c'est celle que Marc m'a donnée. **2.** Celui contre qui *ou* lequel elle est fâchée, c'est son frère Philippe. **3.** Mon portable est celui qui se trouve sur la table là-bas. **4.** Pourrais-tu m'apporter un autre crayon? Celui dont je me servais s'est cassé. **5.** Où est-ce que tu as mis mon dictionnaire, celui avec lequel je travaillais tout à l'heure? **6.** De tous tes CD, ceux que je préfère sont ces deux-là. **7.** De quel ami est-ce que tu parles: de celui dont la sœur vient de finir sa médecine? **8.** Je porterai mon pull bleu: c'est celui qui va le mieux avec ce pantalon [*ou* ces pantalons].

17-23 **1.** dont **2.** ce qui **3.** qu' [ATTENTION: **la compagnie** est en effet **sujet** du verbe subordonné] **4.** ce à quoi **5.** Ce que **6.** ce qu' **7.** ce que **8.** ce qui **9.** ce à quoi *ou* ce dont [ON PEUT DIRE **rêver à qqch/qqn** *ou* **rêver de qqch/qqn**] **10.** ce qui **11.** ce à quoi [ON DIT **penser à qqch/qqn**] **12.** ce qui **13.** qui **14.** que **15.** ce que

17-24 **1.** Ce que **2.** ceux que **3.** celle dont **4.** ce dont [ON DIT: **s'agir de qqch**] **5.** Ce à quoi [ON DIT **s'opposer à qqch**] **6.** celle à laquelle **7.** ce qui **8.** celle qui **9.** ce qui **10.** celui où *ou* celui dans lequel [ON PEUT DIRE AUSSI: C'est là que nous nous sommes rencontrés.]

17-25 **1.** aille **2.** soit [*ou* soient] **3.** s'agit **4.** ait construit**e** **5.** vienne **6.** dis *ou* ai dit **7.** s'entende **8.** veulent *ou* voudraient **9.** pourrions *ou* pourrons *ou* pouvons **10.** comprenne

17-26 **1.** C'est un article dont nous avons beaucoup parlé en classe. (*It's an article that we discussed at great length in class.*) **2.** C'est un article au sujet duquel nous avons eu une discussion très animée en classe. (*It's an article about which we had a very lively class discussion.*) **3.** Ils ont pris des vacances au cours desquelles ils ont fait beaucoup de voile. (*They took a vacation during which they did a lot of sailing.*) **4.** Qui étaient les gens dont vous avez loué l'appartement l'été dernier? (*Who were the people whose apartment you rented last summer?*) **5.** Mon grand-père était un être généreux et drôle dont ma grand-mère a été amoureuse toute sa vie. (*My grandfather was a generous and funny human being with whom my grandmother was in love her entire life.*) **6.** Mon grand-père était un être généreux et drôle auprès de qui *ou* duquel [MAIS PAS ~~auprès dont~~] ma grand-mère a toujours été très heureuse. (*My grandfather was a generous and funny human being with whom my grandmother always lived very happily.*) **7.** C'est une région dont le climat ne lui convient pas. (*This is a region whose climate doesn't suit him/her.*) **8.** C'est une région au climat de laquelle elle n'arrive pas à s'habituer. (*This is a region whose climate she cannot get used to.*) [NE DITES PAS: C'est une région ~~dont elle n'arrive pas à s'habituer au climat.~~] **9.** Il ne connaissait même pas la vieille tante dont [ET NON ~~de qui/de laquelle~~] il a hérité. (*He didn't even know the old aunt from whom he inherited.*) **10.** Il ne

---

[1] Il s'agit d'une comparaison entre divers degrés de fierté: l'article défini reste donc invariable. (Voir *Contrastes*, chapitre 20, 9b.)

connaissait même pas la vieille tante grâce à l'héritage de qui [ET NON ~~dont/de laquelle~~] il a réussi à monter sa nouvelle entreprise. (*He didn't even know the old aunt thanks to whose inheritance he was able to create his new business.*)

17-27 1. sans quoi *ou* faute de quoi *ou* à défaut de quoi 2. ce pour quoi 3. de quoi 4. Ce à quoi 5. Ce à quoi 6. Ce sur quoi 7. de quoi [ET NON ~~ce dont~~, car *what* est ici interrogatif indirect—voir *Contrastes*, chapitre 17, N.B. 17-10] 8. de quoi [idiomatique]

17-28 1. J'ai égaré l'outil dont j'avais besoin pour réparer cette chaise. 2. L'ordinateur sur lequel je travaille d'habitude n'est pas disponible aujourd'hui. 3. Il faut absolument que je trouve quelqu'un qui sache [subjonctif] résoudre ce problème. 4. Je ne sais pas de quoi tu parles *ou* vous parlez. [*what* est interrogatif indirect et non relatif → **de quoi** ET NON ~~ce dont~~] 5. Ce dont elle se plaint est la façon dont on traite les employés. 6. La dame à côté de qui *ou* à côté de laquelle j'étais assis(e) au concert est celle dont [ET NON ~~de qui~~] le collier s'est cassé au milieu du second mouvement. 7. La fille que j'ai rencontr<u>é</u>e hier soir est celle dont [ET NON ~~de qui~~] la sœur aînée vient d'avoir des jumeaux. 8. Crois-moi: ce n'est pas le seul problème qu'ils/elles aient [subjonctif] en ce moment! 9. Tout ce que je vous demande, c'est de nous téléphoner en arrivant *ou* c'est que vous nous téléphoniez en arrivant. 10. Il n'y a vraiment pas de quoi se vanter! 11. Je cherche quelqu'un qui veuille *ou* voudrait bien s'occuper de mon chien en mon absence. 12. C'est une excursion dont je me réjouis beaucoup. 13. J'ai lu un article selon lequel le chômage est *ou* serait en train de diminuer. 14. Oui je sais, le ski est hors de prix; c'est une des raisons pour lesquelles j'ai arrêté. 15. C'est une amie sans l'aide de qui *ou* sans l'aide de laquelle je n'aurais pas pu réussir. [ON NE PEUT PAS DIRE: ~~sans l'aide dont~~… parce que **aide** est introduit par **sans**.]

Chapitre Dix-huit

18-1 1. tous les deux jours 2. il y a un an 3. **a.** Le matin **b.** le soir 4. Les matinées 5. le jour de l'an *ou* le nouvel an 6. **a.** cette année **b.** l'année prochaine *ou* l'an prochain 7. la soirée 8. par jour

18-2 1. Quelle journée 2. toute la matinée 3. la journée 4. du soir 5. une soirée 6. année 7. ce soir-là 8. la nuit

18-3 1. **a.** Chaque année [*ou* Tous les ans] **b.** en été [*ou* pendant l'été] 2. J'ai dix-huit ans. 3. **a.** Avant-hier **b.** la journée 4. de [toute] la matinée 5. tôt le matin *ou* de bonne heure 6. **a.** le lendemain **b.** la veille 7. au même moment *ou* en même temps [NE DITES PAS: ~~au même temps~~] 8. lundi en huit 9. tout à l'heure 10. deux semaines 11. **a.** le lendemain **b.** le surlendemain *ou* deux jours plus tard *ou* deux jours après 12. **a.** de temps en temps **b.** parfois *ou* quelquefois 13. À tout à l'heure *ou* À plus tard 14. tant que *ou* aussi longtemps que 15. **a.** Désormais *ou* À partir de maintenant *ou* Dorénavant **b.** chaque jour [*ou* tous les jours *ou* par jour]

18-4 1. **a.** toujours *ou* encore **b.** plus 2. **a.** dernière **b.** prochaine 3. plus 4. **a.** Avant **b.** après 5. **a.** passée *ou* dernière **b.** prochaine 6. **a.** pas encore **b.** déjà 7. **a.** toujours **b.** jamais 8. **a.** Au début **b.** à la fin 9. **a.** il y a **b.** dans 10. **a.** déjà **b.** pas encore

18-5 1. n'est pas encore rentrée 2. sont encore *ou* toujours là 3. ne fume plus 4. suis [encore] jamais allé(e) 5. suivante 6. à la fin 7. se plaint toujours *ou* tout le temps *ou* constamment 8. dans deux jours

18-7 1. après [*ou* une fois] qu'elle aura terminé 2. pendant qu'ils étaient *ou* tandis qu'ils étaient 3. Depuis qu'il s'est fait 4. Quand *ou* Lorsqu'il est sorti 5. quand *ou* au moment où *ou* lorsqu'elle a commencé 6. dès que *ou* aussitôt que nous saurons 7. chaque fois *ou* toutes les fois qu'ils font 8. Tant qu'il y a 9. une fois *ou* après qu'il s'arrêtera [*ou* après qu'il se sera arrêté] de pleuvoir 10. au moment où personne ne s'y attendait.

18-8 1. **a.** temps que **b.** prennes 2. **a.** avant que **b.** disions 3. **a.** [jusqu'à ce] que **b.** aies fini 4. **a.** Le temps que *ou* D'ici [à ce] que **b.** avait disparu 5. en attendant que je finisse *ou* pendant que [*ou* tandis que] je finis

18-9 1. **a.** un jour où [ON PEUT DIRE AUSSI: un jour que, mais c'est plus littéraire] **b.** me promenais 2. **a.** avant qu' **b.** (ne) parte 3. **a.** après **b.** avoir embrassé 4. **a.** Maintenant que **b.** vit 5. **a.** temps que **b.** fassiez 6. **a.** dès que *ou* aussitôt que **b.** ai vu(e)s 7. **a.** avant que **b.** (n') ait réussi *ou* (ne) réussisse 8. **a.** jusqu'à ce que **b.** aperceviez 9. **a.** comme *ou* alors que [*ou* au moment où] **b.** montais 10. **a.** D'ici [à ce] que *ou* Le temps que **b.** soyez

18-10 1. **a.** dès que *ou* aussitôt que **b.** sera rentré 2. **a.** avant que **b.** (n') ait commencé [*ou* (ne) commence] 3. **a.** Depuis qu' **b.** a entrepris 4. **a.** Une fois que *ou* Après que **b.** auras fini 5. Il est temps que 6. **a.** quand *ou* lorsque **b.** étais 7. **a.** avant d' **b.** aller te coucher 8. **a.** une fois que [*ou* après que] **b.** aurez décidé 9. **a.** Tant qu' **b.** allait 10. **a.** Maintenant qu' **b.** a licencié

18-11 1. avoir fait [*ou* qu'elles ont fait, mais c'est moins courant] 2. (ne) disparaisse *ou* (n') ait disparu 3. travaille 4. aille 5. de trouver [*ou* que je trouve, mais c'est moins courant] 6. sache 7. seras 8. passait 9. avait aperçue 10. (ne) soit

18-12 1. Appelle-moi dès que tu seras rentré(e) *ou* dès ton retour *ou* dès que tu seras de retour. 2. Le match de football venait à peine de commencer <u>que</u> [ET NON ~~quand~~] la télévision est tombée en panne. 3. Je te ferai quelque chose à manger avant que tu (ne) te mettes en route. 4. Il est temps que je vive indépendamment de mes parents. 5. Comme *ou* Alors que *ou* Au moment où il était en train de verrouiller sa voiture, il s'est rendu compte qu'il avait laissé ses clés à l'intérieur. 6. Le soir, sa mère l'attend toujours jusqu'à ce qu'elle soit rentrée! 7. Nous avons dû partir avant d'avoir fini de dîner. 8. Une fois qu'il a pris une décision, personne ne peut lui faire changer d'avis. 9. Quand tu iras à Boston et <u>que</u> tu la verras, dis-lui qu'elle m'envoie *ou* dis-lui de m'envoyer sa nouvelle adresse électronique. 10. D'ici [à ce] que *ou* Le temps que nous ayons la réponse, il sera trop tard.

18-13 1. Mon père a terminé ses études universitaires en 1980. 2. Je n'ai pas vu *ou* Je ne vois plus de bonne pièce depuis longtemps *ou* Il y a/Cela (Ça) fait longtemps que je n'ai pas vu *ou* que je ne vois plus de bonne pièce. 3. Victor Hugo est né au dix-neuvième siècle. 4. Les examens ont lieu au printemps. 5. J'arrive dans deux minutes. 6. Ses romans ont un tel succès que le dernier a disparu des rayons en moins de deux jours. 7. Ils ne sont pas allés *ou* ne vont plus dans ce restaurant depuis des années. *ou* Cela (Ça) fait/Il y a des années qu'ils ne se sont pas allés *ou* qu'ils ne vont plus dans ce restaurant.

18-14 1. Les bombes qui ont éclaté il y a deux jours ont fait plus de deux cents victimes. 2. Elle a terminé son internat depuis/il y a déjà un an *ou* Il y a/Cela (Ça) fait déjà un an qu'elle a terminé son internat. 3. Ils ont divorcé il y a plus de deux ans. *ou* Il y a/Cela (Ça) fait plus de deux ans qu'ils ont divorcé.

18-15 1. Il y a/Cela (Ça) fait deux jours qu'il est [ET NON a été] malade. *ou* Il est [ET NON a été] malade depuis deux jours. 2. Elle a dansé dans cette compagnie pendant près de dix ans. 3. Sophie est allée à Londres pour le week-end. 4. Gaëtan ne peut plus *ou* n'a pas pu jouer au hockey depuis deux mois. *ou* Il y a/Cela (Ça) fait deux mois que Gaëtan ne peut plus *ou* n'a pas pu jouer au hockey.

18-16 1. Depuis qu'il l'a rencontrée, il est [ET NON a été] très heureux. *ou* Il est [ET NON a été] très heureux depuis qu'il l'a rencontrée. 2. Il y a/Cela (Ça) fait des années que je ne parle plus français *ou* que je n'ai pas parlé français. *ou* Je n'ai pas parlé *ou* Je ne parle plus français depuis des années. [NE DITES PAS : Il y a/Cela (Ça) fait des années depuis que j'ai parlé…] 3. Cela (Ça) faisait/Il y avait dix ans qu'ils s'étaient mariés. 4. Nous faisons [ET NON avons fait] la queue depuis neuf heures.

18-17 1. J'ai commencé mon doctorat il y a deux ans. *ou* Il y a/Cela (Ça) fait deux ans que j'ai commencé mon doctorat. 2. Il y a/Cela (Ça) fait deux ans que je travaille [ET NON que j'ai travaillé] à mon doctorat. *ou* Je travaille [ET NON que j'ai travaillé] à mon doctorat depuis deux ans. 3. Il y a/Cela (Ça) fait deux ans que je n'ai pas pris de vacances. *ou* Je n'ai pas pris de vacances depuis deux ans. 4. Il y a/Cela (Ça) fait deux ans que j'ai commencé mon doctorat. *ou* J'ai commencé mon doctorat il y a deux ans. 5. Il y a/Cela (Ça) fait deux ans que je ne l'ai pas vue *ou* que je ne la vois plus. [ON NE PEUT PAS DIRE : Il y a/Cela (Ça) fait deux ans depuis que je l'ai vue.]

18-18 1. J'ai vu ce film il y a deux semaines. *ou* Il y a/Cela (Ça) fait deux semaines que j'ai vu ce film. 2. Il y a/Cela (Ça) fait longtemps que je ne lui ai pas parlé *ou* que je ne lui parle plus. 3. Il y a/Cela (Ça) fait longtemps qu'elle n'est pas allée *ou* qu'elle ne va plus à Paris. [NE DITES PAS : Il y a/Cela (Ça) fait longtemps depuis qu'elle est allée à Paris.] 4. Cela (Ça) fait/Il y a trois jours qu'il est [ET NON a été] absent. 5. Cela (Ça) faisait/Il y avait deux semaines qu'elle avait commencé son nouveau travail, et elle en était ravie.

18-19 1. Je ne l'ai vu**e** que deux fois depuis qu'elle a déménagé. 2. Il n'est parti que depuis dix minutes. 3. Il pleut [ET NON a plu] depuis deux jours. 4. Je n'ai pas skié *ou* Je ne skie plus depuis longtemps. 5. Il n'a pas *ou* Il n'a pas eu de vrai travail depuis deux ans.

18-20 1. depuis 2. Il y a *ou* Cela (Ça) fait 3. pendant *ou* — 4. Depuis qu' 5. **a.** Cela (Ça) faisait *ou* Il y avait **b.** depuis [lors] 6. en 7. **a.** pour [*ou* —] **b.** dans 8. Au 9. pendant [*ou* —] 10. il y a 11. pour [*ou* —] 12. **a.** Au **b.** en

18-21 1. n'étions pas retourné(e)s *ou* ne retournions plus 2. ont acheté 3. sois revenu(e) *ou* reviennes 4. comptez 5. arrive 6. commencera *ou* va commencer 7. a annoncé 8. aura 9. étudiait 10. fait

18-22 1. Il est [ET NON a été] de très bonne humeur depuis hier. 2. Elle a [ET NON a eu] mal à la tête depuis deux jours. *ou* Il y a/Cela (Ça) fait deux jours qu'elle a [ET NON a eu] mal à la tête. 3. Ils ont divorcé il y a trois ans. *ou* Il y a/Cela (Ça) fait trois ans qu'ils ont divorcé. 4. Nous sommes resté(e)s là-bas [pendant *ou* pour] trois jours. 5. Il y a/Cela (Ça) fait deux ans qu'il ne neige plus vraiment *ou* qu'il n'a pas vraiment neigé dans cette région. *ou* Il ne neige plus/Il n'a pas vraiment neigé dans cette région depuis deux ans. [NE DITES PAS : Il y a/Cela (Ça) fait deux ans depuis qu'il a vraiment neigé…]

18-23 1. Ils habitent [ET NON ont habité] ici depuis dix ans. *ou* Il y a/Cela fait dix ans qu'ils habitent [ET NON ont habité] ici. 2. Ils ont vécu en Californie pendant deux ans. *ou* Ils ont vécu deux ans en California. 3. Ils ont travaillé très dur pendant deux semaines. 4. Ils sont partis [pour] deux semaines. 5. Ils ont quitté Paris depuis/il y a dix ans. *ou* Il y a/Cela (Ça) fait dix ans qu'ils ont quitté Paris. 6. Ils vivent [ET NON ont vécu] ici depuis 1994. 7. Depuis qu'ils vivent [ET NON ont vécu] à Lyon, ils parlent [ET NON ont parlé] couramment le français. 8. Je n'ai pas visité Versailles depuis longtemps. *ou* Il y a/Cela (Ça) fait longtemps que je n'ai pas visité Versailles. [NE DITES PAS : Il y a/Cela (Ça) fait longtemps depuis que j'ai visité Versailles.] 9. J'ai terminé mes études depuis longtemps. *ou* Il y a/Cela (Ça) fait longtemps que j'ai terminé mes études. 10. Il y a/Cela (Ça) fait deux jours qu'il pleut [ET NON a plu] sans arrêt. *ou* Il pleut [ET NON a plu] sans arrêt depuis deux jours. 11. Il y a/Cela (Ça) fait deux jours qu'il ne pleut pas/n'a pas plu. *ou* Il ne pleut pas/n'a pas plu depuis deux jours.

18-24 1. arrive *ou* est en train d'arriver 2. vient [juste] d'arriver 3. arrivait 4. est arrivé 5. était arrivé 6. va arriver 7. soit 8. ait donné 9. (ne) fasse 10. ne sois pas venu(e)

Chapitre Dix-neuf

19-1 1. Ces deux films ont été réalis**és** par Jean Renoir. 2. Pendant son congé de maternité, Michèle sera remplac**ée** par une jeune collègue. 3. Il faudrait que la réunion soit termin**ée** avant six heures. 4. Mon billet d'avion avait pourtant été réservé par mon agent de voyage. 5. Le bâtiment va être complètement rénové. 6. Cette maison vient d'être achet**ée** par nos amis.

7. C'est la première fois que des chiffres officiels sur la peine de mort sont publiés par ce quotidien chinois. **8.** Une fois que le câble aura été installé, vous pourrez vous brancher sur la Toile sans aucun problème. **9.** Une dixième planète aurait été détecté**e** par le téléscope *Spitzer*. **10.** C'est idiot que vous n'ayez pas été averti(**e**)**s**.

19-2 **1.** Plus de dix personnes ont été tué**es** par un kamikaze. **2.** J'ai été perturbé(**e**) par cette mauvaise nouvelle. **3.** Vous serez accueilli(**e/s**) à bras ouverts. **4.** Il n'aime pas être dérangé tôt le matin. **5.** Les travaux de réfection n'avaient pas encore été terminés. **6.** Il est curieux qu'un tel article soit publié par *Le Figaro*. **7.** Ce gouvernement a toujours été soutenu par l'armée. **8.** Vous croyez que ces frais médicaux me seront remboursé**s** par l'assurance? **9.** Nous avons été reçu(**e**)**s** très gentiment par les Dufour. **10.** Le président russe a été réélu à 71% des voix.

19-3 **1.** L'état des lieux a été fait par un agent immobilier avant la prise en location. **2.** L'Amérique avait été découvert**e** par Vespucci avant Christophe Colomb. **3.** Tout ce que j'écris est automatiquement sauvegardé par mon ordinateur. **4.** Durant sa visite à l'étranger, le président de la République sera accompagné de plusieurs gardes du corps. **5.** Selon les derniers rapports, tout un quartier de la ville aurait été détruit par l'éruption volcanique. **6.** Avant de procéder aux travaux, il faut que le projet soit accepté par toutes les parties. **7.** La tuberculose n'a toujours pas été éradiqué**e**. **8.** D'après ce que je comprends, uniquement les dix premiers candidats seront accepté**s** au concours de la magistrature. **9.** Le voleur fut arrêté sans trop de difficultés. **10.** La police se félicite que les coupables aient été retrouvé**s** par le FBI.

19-4 **1. est sortie**: passé composé du verbe **sortir**, voix active **2. est sortie**: présent du verbe **sortir**, voix passive **3. être descendu**: infinitif présent du verbe **descendre**, voix passive **4. est descendu**: passé composé du verbe **descendre**, voix active **5. soit rentré**: subjonctif passé du verbe **rentrer**, voix active **6. être rentrés**: infinitif présent du verbe **rentrer**, voix passive **7. suis monté(e)**: passé composé du verbe **monter**, voix active **8. être montés**: infinitif présent du verbe **monter**, voix passive **9. est retournée**: présent du verbe **retourner**, voix passive **10. est retournée**: passé composé du verbe **retourner**, voix active

19-5 **1.** Lors des dernières émeutes, des délinquants ont brisé de nombreuses vitrines. **2.** On a pillé la plupart des magasins et volé des marchandises valant plusieurs centaines de milliers d'euros. **3.** La police a interpellé plus de deux mille personnes pour possession de drogue ou d'armes. **4.** On va encore intensifier les contrôles dans les gares et les aéroports. **5.** Nous craignons que le gouvernement actuel (n') autorise de nouveaux forages pétroliers. **6.** On n'aurait jamais dû relancer le programme de centrales nucléaires. **7.** Il est important que les organisations écologiques proposent des alternatives à l'énergie nucléaire. **8.** On diffusera toutes ses chansons sur MTV.

19-6 **1.** On vient de le mettre en examen. **2.** On exigera la connaissance de deux langues vivantes à ce concours. **3.** Ne nous éloignons pas trop: on va nous appeler d'un instant à l'autre. **4.** L'enthousiasme de ses professeurs l'encourage vivement. **5.** Pourquoi faut-il que, souvent, les enfants les plus grands harcèlent les plus petits? **6.** De mystérieux courtiers les ayant avertis de la chute imminente des valeurs boursières, certains hommes d'affaires vendirent leurs actions juste avant le krach. **7.** Pour que le public l'apprécie, le candidat présidentiel doit posséder un certain charisme. **8.** La thèse selon laquelle on aurait asphyxié Zola est très convaincante. **9.** Des gens qui en voulaient à Zola l'ont sûrement assassiné. **10.** On devrait changer les pneus de cette voiture: ils sont tout lisses!

19-7 **1.** par **2.** par **3.** de **4.** de **5.** par **6.** d' **7.** d' **8.** par **9.** par **10.** de

19-8 **1.** par **2.** de **3.** par [à cause du sens concret de **pâleur**] **4.** de [émotion] **5.** de **6.** par **7.** de **8.** par **9.** de **10.** par

19-9 **1.** La décision du ministre a été fortement critiqué**e** par les médias. **2.** La salle avait été décoré**e** de ballons multicolores. **3.** Le salon avait été décoré par un célèbre artiste italien. **4.** Ma grand-mère était aimé**e** de tous ses voisins et amis. **5.** Le château a été racheté par une entreprise privée. **6.** Le château était entouré de douves. **7.** Nous étions entouré**s** par une foule menaçante. **8.** Chaque dossier sera lu par une ou deux personnes. **9.** Durant *ou* Pendant l'invasion, la collection du musée a été *ou* fut [passé simple] saccagé**e** par une bande de voleurs. **10.** C'est une personnalité importante du monde politique qui est connu**e** de tout le monde aux États-Unis.

19-10 **1.** J'ai peur que le budget (ne) soit à nouveau coupé. *ou* J'ai peur qu'on (ne) coupe à nouveau le budget. **2.** On nous a dit de ne pas nous inquiéter. **3.** Ce tableau a été vendu à un musée américain pour plusieurs millions de dollars. *ou* On a vendu ce tableau à un musée américain pour plusieurs millions de dollars. **4.** Un tableau d'une très grande valeur a été donné à ce musée. *ou* Ce musée a reçu un tableau d'une très grande valeur. *ou* Quelqu'un a donné un tableau d'une très grande valeur à ce musée. [ON NE PEUT PAS DIRE: ~~Le musée a été donné…~~ parce qu'on dit **donner qqch à qqn**.] **5.** J'ai appris par ta mère que tu venais de finir tes études. *ou* Ta mère m'a dit que tu venais de finir tes études. [ON NE PEUT PAS DIRE: ~~J'ai été dit par ta mère…~~ parce qu'on dit **dire qqch à qqn**.] **6.** Ce magnifique paysage a été [ET NON ~~était~~] peint par Monet. *ou* [avec une mise en relief:] **C'est** Monet **qui** a peint ce magnifique paysage. **7.** Nous avons appris la nouvelle par des amis. *ou* Des amis nous ont appris la nouvelle. *ou* Ce sont des amis qui nous ont appris la nouvelle. **8.** On lui a donné une augmentation. *ou* Elle a reçu une augmentation. [ON NE PEUT PAS DIRE: ~~Elle a été donnée une augmentation.~~] **9.** Cette maison a été construit**e** par un illustre architecte. *ou* C'est un illustre architecte qui a construit cette maison. **10.** Elle a été interviewé**e** au téléphone par le directeur. [ON PEUT DIRE AUSSI: Le directeur l'a interviewé**e** par téléphone. *ou* C'est le directeur qui l'a interviewé**e** par téléphone. (*The director interviewed her by phone.*)]

19-11 **1.** Pourquoi est-ce elle qui a été choisi**e** et pas moi? *ou* Pourquoi est-ce qu'on l'a choisi**e**, et pas moi? **2.** On lui a expliqué la situation en détail. *ou* La situation lui a été expliquée en détail. [ON NE PEUT PAS DIRE: ~~Elle a été expliquée…~~ parce qu'on dit expliquer **qqch à qqn**.] **3.** Que dois-je faire pour être pris(**e**) au sérieux? *ou* Que dois-je faire pour qu'on me prenne au sérieux? **4.** Elle a reçu une magnifique bague pour son anniversaire. *ou* On lui a donné une magnifique bague pour son anniversaire. *ou* Une magnifique bague lui a été offert**e** pour son anniversaire. [ON NE PEUT PAS DIRE: ~~Elle a été offerte…~~ parce qu'on dit **offrir qqch à qqn**.] **5.** Les résultats du premier tour de scrutin viennent d'être affichés sur la Toile. *ou* On vient d'afficher les résultats du premier tour de scrutin sur la Toile. **6.** On nous a donné rendez-vous pour demain. [ON NE PEUT PAS DIRE: ~~Nous avons été donnés…~~] **7.** Quand cette décision a-t-elle été pris**e**? *ou* Quand a-t-on pris cette décision? **8.** C'est dommage qu'elle ait été retenu**e**. *ou* C'est dommage qu'on l'ait retenu**e**. **9.** On m'a volé mon passeport. *ou* Mon passeport [m'] a été volé. **10.** Ils ont été tabassé**s** par deux individus qui leur ont pris leur argent. [MAIS ON PEUT DIRE AUSSI: Ils se sont fait tabasser par deux individus qui leur ont pris leur argent.]

19-12 **1.** Ses peurs étaient infondée**es**. [participe passé pris comme adjectif] **2.** En 1903, le prix Nobel de physique a été [*ou* fut (passé simple)] remporté par Pierre et Marie Curie. *ou* En 1903, c'est/ce sont Pierre et Marie Curie qui ont remporté [*ou* remportèrent (passé simple)] le prix Nobel de physique. **3.** Nous avons été prévenu(**e**)**s** par la météo que nous aurions peut-être un blizzard après-demain. *ou* La météo nous a prévenu(**e**)**s** que nous aurions peut-être un blizzard après-demain. **4.** On nous a prévenu(**e**)**s** qu'il y aurait peut-être des orages dans la soirée. *ou* Nous avons été prévenu(**e**)**s** qu'il y aurait peut-être des orages dans la soirée. **5.** Jusqu'à présent, mes appels sont restés sans réponses. *ou* Jusqu'à présent, on n'a pas répondu à mes appels. **6.** Dans cette petite ville, on dispense une éducation de tout premier ordre aux enfants. *ou* Dans cette petite ville, une éducation de tout premier ordre est dispensé**e** aux enfants. [MAIS ON PEUT DIRE AUSSI: Les enfants re̲çoivent une éducation… par contre ON NE PEUT PAS DIRE: les enfants ~~sont dispensés une éducation…~~ parce qu'on dit **dispenser qqch à̲ qqn**.] **7.** Cette maison a été bâti**e** en six semaines. *ou* On a bâti cette maison en six semaines. **8.** Chaque semaine, une étudiante de dernière année lui donne des leçons de français. [ON ÉVITERA DE DIRE: Chaque semaine, des leçons de français lui sont donné**es** par une étudiante de dernière année, car cette phrase est lourde.]

19-13 **1.** Ces phares s'aperçoivent de très loin. **2.** Cette toile de Matisse s'est vendue pour un million d'euros. **3.** Le cumin s'emploie beaucoup dans la cuisine indienne. **4.** Cette chanson s'entendait souvent à la radio. **5.** Le caviar se mange normalement en hors d'œuvre. **6.** Le noir se porte beaucoup le soir. **7.** Les vendanges se feront plus tôt que d'habitude cette année. **8.** Ça se comprend! **9.** Il est amoureux et ça se remarque! **10.** Il est de Marseille et ça s'entend!

19-14 **1.** Le mot *héros* s'écrit avec un *s* en français. **2.** Les clémentines se cueillent d'habitude en hiver. **3.** Le cognac se boit après le dîner, et non [pas] avant. **4.** Ce genre de pantalon se porte avec des talons hauts. **5.** Le mot *œufs* ne se prononce pas comme il s'écrit. **6.** Le *Faust* de Gounod se donne en ce moment à l'Opéra Bastille. **7.** Ce modèle s'est beaucoup vendu cette saison. [très idiomatique] **8.** Sa robe de mariée s'est déchirée parce qu'elle s'est prise dans la portière de la voiture. **9.** Cela ne s'est jamais vu. **10.** Cela se conçoit.

19-15 **1.** Pourquoi l'a-t-il fait pleurer? *ou* Pourquoi est-ce qu'il l'a ~~faite~~ pleurer [ET NON faite pleurer]? **2.** Ta *ou* Votre réaction l'a rendu**e** furieuse. [NE DITES PAS: l'a ~~faite~~ furieuse] **3.** Ma voiture est tombée en panne: je dois la faire réparer. *ou* il faut que je la fasse réparer. **4.** Arrête! Ça me rend fou/folle! **5.** Vous croyez que je devrais faire venir un médecin? **6.** La décision a été rendue publique hier. **7.** Ils nous le feront savoir avant demain. **8.** C'est une photo de ton petit frère? Oh, fais voir! **9.** Tous ces préparatifs ont rendu les enfants très impatients. **10.** Où se trouve le rapport que j'ai [*ou* avais] fait photocopier par la secrétaire?

19-16 **1.** Ils l'ont fait installer. **2.** Ils le lui ont fait installer. **3.** Nous aurions voulu la faire refaire. **4.** Il faudrait que tu leur fasses installer un système de sécurité. **5.** Cet été, je la ferai nettoyer de haut en bas. **6.** Ils leur ont fait poser une nouvelle moquette. **7.** Qui le lui fait travailler? **8.** On le fera installer prochainement. **9.** Je ne sais pas comment le lui faire avaler parce que dès qu'il me voit, il court se réfugier sous le canapé. **10.** Ils leur ont fait payer les dégâts.

19-17 **1.** Les grévistes criaient tellement que le ministre n'arrivait pas à se faire entendre. **2.** Elle leur a fait chanter une chanson française. **3.** Ils se sont fait embaucher à l'usine. **4.** Comme nous n'aimions pas les rideaux, nous les avons fait enlever. **5.** Elle s'est fait teindre [les cheveux] en blond. [MAIS ON PEUT DIRE AUSSI: Elle a fait teindre ses cheveux en blond.] **6.** Vous avez besoin de/Vous devez faire construire de nouveaux rayonnages pour cette bibliothèque. *ou* Il faut que vous fassiez construire de nouveaux rayonnages pour cette bibliothèque. **7.** Elle a dû se faire soigner aux urgences. *ou* Il a fallu qu'elle se fasse soigner aux urgences. **8.** Ils se font toujours conduire par un chauffeur.

19-18 **1.** Tu devrais te laisser pousser les cheveux. **2.** Ils ne sont pas venus au rendez-vous! Ils nous ont laissé tomber une fois de plus! [À L'ÉCRIT, IL ARRIVE QUE L'ON RENCONTRE ENCORE: Ils nous ont laissé**s** tomber…] **3.** Tu as laissé sortir le chat? **4.** Les deux prisonniers se sont laissé emmener sans protester. [À L'ÉCRIT, IL ARRIVE QUE L'ON RENCONTRE ENCORE: Les deux prisonniers se sont laissé**s** emmener…] **5.** Laisse-les *ou* Laissez-les faire! **6.** Nous ne nous laisserons pas faire! **7.** Tu n'es pas d'accord? Bon, laisse/ laissons/laissez tomber. **8.** Ils ne te/vous laisseront jamais assister à la réunion! [ON PEUT DIRE AUSSI: Ils ne te/vous permettront jamais d'assister à la réunion!] **9.** Ne te laisse *ou* Ne vous laissez pas décourager! **10.** Laissez-les *ou* Laisse-les s'approcher un peu plus près de la scène.

Chapitre Vingt

20-1 Cette équipe de football est moins forte que l'autre. **2.** Ces exercices sont aussi difficiles que les précédents. **3.** Je trouve que cette robe rouge te va moins bien que la noire. **4.** Essaie ces chaussures: je crois qu'elles seront plus confortables que celles-là. **5.** Les trains régionaux vont moins vite que les TGV. **6.** C'est une chambre plus grande que celle de Sophie. *ou* C'est une plus grande chambre que celle de Sophie. **7.** J'aime bien le train: c'est moins fatigant que la voiture. **8.** Aux États-Unis, Pâques n'est pas une fête aussi importante que Thanksgiving. **9.** Ce vin est plus fruité que celui que nous avons bu hier. **10.** Jean-Louis se fâche moins facilement que Luc.

20-2 **1.** La littérature m'intéresse plus/davantage que la chimie. **2.** Jean fait autant *de* tennis que Janine. **3.** Maintenant, elle étudie plus *ou* davantage qu'avant. **4.** Aujourd'hui, il pleut moins qu'hier. *ou* Il pleut moins aujourd'hui qu'hier. **5.** Cette semaine, j'ai plus/davantage de rendez-vous que la semaine passée. *ou* J'ai plus/davantage de rendez-vous cette semaine que la semaine passée. **6.** En général, tu fais moins de fautes dans les dictées que moi *ou* tu fais moins de fautes que moi dans les dictées. **7.** Ils connaissent plus/davantage de gens que nous. **8.** J'ai moins de chance que vous. **9.** Londres a autant d'habitants que Paris. **10.** Daniel gagne moins que son fils.

20-3 **1.** ne le pensais **2.** n'en aurez **3.** ne s'y attendait **4.** le [ET NON ~~la~~] craignait **5.** n'en suis capable **6.** ne l'avais imaginé [ET NON ~~imaginée~~] *ou* ne l'imaginais **7.** l'a dit **8.** n'en ai besoin

20-4 **1.** J'aime autant le brie que le camembert. *ou* J'aime le brie autant que le camembert. **2.** Je n'aime pas ce bistrot: la bière y est bien/beaucoup plus chère que dans celui où nous allons d'habitude. **3.** C'est plus facile que je (ne) le pensais. **4.** Ce n'est pas aussi loin que je le pensais. **5.** C'est plus loin que je (ne) m'y attendais. **6.** Elle a bien *ou* beaucoup plus de patience que toi *ou* que vous! **7.** Elle est plus jeune mais plus grande que son frère. **8.** Nous avons besoin de trois chaises de plus à cette table. [ON PEUT DIRE AUSSI: Nous avons besoin de trois chaises supplémentaires à cette table.] **9.** Ce semestre, j'ai lu moins de romans et *de* poèmes que le semestre passé. **10.** Ce/Ça n'est pas si *ou* aussi difficile que ça. **11.** Le coucher de soleil de ce soir n'est pas aussi spectaculaire que celui d'hier soir.

20-5 **1.** Elle tombe plus souvent malade que toi/vous. *ou* Elle tombe malade plus souvent que toi/vous. **2.** Pourquoi est-ce que mon billet coûte vingt dollars *de* plus que le tien/le vôtre? **3.** Il a plus de temps et d'idées que d'argent. **4.** C'est une voiture bien/beaucoup plus spacieuse que la mienne. **5.** Sam a autant de CD que de DVD. **6.** Cette semaine, nous avons bien/beaucoup moins de travail que nous (n') en avions la semaine passée. [ON PEUT DIRE AUSSI: Cette semaine, nous avons bien moins *ou* beaucoup moins de travail que la semaine passée.] **7.** C'est plus facile à dire qu'à faire. **8.** Achète *ou* Achetez cette veste: elle me plaît davantage. [ÉVITEZ D'ÉCRIRE: elle me ~~plaît plus~~.] **9.** Il est plus jeune que je (ne) le pensais. **10.** Il n'est pas aussi bête qu'il en a l'air.

20-6 **1.** C'est la plus petite rue *ou* C'est la rue la plus petite *de* [ET NON ~~dans~~] ce quartier. **2.** C'est le plus grand aéroport *ou* C'est l'aéroport le plus grand *de* [ET NON ~~dans~~] Paris. **3.** Malheureusement, Patrick et Marianne sont les amis que je vois le moins [souvent] depuis que j'ai déménagé. **4.** C'est la plage la plus agréable *de* [ET NON ~~sur~~] la côte atlantique. **5.** Myriam est celle qui court le plus vite *de* [ET NON ~~dans~~] l'équipe. **6.** J'espère qu'elle nous répondra le plus vite possible *ou* aussi vite que possible. [ON PEUT DIRE AUSSI: J'espère qu'elle nous répondra au plus vite. (idiomatique)] **7.** C'est le plus beau vitrail *ou* C'est le vitrail le plus beau *de* [ET NON ~~dans~~] la cathédrale. **8.** Nous les avons envoyé(e)s au plus vieux restaurant *ou* au restaurant le plus vieux *de* Paris.

20-7 **1.** De tous les tableaux de Monet, ils n'ont parlé que des plus connus. **2.** C'est en général après Noël que ces hôtels ont le moins de clients. **3.** C'est au mois de mai qu'il y a le plus de jours fériés en France. **4.** C'est au mois de mai qu'on travaille le moins en France à cause des nombreux ponts. **5.** Nous serons de retour lundi au plus tôt. **6.** Cette sonate est la plus difficile que j'aie jamais jouée. [subjonctif passé] **7.** De nous tous, c'est elle qui est toujours *la* plus stressée. **8.** C'est quand elle est *le* plus stressée qu'elle est *le* plus difficile à vivre. **9.** C'est le film le plus intéressant que j'aie vu [subjonctif passé] récemment. **10.** C'est un événement rarissime *ou* extrêmement rare.

20-8 **1.** Avant le 11 septembre 2001, les tours jumelles de New York étaient les plus hauts gratte-ciel *ou* les gratte-ciel les plus hauts *du* [ET NON ~~dans le~~] monde. **2.** La Tour Montparnasse est plus haute que la Tour Eiffel. **3.** Le Mont-Blanc est moins haut que l'Everest. **4.** Le Mont-Blanc n'est pas aussi haut que l'Everest. **5.** La Loire est le fleuve le plus long *de* [ET NON ~~dans la~~] France. **6.** Des quatre fleuves de France, la Garonne est le moins long. **7.** La Garonne n'est pas aussi longue que les trois autres fleuves. **8.** Paris est la plus grande ville *de* [ET NON ~~dans la~~] France. *ou* Paris est la ville la plus grande de France. **9.** Monaco est l'un des plus petits pays *d'*Europe [ET NON ~~en Europe~~] *ou* l'un des pays les plus petits *d'*Europe: c'est une principauté. **10.** Le Luxembourg est plus petit que la Belgique. **11.** Monaco n'est pas aussi petit que le Vatican. **12.** L'Espagne est presque aussi grande que la France.

20-9 **1.** Elle parle très bien l'arabe. **2.** Elle parle mieux l'arabe que ses sœurs. **3.** C'est elle qui parle le mieux l'arabe. **4.** Les grèves cette année sont pires que celles de l'année dernière. **5.** Les meilleurs restaurants *ou* Les restaurants les meilleurs ne sont pas nécessairement les plus chers. **6.** je n'en ai pas la moindre idée. **7.** Apparemment, la vague de chaleur a été pire en France qu'en Espagne. **8.** Sa santé va de mal en pis. **9.** Elle joue du piano mieux que moi. **10.** Elle est meilleure que moi au piano.

20-10 1. Au mieux 2. de mon mieux 3. quelque chose de mieux 4. ferions mieux 5. faute de mieux 6. ce qui se fait *ou* ce qu'il y a de mieux 7. **a.** Le mieux **b.** Il vaut mieux *ou* Le mieux est de *ou* Mieux vaut 8. meilleur marché

20-11 1. Je suis d'autant plus ravi(e) de mes résultats que j'avais beaucoup étudié. 2. L'essence devient de plus en plus chère. 3. Plus tu cries, moins il t'écoutera. [NE DITES PAS: ~~Le plus~~ tu cries, ~~le moins~~ il t'écoutera.] 4. Elle en est d'autant plus déçue qu'ils ne se sont pas vus depuis deux mois. 5. Plus elle travaille, plus elle a l'air content! [NE DITES PAS: ~~Le plus~~ elle travaille, ~~le plus~~ elle a l'air content.] 6. Elle t'a dit cela autant pour te provoquer que pour répondre à ta question. 7. Autant ce vin-ci est fruité, autant celui-là est sec. *ou* Ce vin-ci est aussi fruité que celui-là est sec. 8. Les ordinateurs sont de moins en moins chers. 9. J'avais d'autant moins envie de rester dans cet hôtel qu'il faisait froid et que les chambres n'étaient pas encore chauffées. 10. Moins tu réagis, mieux ça vaut. [NE DITES PAS: ~~Le moins~~ tu réagis, ~~le mieux~~ ça vaut.] 11. J'aimerais autant ne pas y aller. 12. Jé tais de plus en plus perplexe.

20-12 1. Invitons-les samedi soir plutôt que vendredi. 2. Telle mère, telle fille. 3. Elle travaille comme ingénieur. [NE DITES PAS: Elle travaille ~~comme un ingénieur.~~] 4. Elle travaille comme une folle. 5. Ils ne sont pas riches mais ils vivent comme s'ils l'étaient. 6. Fais/Faites comme nous. 7. Ta/Votre voiture est de la même couleur que la mienne. 8. Mets un pantalon plutôt qu'une robe: tu seras plus à l'aise. 9. Ce vin pétille comme du champagne. 10. comme vin 11. Le dimanche, la plupart des magasins sont fermés, en Allemagne de même qu'en Autriche *ou* aussi bien qu'en Autriche.

20-13 **1e.** Il est riche comme Crésus. (*He is as rich as Crœsus.* or *He is fabulously rich.*) **2g.** Il est doux comme un agneau. (*He's gentle as a lamb.*) **3h.** Il est beau comme un dieu. (*He's drop-dead gorgeous.* or *He is handsome like a Greek god.*) **4j.** Il ment comme un arracheur de dents. (*He is lying through his teeth.*) **5i.** Elle est aimable comme une porte de prison. (*She's very grumpy.* or *She is like a bear with a sore head.*) **6a.** Il est franc comme l'or. (*He's as candid/frank as a child.*) **7c.** Elle est gaie comme un pinson. (*She's happy as a lark.*) [Notez que les oiseaux ne sont pas identiques en français et en anglais: pinson = *finch*; alouette = *lark*.] **8f.** Elle est jolie comme un cœur. (*She's pretty as a picture.*) **9b.** Il est fier comme Artaban. (*He's as proud as a peacock.*) **10d.** Elle mange comme un oiseau. (*She eats like a bird.*)

20-15 PAR EXEMPLE: 1. J'ai un an de plus que toi. (*I'm a year older than you are.*) 2. Ce n'est pas si grave que ça. (*It's not that bad.*) 3. J'ai autant de frères que de sœurs. (*I have as many brothers as I have sisters.*) 4. C'est de loin le devis le moins cher. (*It's the cheapest estimate by far.*) 5. C'est l'endroit que j'aime le plus au monde. (*It's the place I love most in the world.*) 6. Il a plus de jeux électroniques et de bandes dessinées que de romans policiers. (*He has more electronic games and comic books than detective stories.*) 7. C'est drôlement bien! (*It's really very good!*) 8. Bill Gates est richissime. (*Bill Gates is fabulously rich.*) 9. Cet enfant est mignon tout plein. (*This child is really cute* or *a real darling.*) 10. C'est avec toi qu'elle est le plus gent**ille**. (*She is at her nicest with you.*)

20-16 PAR EXEMPLE: 1. Nous prendrons un bus, faute de mieux. (*We'll take the bus, for lack of something better.*) 2. La situation au Moyen Orient va de mal en pis. (*The situation in the Middle East is going from bad to worse.*) 3. Tu ferais mieux de lui téléphoner. (*You'd better call her/him.*) 4. La moindre chose *ou* La moindre des choses l'irrite. (*The least little thing irritates her/him.*) 5. Les jeans sont meilleur marché dans ce magasin. (*Jeans are cheaper in this store.*) 6. Nous sommes d'autant plus ravi(e)s que tu aies obtenu ce poste que nous ne nous y attendions pas. (*We're all the more delighted that you got the job since/as we didn't expect it.*) 7. Autant ma mère est vive, autant mon père est calme. (*My mother is as vivacious as my father is calm.*) 8. Il a de moins en moins de temps pour faire du sport. (*He has less and less time to exercise.*) 9. De plus en plus de gens se servent de l'Internet. (*More and more people use the Internet.*) 10. J'aimerais autant que tu ne prennes pas la voiture. (*I'd rather you didn't take the car.*) 11. Plus tu bois de café, moins tu arriveras à dormir. (*The more coffee you drink, the less you'll be able to sleep.*) 12. Il est très différent <u>de</u> [ET NON PAS ~~que~~] son frère. (*He's very different from his brother.*) 13. Ces deux vins ne sont pas comparables: celui-ci est un cabernet et l'autre est un chablis. (*These two wines are not comparable: This one is a cabernet, and that one is a chablis.*) 14. Ne me regarde pas comme si je te parlais chinois! (*Don't look at me as though I was speaking Chinese to you!*) 15. Allez vous promener plutôt que de regarder la télévision toute l'après-midi! (*Go for a walk instead of watching television all afternoon!*)

NOTES

NOTES

NOTES

NOTES

NOTES

NOTES

NOTES

NOTES